Le Jour de l'Aigle

www.casterman.com

Publié en Grande-Bretagne par Hodder Children's Books, sous le titre : *Eagle Day*

ISBN 978-2-203-06879-7
N° d'édition : L.10EJDN001245.N001

casterman

Achevé d'imprimer en février 2013, en Espagne.

Conception graphique : Anne-Catherine Boudet

Dépôt légal : mars 2013 ; D.2013/0053/78
Déposé au ministère de la Justice, Paris (loi n° 49.956 du 16 juillet 1949 sur les publications destinées à la jeunesse).

Robert Muchamore

LE JOUR DE L'AIGLE

HENDERSON'S BOYS. 02

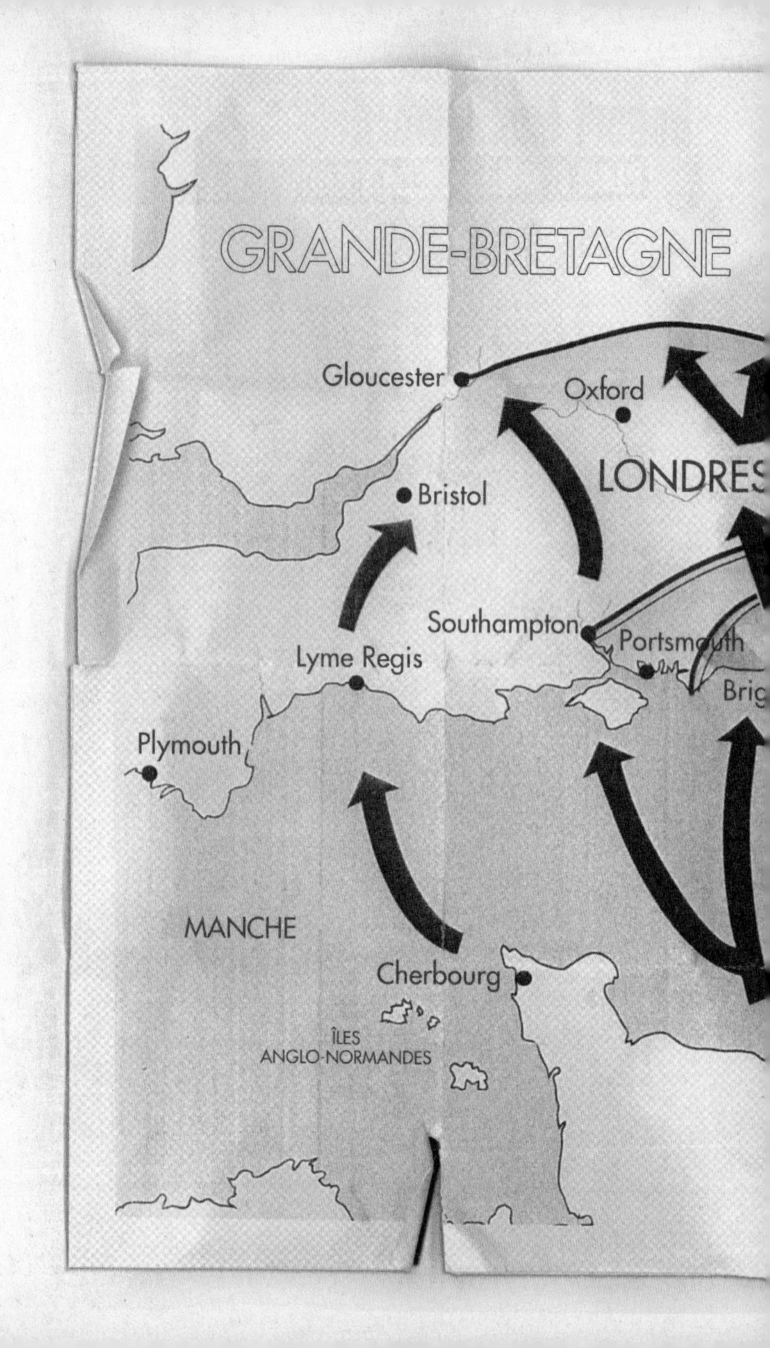
GRANDE-BRETAGNE
Gloucester
Oxford
LONDRES
Bristol
Southampton
Portsmouth
Lyme Regis
Plymouth
MANCHE
Cherbourg
ÎLES
ANGLO-NORMANDES

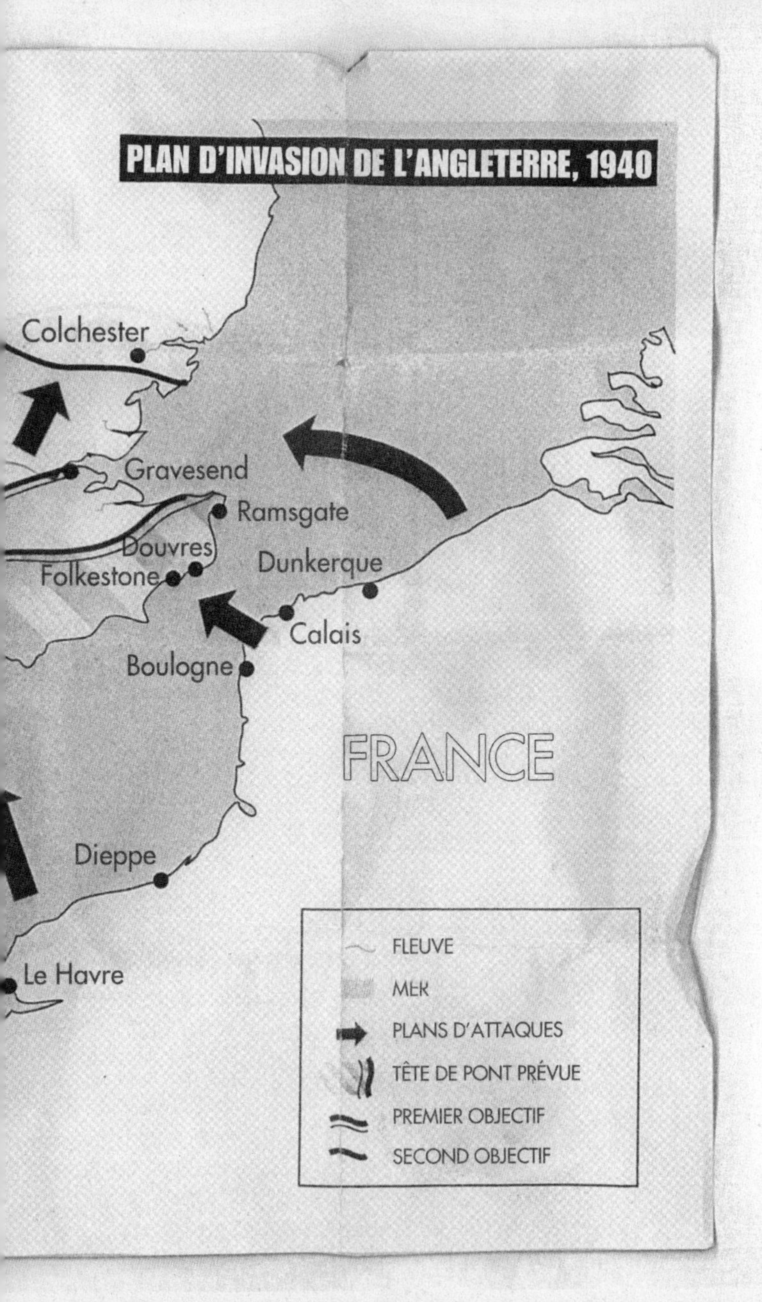
PLAN D'INVASION DE L'ANGLETERRE, 1940
Colchester
Gravesend
Ramsgate
Douvres
Folkestone
Dunkerque
Calais
Boulogne
FRANCE
Dieppe
Le Havre
FLEUVE
MER
PLANS D'ATTAQUES
TÊTE DE PONT PRÉVUE
PREMIER OBJECTIF
SECOND OBJECTIF

PREMIÈRE PARTIE

15 juin 1940 - 16 juin 1940

Bordeaux, France

En mai 1940, l'Allemagne envahit la France. En moins de six semaines, Paris tombe et les troupes françaises battent en retraite. Des millions de civils terrorisés ont émigré vers le sud avant l'invasion.

Après avoir retiré son armée vaincue à Dunkerque, la Grande-Bretagne, alliée de la France, décide d'installer dans toute l'Europe occupée un réseau d'espions. Hélas, la rapide progression des Allemands se traduit par le démantèlement des services d'espionnage britanniques, basés à Amsterdam, et des renseignements précieux se retrouvent entre les mains de l'ennemi.

Des agents du MI6 opérant en Belgique, en Hollande et en France sont ainsi capturés et exécutés, ou contraints de fuir. Lorsque les Allemands s'emparent de Paris, le 14 juin, un seul espion britannique continue à opérer en France, un commandant de la Royal Navy de trente-trois ans affecté à un obscur service baptisé Espionage Research Unit (ERU)[1].

1. Unité d'Espionnage et de Recherche (NdT).

Cet homme s'appelle Charles Henderson. Sa mission consiste à dérober les plans d'un émetteur radio miniature, une invention révolutionnaire.

Dans la nuit du 15 juin, Henderson atteint le port de Bordeaux, à moins de deux cent cinquante kilomètres des lignes allemandes. Il transporte une mallette en cuir contenant les précieux plans et voyage avec trois jeunes compagnons. La Gestapo est à ses trousses.

Henderson parvient à trouver des places à bord d'un navire qui assure la liaison entre Bordeaux et l'Angleterre. Malheureusement, Marc Kilgour, douze ans, ne possédant pas de passeport, les fonctionnaires français lui interdisent d'embarquer. Henderson confie alors les plans à ses deux autres compagnons : Paul Clarke, onze ans, et Rosie, sa sœur âgée de treize ans.

Pendant que tous deux montent à bord du SS Cardiff Bay, *Henderson demeure sur le quai avec Marc, bien décidé à lui procurer un passeport et à prendre le prochain bateau pour l'Angleterre.*

CHAPITRE UN

Il était vingt-trois heures et pourtant une vive animation régnait encore dans le port de Bordeaux. Des enfants couchés à même le sol dans des ruelles humides utilisaient le ventre de leurs mères en guise d'oreiller. Des soldats ivres et des marins échoués se battaient, chantaient et urinaient sur les lampadaires, éteints pour ne pas attirer les bombardements ennemis. Des bateaux à vapeur amarrés côte à côte attendaient une cargaison de charbon qui ne semblait pas près d'arriver.

Les routes étant bloquées et les camions manquant de carburant, les docks croulaient sous les marchandises, alors qu'à moins de trente kilomètres de là, des gens mouraient de faim. Des tonnes de viande et de légumes étaient abandonnées aux asticots, tandis que les navires arrivés récemment, ne pouvant pas décharger leurs denrées avariées, les jetaient à la mer.

Un homme et un garçon marchaient à grands pas sur un quai, le long des bollards rouillés. Des centaines d'oranges, éclairées par la lune, dansaient sur l'eau entre les coques de deux cargos indiens.

— Le consulat sera ouvert à cette heure-ci ? demanda Marc Kilgour.

À douze ans, Marc était déjà un garçon robuste, coiffé d'une tignasse blonde qui masquait son front. Il avait enfoui son nez dans son col de chemise pour se protéger de l'odeur écœurante des bananes pourries. Le sac en peau de porc qu'il portait en bandoulière renfermait tout ce qu'il possédait.

Charles Henderson avançait à côté de lui : un mètre quatre-vingt-trois, un corps musclé et sec, et un visage qui aurait plus fière allure après une nuit de sommeil et l'intervention d'un rasoir. Déguisés en paysans l'un et l'autre, ils étaient vêtus de pantalons de velours et de chemises blanches trempées de sueur. Une valise pendait au bout du bras d'Henderson ; les objets métalliques qu'elle contenait s'entrechoquèrent bruyamment quand il saisit Marc par l'encolure pour le tirer vers lui.

— Regarde où tu mets les pieds !

En tournant la tête, Marc constata que sa botte, trop grande pour lui, avait frôlé un monticule de crotte humaine.

Du fait de la présence de cent mille réfugiés en ville, ce spectacle était fréquent. Marc sentit son estomac se soulever malgré tout. Quelques mètres plus loin, il trébucha sur la jambe tendue d'une jeune femme aux orteils bandés et au regard vitreux.

— Excusez-moi, bredouilla-t-il.

Mais la femme, abrutie par l'alcool, ne s'était aperçue de rien. Et si jamais on la retrouvait morte à l'aube, nul ne s'en émouvrait.

Depuis qu'il s'était enfui de son orphelinat, quinze jours plus tôt, Marc s'était entraîné à ne plus voir toutes les horreurs qui l'entouraient, qu'il s'agisse des vieillards qui succombaient à une crise cardiaque sur la route ou des cochons en liberté qui venaient laper le sang des cadavres abandonnés sur le bas-côté.

Le port étant plongé dans l'obscurité pour des raisons de sécurité, Henderson ne pouvait pas voir le regard triste de Marc, mais il perçut un tremblement dans sa respiration, alors il posa la main dans son dos.

— Que peut-on y faire, mon garçon ? Ils sont des millions... Tu dois d'abord penser à toi.

Le contact de la main d'Henderson le réconforta. Curieusement, ce geste rassurant évoquait les parents qu'il n'avait jamais connus.

— Admettons que je puisse aller en Angleterre, qu'est-ce qui se passera ensuite ? demanda-t-il.

Il aurait voulu ajouter : « Est-ce que je pourrai vivre avec vous ? », mais ces paroles restèrent coincées dans sa gorge.

Ils tournèrent le dos aux quais et s'enfoncèrent dans une rue bordée d'entrepôts. Des groupes de réfugiés venus du nord étaient assis sous les toits en tôle ondulée servant à protéger les denrées de la pluie ou du soleil en attendant qu'elles soient chargées dans les camions. Malgré l'heure tardive, une demi-douzaine de garçons disputaient un match de football endiablé, avec un chou en guise de ballon.

Ignorant la question délicate de Marc, Henderson répondit à celle qu'il lui avait posée deux minutes plus tôt.

— Le consulat sera fermé, bien évidemment, mais nous n'avons rien d'autre à faire pour l'instant et les bureaux seront certainement pris d'assaut demain matin. Et qui sait ? Peut-être trouverons-nous un moyen d'entrer dans...

Henderson s'interrompit lorsque deux avions allemands passèrent au-dessus d'eux. Les gamins qui jouaient au football dans la rue imitèrent des bruits de mitrailleuses et lancèrent des insultes en direction de la mer, jusqu'à ce que leurs parents leur crient d'arrêter ce boucan.

— Je suis français, fit remarquer Marc avec gravité. Je ne parle pas un seul mot d'anglais. Comment vous allez faire pour m'obtenir un passeport britannique ?

— On se débrouillera, répondit Henderson, sûr de lui, en s'arrêtant un instant pour faire passer sa lourde valise d'une main à l'autre. Après toutes les épreuves que nous avons traversées, tu devrais avoir confiance en moi maintenant.

Le consulat ne se trouvait qu'à un kilomètre des quais, mais Henderson refusait de se fier aux indications jetées sur un bout de papier par un fonctionnaire du port. Résultat, ils errèrent dans des rues étouffantes d'humidité où l'odeur pestilentielle des égouts se mêlait à celle de l'air marin, jusqu'à ce qu'un docker sympathique, mais visiblement ivre, les remette sur le droit chemin.

– Je me demande où sont Paul et Rosie, dit Marc, alors qu'ils débouchaient sur une place pavée au centre de laquelle se dressait une fontaine délabrée.

– À cette heure, ils doivent approcher de la pleine mer, répondit Henderson après avoir jeté un coup d'œil à sa montre. Des *U-boats*[2] rôdent dans ce secteur et le capitaine du navire voudra atteindre la Manche avant l'aube.

Le palais de justice occupait tout un côté de la place. En face se dressait une église coiffée d'un dôme, devant laquelle deux gendarmes montaient la garde, sans doute pour empêcher les réfugiés de s'asseoir sur les marches de l'édifice. Le consulat britannique était niché dans un alignement harmonieux d'immeubles de bureaux, de commerces de luxe et de banques.

Hélas, une des extrémités de cet ensemble avait subi de gros dégâts, infligés par une bombe visant le port. Même au clair de lune, on voyait nettement la façade tragiquement éventrée au-dessus d'une bijouterie et les tuiles brisées du toit rassemblées en un petit tas sur le côté.

À cause des bombardiers volant à basse altitude et de l'arrivée imminente des forces allemandes à

2. Sous-marins allemands.

Bordeaux, l'*Union Jack*[3] avait été judicieusement décroché du fronton du consulat. Impossible, en revanche, d'enlever les lions, symboles du pays, incrustés dans la grille en fer forgé qui protégeait la porte.

Plusieurs sujets de Sa Majesté étaient regroupés sur le perron, sensiblement mieux habillés que les réfugiés qui cherchaient de la nourriture sur les quais. Mais Henderson demeurait méfiant. La Gestapo était toujours à ses trousses et elle avait très bien pu envoyer des espions pour surveiller les derniers représentants de la communauté britannique à Bordeaux.

Au milieu de ses compatriotes, il allait se faire remarquer avec ses vêtements de paysan, et Marc ne parlait pas anglais. Alors, plutôt que de se placer dans la queue des gens qui attendaient l'ouverture du consulat à neuf heures du matin, il entraîna son jeune compagnon derrière cet alignement de façades et découvrit avec satisfaction que les bâtiments étaient adossés à un passage couvert. Le bombardement avait détruit une canalisation souterraine et leurs bottes créaient des tourbillons dans la dizaine de centimètres d'eau qui recouvrait les pavés.

– Tu as toujours ma lampe électrique ? chuchota Henderson lorsqu'ils arrivèrent devant la porte de derrière du consulat.

Les piles de la torche étaient faibles et le faisceau vacilla quand Marc balaya le mur de briques. Après

3. Nom donné au drapeau britannique (NdT).

avoir récupéré sa lampe, l'Anglais s'accroupit pour éclairer l'intérieur de la boîte aux lettres découpée dans la porte.

— Personne, commenta-t-il en laissant retomber le volet métallique. Aucune trace de système d'alarme, pas de barreaux aux fenêtres. Si je te fais la courte échelle, crois-tu que tu peux te faufiler par cette petite fenêtre, là-haut ?

Marc renversa la tête, pendant qu'Henderson braquait la lampe sur l'ouverture en question.

— Et les deux policiers qui montent la garde sur la place ? demanda le garçon. Ils vont entendre le bruit de verre brisé.

— Non. C'est une fenêtre à guillotine, tu devrais pouvoir la soulever avec un levier.

L'Anglais recula et trouva un coin de pavés secs pour poser et ouvrir sa valise. Marc vit passer des silhouettes à l'entrée du passage. Il sursauta en entendant un déclic caractéristique : Henderson chargeait son arme.

Marc se réjouissait qu'un agent secret britannique se donne tant de mal pour lui. Après tout, Henderson aurait pu l'abandonner sur le quai et monter à bord du *Cardiff Bay* avec Paul et Rosie. Mais, s'il avait du cœur, cet homme possédait également un côté brutal et ce pistolet mettait le garçon mal à l'aise.

Depuis trois jours que Marc avait fait sa connaissance à Paris, Henderson avait abattu ou fait sauter une demi-douzaine d'Allemands et mitraillé un Français dans sa baignoire. Si la prochaine personne qui apparaissait à l'entrée du passage avait la mauvaise idée d'y pénétrer pour voir ce qui se passait, Marc savait qu'Henderson la tuerait sans hésiter.

Ce dernier lui tendit un pied-de-biche, avant de visser un silencieux sur le canon de son pistolet. Marc promena sa main sur la barre de fer graissée et jeta un coup d'œil à l'intérieur de la valise : des munitions, une mitraillette compacte, un sac en plastique avec une fermeture à glissière, dont Marc savait qu'il contenait des lingots d'or et de l'argent français. Les vêtements et la trousse de toilette étaient fourrés dans le coin inférieur droit, comme si on les avait ajoutés après coup. Marc n'en revenait pas qu'Henderson soit capable de soulever cette valise, et surtout de la porter sur plusieurs kilomètres.

Après l'avoir refermée et redressée, l'Anglais revint se placer devant le bâtiment en posant un genou à terre, dans l'eau. Marc prit appui sur le mur pour monter sur sa cuisse, puis sur ses épaules, avec ses bottes mouillées.

— C'est là que je suis content que tu n'aies pas marché dans cette crotte, commenta Henderson.

Malgré la tension nerveuse et sa position instable, Marc pouffa.

— Me faites pas rire, dit-il en tendant les bras, pendant que l'Anglais se redressait.

Marc se retrouva au niveau de la fenêtre du palier situé entre le rez-de-chaussée et le premier étage. Il appuya sa poitrine contre le mur et sortit le pied-de-biche qu'il avait glissé dans sa poche arrière.

– Tu es plus lourd qu'il n'y paraît, maugréa Henderson, car les bottes du garçon lui labouraient les épaules.

L'encadrement en chêne de la fenêtre était pourri et Henderson reçut sur la tête une pluie d'écailles de peinture lorsque Marc enfonça l'extrémité fourchue de la barre sous le cadre. Il poussa aussi fort qu'il l'osait. Le loquet qui bloquait les panneaux coulissants était solide, mais les deux vis qui le maintenaient dans le bois vermoulu ne résistèrent pas longtemps.

– Je t'ai eu, murmura Marc, triomphalement, en ouvrant la fenêtre.

Il se hissa par l'ouverture, enfin, au grand soulagement d'Henderson. Il se laissa retomber à l'intérieur, sur un tapis épais, manquant de renverser un vase et de s'assommer contre la rampe.

Une odeur d'encaustique envahit ses narines, alors qu'il dévalait l'escalier. Si l'immeuble était de taille modeste, la décoration se voulait grandiose : des tableaux représentant des hommes en perruque poudrée et des batailles navales bordaient les quelques marches qui menaient à la porte de derrière.

Henderson reprit sa valise, pendant que Marc tirait deux énormes verrous pour laisser entrer l'agent britannique. Au-delà de l'escalier, le rez-de-chaussée se composait d'une unique et grande pièce. Les deux intrus avancèrent au milieu des bureaux, des chaises et des meubles de classement, séparés de la salle d'attente, à l'autre extrémité, par un comptoir en ébène et des barreaux dorés torsadés.

Marc était fasciné par les outils de la bureaucratie : machines à écrire, tampons, papier carbone et perforatrices.

— Ils gardent des passeports vierges ici ? demanda-t-il en observant les rangées de tiroirs en bois qui occupaient la totalité d'un mur.

— S'ils n'ont pas tout utilisé, répondit Henderson en déposant bruyamment sa lourde valise sur le comptoir, renversant une pile d'enveloppes sur le plancher. Mais on ne peut pas fabriquer un passeport sans photo.

Il sortit de la valise une sorte d'étui en cuir. Le kit miniature se composait d'un sténopé – un appareil photo rudimentaire de la taille d'une boîte d'allumettes –, de minuscules flacons contenant des produits chimiques et de petites bandes de papier correspondant aux dimensions des clichés utilisés pour les documents d'identité.

— Va te placer sous la pendule, ordonna-t-il pendant qu'il introduisait un rectangle de papier sensible dans l'appareil.

En relevant la tête, il découvrit sur le visage de Marc un mélange d'appréhension et d'émotion.

— Personne ne m'a jamais pris en photo, avoua le garçon.

Henderson parut surpris.

— Même pas à l'école ou à l'orphelinat ?

Marc secoua la tête.

— Il n'y a pas beaucoup de lumière, expliqua l'Anglais en installant l'appareil sur une pile de classeurs. Alors, il faut que tu restes *totalement* immobile et que tu gardes les yeux ouverts.

Marc demeura figé pendant vingt secondes, puis se précipita dès qu'Henderson lui donna le signal.

— Quand est-ce que je pourrai voir la photo ?

— Il faut que je la développe. Il doit bien y avoir une cuisine quelque part. Trouve-moi trois soucoupes et un peu d'eau chaude.

Pendant que Marc gravissait l'escalier en courant, Henderson chercha où étaient rangés les passeports vierges. Il en découvrit un tiroir plein, ainsi qu'une vieille boîte à cigares contenant tous les tampons nécessaires et, plus utile encore, un manuel corné qui détaillait la procédure officielle concernant les demandes de passeport.

Un des téléphones sonna, mais Henderson l'ignora. Il commença à agiter ses produits chimiques de façon à être prêt quand Marc reviendrait.

Un autre téléphone retentit au moment où le garçon redescendait avec trois soucoupes et une boîte à tabac en fer-blanc remplie d'eau chaude du robinet. Cette sonnerie stridente exaspérait Henderson, mais compte tenu du chaos qui régnait en France, il n'était pas surpris que les téléphones du consulat retentissent en pleine nuit.

— J'ai besoin du noir absolu pour développer la photo, expliqua-t-il en versant les produits chimiques dans les soucoupes, avant de plonger un thermomètre dans l'eau. Éteins tout.

Une fois les lumières éteintes et les rideaux tirés pour masquer le clair de lune, Henderson rassembla ses soucoupes, se pencha au-dessus du bureau et mit sur sa tête la veste qui se trouvait dans la valise afin de protéger son matériel de toute trace de lumière restante.

Marc le regarda s'affairer mystérieusement sous la veste, alors que l'odeur des produits chimiques se répandait dans l'air. Finalement, Henderson sortit le rectangle de papier de l'appareil et compta les secondes égrenées par sa montre pour s'assurer que la photo restait assez longtemps dans le révélateur.

Marc ignorait combien de temps il faudrait à Henderson pour réapparaître avec la photo. Il n'osait pas lui poser la question, de peur de le déconcentrer.

— As-tu déjà préparé du thé ? demanda l'Anglais une fois qu'il eut sorti le cliché du bain de révélateur pour le tremper dans le fixateur.

— Euh… désolé. À vrai dire, je n'en ai même jamais bu.

— Marc Kilgour, tu as vraiment tout à découvrir. Remonte dans la cuisine, mets de l'eau à chauffer et, pendant que ta photo sèche, je te montrerai comment on fait le *tea* chez nous.

— Le quoi ? demanda Marc.

Un petit rire agita les épaules d'Henderson sous sa veste.

Hélas, il ne rit pas longtemps. Les téléphones s'étaient tus, mais des bruits de pas indiquaient qu'il se passait quelque chose sur le perron.

– Les gendarmes ont dû nous entendre, dit Marc, paniqué, alors que la grille qui protégeait la porte d'entrée grinçait à cause du manque d'huile. Je parie que c'est eux qui ont téléphoné !

L'Anglais demeura parfaitement calme.

– Fais abstraction de tes émotions et sers-toi de ta cervelle, déclara-t-il sèchement en sortant la tête de sous la veste. La police ne téléphone pas aux cambrioleurs pour leur demander d'avoir l'obligeance de quitter les lieux. Et les Allemands ne nous avertiraient pas en faisant un tel vacarme. Je n'ai besoin que de trente secondes pour fixer la photo. Va jeter un coup d'œil à la fenêtre de devant et dis-moi ce que tu vois.

Marc sauta par-dessus le comptoir et contourna deux rangées de chaises dans la salle d'attente. Il colla son œil à la minuscule fente entre les rideaux en velours. Une voiture de sport blanche, une Jaguar, s'était arrêtée sur la chaussée et la foule impatiente apostrophait la conductrice pendant qu'elle ouvrait la grille.

– C'est quelqu'un qui travaille ici, je suppose, chuchota Marc. Elle a les clés et tous les gens qui font la queue dehors lui crient des trucs.

Il entendait assez bien tout ce qui se disait à l'extérieur, mais comme c'était en anglais, il ne comprenait pas un mot.

— J'ai une affaire urgente à régler, expliqua-t-elle. Revenez demain matin. Nous sommes ouverts aux horaires habituels. Neuf heures dix-sept heures, et jusqu'à midi le samedi.

Marc se faufila derrière les chaises tandis que la femme se glissait par la porte entrouverte en conseillant aux gens qui se bousculaient sur le perron de faire attention à leurs doigts, puis elle la claqua derrière elle.

En allumant la lumière, elle découvrit immédiatement Henderson. Il avait fini de développer la photo et se tenait devant le comptoir, les bras levés pour montrer qu'il ne représentait pas une menace.

— Désolé de vous avoir fait peur, madame. Je m'appelle Henderson. Charles Henderson.

Accroupi derrière les chaises, Marc observait la femme. Elle avait une vingtaine d'années et mesurait pas loin d'un mètre quatre-vingts. Elle portait le chemisier blanc et la jupe plissée des employées de bureau, mais la façon dont étaient coiffés ses cheveux noirs et l'élégante montre en or qu'elle portait au poignet laissaient deviner des revenus supérieurs à ceux d'une modeste fonctionnaire.

— Charles Henderson, dit-elle d'un air entendu. J'ai décodé un message venant de Londres. Beaucoup de gens vous recherchent. Évidemment, si vous êtes *vraiment* Henderson, vous connaissez le mot de passe.

– Séraphin, répondit Henderson, tandis que la femme déposait son sac sur le comptoir, donnait un coup de pied dans un panneau en bois pivotant et se faufilait en dessous.

Marc ouvrit de grands yeux en apercevant le haut de ses bas.

– Pardonnez-moi, reprit Henderson, mais le jeune Marc ici présent a besoin d'un passeport. Nous avons quelque peu endommagé la fenêtre de derrière. Toutefois, cela peut se réparer facilement et…

La femme se retourna brièvement vers Marc, avant d'interrompre Henderson d'un geste.

– Je m'appelle Maxine Clerc, je suis la secrétaire du consul. Je vous en prie, servez-vous, faites comme chez vous. Je constate que vous avez déjà trouvé les passeports vierges. Je sais que votre mission est importante, mais je dois contacter Londres immédiatement sur la ligne brouillée. Le *Cardiff Bay* a été bombardé sur la Garonne, à moins de trente kilomètres de Bordeaux. Il y a de nombreuses victimes.

CHAPITRE DEUX

Un quart d'heure après le naufrage, il ne restait du *Cardiff Bay* que deux gros morceaux de coque flottant au milieu du fleuve, sur une eau recouverte d'une pellicule grasse qui brûlait les yeux des passagers tentant désespérément de rejoindre la rive. Des chalutiers et des barques à moteur continuaient à repêcher les rescapés, mais ils n'osaient pas allumer leurs lumières, de peur de faire revenir les bombardiers allemands.

C'était marée basse et une large bande de vase s'étendait sur la rive sud de la Garonne. Rosie Clarke, treize ans, était une bonne nageuse et elle fut parmi les premiers à atteindre la rive par ses propres moyens. Quand elle se releva pour marcher, la boue aspira ses chaussures et elle bascula à plat ventre, bouche ouverte ; elle avala une gorgée d'eau brunâtre qui, ajoutée à l'essoufflement, provoqua une quinte de toux.

PT Bivott l'agrippa par la manche. Elle avait fait sa connaissance au cours du naufrage, et c'est seulement lorsqu'il la saisit par les aisselles pour la relever qu'elle eut l'occasion de le voir en pied.

Comme beaucoup de garçons de quinze ans, PT avait déjà la taille d'un adulte, mais pas la carrure qui allait avec. Il parlait un français parfait, avec un accent américain. Des cheveux bruns, faits pour être coiffés en arrière, tombaient devant son visage, jusqu'à sa bouche.

– Du calme, Rosie, dit-il en la serrant contre lui.

Elle tremblait comme une feuille, elle avait les muscles en feu et une boue glaciale coulait sur sa robe, mais elle ne pensait qu'à une seule chose : son frère. Elle cria son nom.

– Paul !

Sa voix se brisa et se transforma en sanglots. Elle enfouit son visage dans le gilet de sauvetage de PT.

– S'il est aussi résistant que sa sœur, il s'en sortira, dit le garçon d'un ton encourageant, en repoussant ses cheveux sur son crâne.

Il avait fait un effort pour essayer de trouver les mots qui convenaient, mais en vain.

– Paul a seulement onze ans, dit Rosie entre deux reniflements. Il a déjà du mal à nager une largeur à la piscine. Et avec ce courant…

– Ne pleure pas.

PT la serra encore plus fort, avant de la lâcher brusquement.

Ce rejet brutal désarçonna Rosie, jusqu'à ce qu'elle découvre que PT s'était précipité vers un homme qui gravissait la rive en chancelant, avec deux jeunes garçons accrochés sur son dos. Alors que les enfants se laissaient glisser à terre, leur père, le visage cramoisi, plaqua ses mains sur son ventre, en haletant. Du sang maculait sa poitrine, là où s'étaient plantés des petits ongles.

Tandis que PT soutenait l'homme à bout de souffle, la lumière d'un phare de moto éclaira la rive. Rosie plissa les yeux et aperçut des silhouettes qui venaient à leur secours, pendant que d'autres habitants des environs aidaient les rescapés à remonter la rive.

— Occupe-toi des gamins, ordonna PT en aidant l'homme essoufflé à marcher.

Il avait passé son bras autour de sa taille.

Épuisée, Rosie devait lutter pour rester debout. Elle avait la tête qui tournait, mais les deux enfants lui arrivaient à la taille et le plus petit s'enfonçait dans la vase en appelant sa maman.

— Allez, mon gars ! dit-elle en s'efforçant d'adopter un ton rassurant.

Elle le prit dans ses bras. Au moment où les petits doigts visqueux se refermaient autour de son cou, le pyjama trempé et les yeux bleus pleins d'espoir la remplirent d'une détermination nouvelle.

— Tu as vu ma maman ?

— Il y a un tas de plages comme celle-ci... commença Rosie, qui sentait la boue s'insinuer entre ses orteils.

Elle voulait expliquer au garçonnet qu'à cause des courants, les naufragés ne s'échouaient pas tous au même endroit, mais elle était essoufflée, et de toute façon, il n'aurait sans doute pas compris.

– Tu la retrouveras demain matin, dit-elle finalement.

– Elle sait pas nager ! Elle risque de mourir.

Rosie en bavait, mais PT encore plus, car le père des deux enfants était bien plus lourd que lui et il souffrait d'asthme. Heureusement, deux hommes chaussés de cuissardes arrivèrent et l'étendirent sur une vieille porte, et PT put ainsi s'occuper du plus âgé des garçons.

Des gens du coin récupérèrent les enfants et les conduisirent vers une rampe en bois qui servait à mettre les bateaux à l'eau quand la marée était haute. Le petit de trois ans couina et exigea de rester avec Rosie, mais celle-ci n'avait plus la force de le réconforter. D'ailleurs, elle-même se trouva hissée sur la rampe par les mains parcheminées d'un vieux pêcheur.

Si certains citadins étaient devenus indifférents au sort des réfugiés et à la souffrance humaine, les victimes du *Cardiff Bay* eurent la « chance » de s'échouer à proximité d'une communauté de fermiers et de pêcheurs. Pour ces gens, c'était le premier contact avec la guerre, exception faite du fracas des bombes qui s'abattaient sur le port à quelques kilomètres de là, vers l'est.

Tandis qu'une infirmière s'occupait du père asthmatique, PT et Rosie suivirent des empreintes de pas boueux jusqu'à un hangar où des marins pêcheurs rangeaient leur matériel et vidaient leurs poissons avant d'aller les vendre au marché de Bordeaux. Le bâtiment empestait les viscères coincés dans les rigoles d'évacuation.

Une fois débarrassés du plus gros de la boue en s'aspergeant d'une eau qui jaillissait glaciale des tuyaux, Rosie et PT allèrent s'asseoir devant un feu allumé à la hâte. Des femmes faisaient l'aller et retour en courant, entre leurs maisons et le quai, avec du café, des serviettes et des couvertures.

Rosie s'était servie de son gilet de sauvetage comme coussin. La tasse émaillée qu'elle serrait entre ses mains réchauffait ses doigts engourdis. PT était accroupi près d'elle et leurs corps se touchaient à travers leurs vêtements trempés. Dans ces circonstances tragiques, Rosie savourait cette curieuse intimité, même s'ils se connaissaient à peine.

— Puis-je prendre vos noms ? demanda un homme dans leurs dos.

C'était un prêtre, visiblement bien nourri, avec des yeux comme des têtes d'épingle derrière les verres épais de ses lunettes. Il suça l'extrémité de son crayon, puis pianota sur son carnet à spirale pour marquer son impatience.

— Ça vous regarde pas, lui répondit PT d'un ton agressif.

Les hommes d'Église s'attendaient à de la déférence, et Rosie était à la fois choquée et impressionnée, elle devait bien l'avouer, par le manque de respect de son compagnon. Surpris, le prêtre haussa un sourcil, avant d'expliquer, sèchement :

— Je relève les noms et l'endroit d'où vous venez. Des gens s'échouent un peu partout sur la rive, et même sur celle d'en face. Alors, on établit des listes de noms dans chaque paroisse pour que les rescapés puissent se retrouver.

— Personne ne cherchera mon nom, grommela PT. Mais merci quand même.

Rosie ignorait pour quelle raison PT voulait cacher son identité, mais la Gestapo les recherchait, Henderson, Paul, Marc et elle, et elle n'avait pas envie, elle non plus, que son nom se retrouve sur une liste. En même temps, elle voulait que Paul puisse la retrouver. Il fallait réfléchir, et vite.

— Valentine Favre, dit-elle. Treize ans.

Si Paul voyait la liste, il reconnaîtrait certainement l'âge de sa sœur et le nom de jeune fille de leur mère décédée ; il comprendrait. Par contre, il était peu probable que les nazis établissent le même rapprochement.

— Tes parents se trouvaient à bord ? demanda le prêtre, tout en cherchant d'autres Favre sur sa liste.

— Non, juste mon petit frère, Michael, répondit Rosie en donnant le deuxième prénom de Paul. Il a onze ans.

Alors que le prêtre s'éloignait, une Anglaise voûtée, qui faisait la queue pour avoir du café, tapota dans le dos de Rosie.

— Excuse-moi, petite, dit-elle d'une voix semblable à un croassement. Je n'ai pas pu m'empêcher d'écouter ce que tu disais. J'étais dans un canot de sauvetage et nous avons hissé à bord un jeune garçon. De dix ou onze ans. Il te ressemblait un peu, mais en plus mince.

— C'est lui !

Rosie se releva si brutalement qu'elle renversa son café sur PT.

— Il était dans quel état ?

En voyant la femme pincer les lèvres, Rosie faillit défaillir ; elle s'apprêtait à entendre une mauvaise nouvelle.

— Il paraissait mal en point. Il saignait. Une fois à bord du canot, il a vomi et s'est évanoui.

Ce n'était pas la réponse idéale, mais Rosie avait craint le pire.

— Il est toujours vivant, alors ? Vous savez où il se trouve ?

— On a accosté de l'autre côté du port. Si tu fais le tour du hangar et si tu dépasses la boutique au coin, tu trouveras une cale de lancement qui descend jusqu'à l'eau.

Rosie se tourna vers PT ; elle ne connaissait pas la nature exacte de leur relation, mais elle ne voulait pas se retrouver seule.

— Tu m'accompagnes ?

La vieille Anglaise intervint avant que PT ait pu répondre :

— J'ignore s'il est toujours là-bas. Ils l'ont peut-être emmené chez un médecin.

L'espoir avait revigoré Rosie. Elle contourna les naufragés rassemblés autour du feu et suivit les indications qu'on lui avait données.

Elle se retrouva bientôt sur un chemin rocailleux, entre la Garonne et un champ balayé par le vent. Ses pieds nus claquaient sur les pierres du sentier qui descendait vers la berge, beaucoup plus petite que celle où elle s'était échouée. Quelqu'un courait derrière elle. En se retournant, Rosie fut heureuse de reconnaître PT, mais elle ne ralentit le pas qu'en atteignant un groupe de villageoises qui brandissaient des bougies autour d'un corps qui se contorsionnait sur le sol.

Là encore, elle redouta le pire, mais le gémissement effroyable qui parvint à ses oreilles était celui d'une femme. En se rapprochant, Rosie découvrit que celle-ci était enceinte : elle tenait son ventre gonflé à deux mains et du sang coulait sur ses cuisses.

— C'est le médecin qui arrive ? s'écria une villageoise d'un ton désespéré.

Inutile de répondre car lorsque PT apparut, tout le monde put constater qu'il était trop jeune pour être le médecin.

— Je sais que vous êtes occupées, dit Rosie, mais je crois que mon petit frère a débarqué ici, dans un canot de sauvetage. Un garçon de onze ans, tout maigre. Quelqu'un m'a dit qu'il s'était évanoui.

La femme enceinte hurla de nouveau, alors qu'un doigt rouge de sang montrait le chemin à Rosie.

— Là-bas, sur la jetée. Un homme prénommé Gaston s'occupe de lui.

PT s'élança le premier. Le chemin de pierre prenait fin brutalement. Le garçon sauta du talus, directement dans plusieurs centimètres d'eau tapissée de vase, le long d'une digue. Deux canots vides ballottaient à quelques mètres du rivage.

Rosie le rejoignit très rapidement.

— Attention ! lui lança PT en faisant courir sa main sur la digue qui s'effritait. Peut-être que ça devient profond après.

Heureusement, ils ne s'enfoncèrent que jusqu'aux genoux. Le seul danger provenait des marches glissantes taillées sur le côté de la jetée.

Gaston, un vieil homme chenu, était en train de faire boire un peu d'eau à Paul. Rosie se précipita, mais se figea quand elle fut suffisamment près pour découvrir la scène en détail.

Si l'œil gauche de Paul était ouvert, le droit était gonflé et fermé. Un tourbillon l'avait entraîné dans les profondeurs pendant que le *Cardiff Bay* sombrait. Lorsque son gilet de sauvetage l'avait fait remonter à la surface, il avait heurté des bernaches tranchantes comme des lames de rasoir, accrochées à la coque du bateau.

Encore une chance qu'il n'ait pas été aspiré sous le navire, pensa Rosie. Mais les coquillages avaient laissé des entailles qui allaient de la joue droite jusque sous le menton. D'autres coupures, moins profondes, zébraient sa poitrine et son ventre. Son avant-bras, cassé de toute évidence, formait un angle improbable avec son coude.

À cause du choc et de sa joue gauche tuméfiée, le visage de Paul demeura inexpressif quand il vit sa sœur, mais il leva la main et articula : « Rosie. »

— Tu es sa sœur ? demanda Gaston.

Rosie hocha la tête.

— Quelqu'un va venir s'occuper de lui ? Une infirmière ? Un médecin ?

— Je suis le seul, hélas. J'ai travaillé dans un hôpital militaire durant la dernière guerre. J'ai un peu de matériel chez moi. De quoi nettoyer ses plaies et bander son bras, mais à cause de mon dos, je ne peux pas le porter.

La logique aurait voulu qu'ils appellent une ambulance ou qu'ils aillent chercher le médecin du coin, mais en raison des bombardements allemands, des millions de gens, parmi lesquels de nombreux docteurs et infirmières, avaient fui vers le sud. Rosie comprit que ce vieil homme était la meilleure chance de Paul.

— Et cette femme, là-bas ? demanda PT. Elle fait une fausse couche. À en juger par tout le sang qu'elle a perdu, elle risque de mourir.

Gaston hocha tristement la tête.

— Les plaies et les fractures, c'est mon domaine. Mais les problèmes de femme, j'y connais rien.

Rosie se tourna vers PT, agacée. Elle voulait qu'on s'occupe de son frère, même si le sort de cette pauvre femme semblait bien plus incertain.

— Tu peux le soulever ? demanda-t-elle.

Paul émit un gémissement sourd lorsque PT le prit dans ses bras. Gaston ouvrit la voie, aussi vite que le lui permettaient ses vieilles jambes, à travers un champ transformé en jungle, jusqu'à un alignement de petites maisons.

On allongea Paul sur une table de salle à manger, pendant que la femme de Gaston faisait bouillir de l'eau et dénichait une trousse de médecin remplie de bandages jaunis et de crèmes séchées, qui semblaient dater de la dernière guerre. Rosie glissa un coussin sous la tête de son frère et lui caressa la main pour le rasséréner, en lui répétant que tout allait bien se passer.

Visiblement, d'autres personnes dans la région savaient que Gaston avait été médecin dans l'armée. Une demi-douzaine de naufragés blessés avaient échoué au village et les habitants venaient frapper à sa porte pour lui demander conseil. Âgé de presque quatre-vingts ans et sourd d'une oreille, le vieillard céda à la panique.

— Je n'ai que deux mains ! cria-t-il à sa femme. Dis-leur que lorsque j'en aurai fini avec le gamin, je m'occuperai de quelqu'un d'autre.

Le vieux médecin travaillait méthodiquement. Une ampoule électrique pendait au-dessus de la table de la salle à manger, mais on y ajouta deux lampes à pétrole aux flammes tremblotantes. Paul ayant été porté entre le canot de sauvetage et la jetée, ses plaies n'avaient pas été souillées par la vase, mais Gaston tamponna sa joue avec de l'eau salée bouillie avant de la badigeonner de teinture d'iode, ce qui brûlait encore plus.

Rosie s'efforça de ne pas pleurer en entendant son frère sangloter de douleur. Étant donné que Paul avait l'habitude d'ameuter toute la maison quand il avait du shampoing dans les yeux, elle le trouva très courageux. Mais à peine nettoyées, ses coupures se remirent à saigner.

Gaston gratta son menton mal rasé et prit une décision.

— Il lui faut des points de suture, sinon il va se vider de son sang.

Sa femme apporta un gobelet contenant de l'eau-de-vie chauffée, adoucie avec du sirop, et la fit boire à Paul. L'alcool eut pour effet de l'engourdir légèrement avant que le médecin à la retraite ne lui pose cinq points de suture avec du fil et une aiguille à coudre. Malgré tout, PT dut lui tenir les jambes pour l'empêcher de ruer sur la table.

Après un deuxième verre d'eau-de-vie, qui plongea Paul dans un état d'ébriété avancée, le vieil homme entreprit de lui remettre le bras en place. Pour ce faire, on assit Paul sur une chaise. Il tremblait dans la lueur vacillante des lampes à pétrole. On lui glissa le manche d'une cuillère en bois entre les dents pour éviter qu'il ne se morde la langue à cause de la douleur.

Le vieux médecin militaire lui demanda de poser son avant-bras à plat sur la table, puis il palpa la partie enflée pour sentir le sens de la fracture.

— J'ai pas fait ça depuis des années, avoua Gaston en buvant une gorgée d'eau-de-vie au goulot pour se donner du courage, tandis que Rosie resserrait sa main sur l'épaule de son frère.

PT et l'épouse de Gaston se tenaient légèrement en retrait, les poings serrés, le front ruisselant de sueur.

Paul hurla quand Gaston lui retourna la main d'un coup sec, paume vers le bas. Après avoir vérifié que les deux parties de l'os étaient bien alignées, il banda le bras autour de la fracture. N'ayant pas de plâtre à sa disposition, il confectionna une attelle avec des bouts de tuteur.

Le résultat n'était pas très orthodoxe, mais au moins, le bras de Paul aurait une bonne chance de guérir. Il émit un petit grognement d'ivrogne lorsque sa sœur le fit sortir de la cuisine pour l'asseoir dans un des fauteuils du salon. La femme de Gaston lui étendit les jambes sur un repose-pieds et, quand elle lui eut essuyé le front avec un morceau de flanelle fraîche, Paul s'appuya contre l'accoudoir et s'endormit.

— Vous êtes très gentils, dit Rosie, consciente que son frère avait eu de la chance de bénéficier des soins rapides de Gaston.

À peine Paul fut-il installé que le vieil homme but une autre gorgée d'eau-de-vie et partit voir s'il pouvait secourir quelqu'un d'autre.

En sortant pour se rendre aux toilettes, Rosie surprit PT près de la porte de derrière qui se hâtait de cacher quelque chose sous sa chemise. Dans sa précipitation, il laissa tomber un objet et les deux adolescents se cognèrent la tête en se penchant en même temps pour le ramasser.

Rosie sentit la texture du papier mouillée dans sa main. En se redressant, elle constata qu'il s'agissait de billets de banque. Le clair de lune était voilé et seule la petite lampe de la cuisine éclairait l'extérieur, mais elle reconnut une liasse de dollars, avant que PT ne la lui arrache des mains.

— Ils vont sécher, non ?

C'est tout ce qu'elle trouva à dire, après un silence gêné.

Rosie était nerveuse car elle venait manifestement de voir quelque chose qu'elle n'aurait pas dû voir. PT allait-il s'enfuir ? la frapper ?

Elle ne pouvait pas imaginer qu'il allait se pencher vers elle pour l'embrasser sur la bouche !

— Tu es belle.

Rosie se figea. Aucun garçon ne l'avait jamais embrassée, et même si elle ne lui rendit pas son baiser, elle ne repoussa pas PT. Lorsqu'il s'écarta, elle ne put empêcher les mots de jaillir comme un torrent.

— D'où vient tout cet argent ? demanda-t-elle. Pas étonnant que tu aies refusé de donner ton nom au prêtre. Qu'est-ce que tu as fait ? Tu as détroussé un réfugié ? Tu as attaqué une banque ? Et je t'interdis de me dire que je suis belle et de m'embrasser comme ça. Préviens-moi, au moins ! Et d'abord, c'est quoi ce nom, PT ? Ce n'est même pas un vrai nom, c'est des initiales. C'étaient des billets de vingt dollars, je les ai vus. Et il y en avait plein ! Alors, qui es-tu et pourquoi est-ce que tu m'embrasses ?

PT sourit.

— Parce que tu es belle.

— Arrête de dire ça ! rugit Rosie.

Mais PT était grand, il avait deux ans de plus qu'elle et sans doute était-il plutôt séduisant quand il n'avait pas de la boue dans les cheveux, alors elle se sentit flattée.

— Je pourrais te dire qui je suis réellement. Mais ensuite, répondit le garçon en faisant glisser son index sur sa gorge avec un sourire en coin, je serais obligé de te tuer.

DEUXIÈME PARTIE

10 décembre 1938 - 14 décembre 1938

New York, États-Unis

CHAPITRE TROIS

Il se nommait Philippe Tomas Bivott, du nom de son grand-père français, mais tout le monde l'appelait PT. Il était le deuxième d'une famille de trois garçons. Ses parents étaient français, eux aussi, mais il avait toujours vécu en Amérique. Sa mère mourut alors qu'il avait dix ans, et son père, Michel, partit à New York pour travailler comme docker, un poste que lui avait trouvé le frère de son épouse décédée. C'était un métier sûr avec une couverture sociale. Malheureusement, Michel Bivott n'avait aucun goût pour le travail honnête. Au bout de deux mois, il démissionna pour retrouver ses vieilles habitudes et des moyens plus louches de gagner sa vie.

On était à deux semaines de Noël et la neige s'était transformée en bouillasse grise sur les trottoirs de New York. Dessous se cachaient des plaques de verglas, et si vous posiez le pied au mauvais endroit, vous risquiez de vous faire très mal. Mais c'était le dernier des soucis de PT.

Il était trois heures du matin et PT avait besoin d'un foret, et plus particulièrement d'un foret de quinze centimètres de long et un centimètre de diamètre. Le jeune garçon de treize ans approcha des immeubles, en s'efforçant de se rendre invisible. Il portait de grosses bottes noires et des gants doublés en peau de mouton, un bonnet protégeait ses oreilles et une écharpe enroulée autour du cou couvrait le reste de son visage, à l'exception d'une minuscule fente qui laissait voir l'arête de son nez et ses yeux marron.

Il regarda de chaque côté avant de traverser la ruelle déserte. Il avait pour seule compagnie les tourbillons de flocons et quelques poubelles en fer vides jetées par les éboueurs deux heures plus tôt. Devant lui se trouvait une porte, au-dessus de laquelle on pouvait lire *Quincaillerie A & H*. À cette heure, elle était fermée, évidemment, comme toutes les quincailleries de Manhattan.

De sous son épais manteau, PT sortit une lampe électrique qui éclaira tout ce qu'il aurait préféré ne pas voir : des vitrines protégées par des grilles, une grosse serrure et deux barres de fer sur la porte, sans oublier le système d'alarme installé juste au-dessus de l'entrée. Les cadenas qui empêchaient de soulever les grilles étaient le seul défaut dans la cuirasse : le genre d'antivol qui, vu de l'extérieur, semble sophistiqué, mais renferme en réalité un mécanisme rudimentaire.

Le propriétaire d'une quincaillerie aurait dû le savoir. PT chercha dans ses poches de pantalon un anneau métallique auquel étaient fixés des crochets et des limes de différentes tailles ; il lui suffit ensuite d'un petit mouvement de poignet pour ouvrir le cadenas. La grille se souleva dans une secousse et PT faillit perdre pied sur la glace.

PT connaissait les diverses façons de déjouer les systèmes d'alarme, mais pour cela, il fallait repérer les lieux au préalable et il n'avait pas le temps. Il ne lui restait qu'une seule option : entrer en force, se servir et filer. Il alla ramasser une des poubelles vides et la lança de toutes ses forces contre la vitrine.

Des éclats de verre dégringolèrent sur sa tête. Il avait espéré, sans trop y croire, que l'alarme serait débranchée, ou qu'il s'agirait d'un leurre, mais la sonnerie se mit à hurler avant même que la poubelle ne retombe à l'intérieur de la boutique. S'il y avait une voiture de police dans les parages, PT se ferait épingler en quelques secondes et il évaluait à cent pour cent les risques de se faire pincer s'il restait là plus de quatre minutes.

Il se trouvait dans un quartier chic, à cinq cents mètres de Wall Street, voilà sans doute pourquoi les objets présentés aux murs, sur des plaques de bois trouées, étaient plus sophistiqués qu'on n'aurait pu l'imaginer : robinets de baignoire clinquants, interrupteurs émaillés et ornements de porte en cuivre. Après avoir allumé la lumière, PT passa derrière le comptoir et fut assailli par des odeurs typiques de quincaillerie : sciure, ferraille et peinture.

Des étagères métalliques s'élevaient jusqu'au plafond, chargées de petites boîtes contenant des vis, des équerres, des ampoules, des centaines de piles différentes, tout cela protégé par des années de poussière. Seule une personne travaillant ici depuis des lustres pouvait savoir où se trouvait chaque chose.

– Allez, montrez-vous, petits salopiaux, murmura PT en cherchant les forets. Où est-ce que vous vous cachez ?

Son désespoir augmentait à mesure qu'il avançait entre les étagères. C'était une sensation horrible, comme si des chatons exécutaient des sauts périlleux dans son ventre. Il avait la bouche sèche. Soudain, il crut entendre une sirène, mais l'alarme était tellement assourdissante que son esprit devait lui jouer des tours.

Son coude heurta une caisse de vis à bois. Elle bascula et les vis roulèrent dans toutes les directions, tandis qu'il se dirigeait vers un escabeau afin d'examiner les rayonnages du haut.

– Bingo !

Juste devant, là où il aurait déjà dû regarder, PT avisa deux chignoles à manivelle fixées au montant d'une étagère, et juste derrière, des forets ! Il les atteignit en une demi-seconde. Les petits forets étaient dans des tiroirs, les plus longs étaient vendus dans des boîtes en carton, empilées par centaines, sans aucun ordre.

Il les passa en revue, l'une après l'autre, avant de les jeter par terre. Ses bottes, maculées de boue séchée et de sel, étaient cernées d'emballages quand ses yeux se posèrent enfin sur deux forets d'un centimètre de diamètre rangés côte à côte.

Il les fourra dans sa poche et, au moment où il renfilait ses gants, un éclair de lumière bleue illumina la rue : une voiture de patrouille !

PT envisagea de sauter à travers la vitre brisée et de filer ventre à terre. Il avait une chance de semer les flics, se disait-il, mais pas leurs voitures et encore moins les balles de leurs pistolets. Alors, il opta pour une porte située derrière la dernière rangée d'étagères, tout au fond, en priant pour qu'elle donne sur une autre sortie.

Dans un coin, il y avait un égouttoir, sur lequel s'entassaient des bols, et un bureau couvert de classeurs et de catalogues d'outils. La porte était fermée par une barre, mais une petite fenêtre latérale s'ouvrit aisément et, après l'avoir enjambée, PT se retrouva dans une cour pavée. Au même instant, un des policiers cria quelque chose comme « Sors d'ici, les mains en l'air ! », par-dessus le vacarme de la sirène.

La cour était entourée d'arrières d'immeubles. L'unique chance de PT résidait dans une sorte de passage qui s'achevait par une grille. Le flic de tête était déjà en train de se glisser par la petite fenêtre. Si la grille était verrouillée, PT savait qu'il n'échapperait pas à un nouveau séjour en maison de redressement. Heureusement, le loquet se souleva, la grille pivota en grinçant et le fugitif déboucha dans la rue glacée.

Il s'agissait plus exactement d'une avenue, bordée de boutiques et de bureaux ; de la fumée s'échappait des bouches d'aération sur la chaussée. PT n'avait qu'une vingtaine de secondes d'avance sur la police, mais il sut en tirer profit. Après avoir traversé courageusement juste devant un camion de livraison, il se retrouva sur le trottoir d'en face, devant *Chez Bert*, un restaurant ouvert vingt-quatre heures sur vingt-quatre, fréquenté par des chauffeurs de taxi et les imprimeurs du journal situé de l'autre côté du carrefour.

PT s'engouffra dans une petite rue perpendiculaire et jeta un coup d'œil par-dessus son épaule. L'absence de policiers sur ses talons fut une agréable surprise, mais cette évasion improvisée l'avait désorienté. Alors qu'il se trouvait sans doute à moins d'un kilomètre de l'endroit où il voulait se rendre, il ignorait où il était et quelle direction il devait suivre. En outre, les garçons de treize ans étant rares dehors, à cette heure tardive, le premier policier qui passerait dans le secteur le repérerait aussitôt.

PT courut jusqu'au bout de la ruelle. Arrivé au coin, il glissa sur un petit tas de neige accumulée dans le caniveau. Plus de peur que de mal : il s'en tira seulement avec une jambe de pantalon trempée. En se relevant, il découvrit, deux rues plus loin, le néon rouge d'une enseigne familière : *Unicorn Tyre Repair & Parking*. Il jeta un coup d'œil derrière lui pour s'assurer que les flics avaient perdu sa trace, puis il parcourut à grands pas les deux derniers pâtés de maisons.

C'était un parking de plusieurs étages utilisé par les banquiers et les agents de change de Wall Street. En semaine, il regorgeait de Packard et de Cadillac, dont les chauffeurs passaient leurs journées à jouer aux cartes et à fumer dans un bistrot situé juste derrière. Mais après minuit, quand les portes du parking étaient fermées et les lumières éteintes, vous entendiez vos pas résonner sur les sinistres rampes en béton.

Même après trois mois passés à travailler au sous-sol toutes les nuits et tous les dimanches, PT ne pouvait s'empêcher d'avoir la chair de poule chaque fois qu'il pénétrait dans cet endroit. Il y avait deux rampes de la largeur d'une voiture, une pour monter, une autre pour descendre, et une cabine pour payer. PT ouvrit une porte découpée dans un portail. À peine l'eut-il franchie que la tête de Jeannot, son frère de sept ans, apparut par-dessus le bord de la rampe descendante.

– T'en as mis du temps ! lança-t-il. Alors, tu les as ?

– J'aurais bien voulu t'y voir, espèce d'avorton !

PT agita les deux forets sous son nez, avec cet air méprisant qu'il réservait à son jeune frère.

– Tu as chialé comme un môme quand les flics t'ont arrêté pour avoir volé des journaux.

– C'était il y a longtemps, rétorqua Jeannot, tandis que les deux frères descendaient au petit trot la rampe qui conduisait au sous-sol. Tu crois que je craquerais aujourd'hui ? Je te signale que c'est toi qui pleurais comme une gonzesse quand on est venus te voir en maison de redressement.

— Tu parles sans savoir ! J'étais un des plus petits là-bas. Toi, tu ferais dans ton froc dès qu'un grand te regarderait de travers.

Au pied de la rampe non éclairée se trouvait une petite porte d'où dépassait un tuyau. Elle s'ouvrit à la volée et Léon, l'autre frère de PT âgé de dix-sept ans, apparut. Il ruisselait de sueur et son torse puissant était maculé de terre.

— Tu les as, frangin ?

PT brandit les forets.

— J'ai eu chaud, mais j'ai réussi à semer les flics avant de revenir ici.

— Tu es sûr ?

— Sûr et certain.

— Bon. Monte dans le wagonnet et apporte-les à papa.

Jeannot et PT se glissèrent sous les bras écartés de leur frère pour pénétrer dans une pièce étroite servant de débarras. Des seaux et des bidons de détergent étaient alignés sur des étagères et, à une extrémité, une tringle servait à suspendre les vestes et les casquettes des employés d'Unicorn Tyre. Détail plus insolite : plusieurs dalles en linoléum avaient été retirées et l'on apercevait dans le sol un trou de cinquante centimètres de diamètre. Un tuyau en caoutchouc en sortait, relié à une pompe manuelle.

— Où en est le niveau de l'eau ? demanda PT en se débarrassant de ses gants et de son manteau pour enfiler par-dessus ses vêtements un bleu de travail crotté.

— Pas terrible, répondit Léon. Je n'ai pas arrêté de pomper pendant une heure et il y a encore quatre bons centimètres de flotte au milieu du tunnel.

— Ça devrait aller pour ce soir. Ensuite, on aura terminé, dit PT en s'asseyant au bord du trou.

Il sauta dans le vide. La boue gicla sous ses chaussures quand il atterrit un mètre cinquante plus bas. La galerie principale du tunnel mesurait moins de cinquante centimètres de large. Le plafond était soutenu par un épais grillage et des cerceaux métalliques, tandis que des rails en bois rudimentaires couraient sur le sol.

PT s'allongea à plat ventre sur un wagonnet ; sa tête et ses pieds pendaient dans le vide de part et d'autre. Après avoir vérifié que les quatre roues étaient posées sur les rails, il avança la tête dans la gueule du tunnel. Il tâtonna au plafond et tira sur un fil de fer qui fit tinter une clochette au-dessus de lui et une autre au fond de ce tunnel.

Il était possible d'avancer seul en prenant appui sur les parois ou le sol mais, quand quelqu'un se trouvait à chaque extrémité, il était plus facile de se signaler avec la clochette pour se faire tracter à l'aide d'une corde.

Le chariot bondit d'un seul coup (si vous ne vous accrochiez pas, il vous filait entre les pattes !) et commença à rouler lentement dans les ténèbres. L'eau s'infiltrait en permanence à travers la terre glaise, et la neige fondue compliquait encore les choses. PT sentait des gouttes éclater dans son cou, tandis qu'il avançait en cahotant sur les rails situés à quelques centimètres de son visage. Il faisait nuit noire, mais il avait effectué ce trajet des centaines de fois et il en connaissait chaque virage ; il savait même repérer les bruits que produisaient les raccords entre les longueurs de rails.

Le tunnel s'étendait sur trente-huit mètres, sous le salon de coiffure et l'institut de beauté qui jouxtaient le parking. Juste après la mi-parcours, le cliquetis des roues se transformait en un véritable fracas. À cet endroit, l'eau était assez profonde pour submerger l'avant du wagonnet lancé à toute allure et tremper la poitrine de PT. Après un petit coude sur la gauche, il découvrit une lumière électrique, le pantalon de son père et des bras crasseux qui tiraient sur la corde.

PT déboucha dans une cavité souterraine de presque deux mètres de haut. Son père arrêta le wagonnet avant que celui-ci ne vienne percuter un mur de boue.

Ils se trouvaient directement sous la succursale new-yorkaise de la Banque fédérale. Il leur avait fallu soixante jours pour creuser ce tunnel, à raison de soixante centimètres par jour, plus trois semaines pour creuser cette cavité et installer le système de wagonnets.

PT se leva, le visage maculé de terre et trempé d'une eau brunâtre qui dégoulinait sur sa poitrine et ses cuisses.

– Tu m'as l'air mouillé, fiston ! s'exclama Michel Bivott. Alors, tu as le foret ?

— Deux ! déclara fièrement le garçon. Au cas où on en casserait encore un.

— Bravo ! Des soucis ?

— Une alarme s'est déclenchée. Les poulets ont débarqué, mais j'ai pu filer par-derrière. Franchement, je m'inquiète plus pour le niveau d'eau dans le tunnel.

— Elle est là depuis le début, répondit Michel d'un ton rassurant. On n'en a plus que pour une heure ou deux.

PT leva les yeux vers le trou dans le plafond. Ils avaient atteint le moment critique. Pour creuser ce tunnel, ils pouvaient prendre leur temps, mais dès l'instant où ils pénétreraient dans la salle des coffres, ils ne disposeraient que d'une poignée d'heures avant que l'équipe de surveillance du matin ne découvre toute l'opération.

— Allez, grimpe ! dit Michel. Enfile tes gants surtout, pas question de laisser des empreintes.

Il y avait une échelle, mais PT était suffisamment léger pour que son père le soulève jusqu'à l'ouverture, à la force des bras. Le garçon prit appui sur d'épais carreaux de marbre et hissa son corps svelte dans le sous-sol violemment éclairé.

Après l'obscurité du tunnel, ses yeux mirent plusieurs secondes à s'habituer à cette lumière. Exception faite du trou dans le sol et des traces de pas boueuses laissées par son père, PT découvrit une pièce immaculée, de la taille de deux voitures garées côte à côte, entièrement tapissée de lambris. Un escalier en colimaçon s'enroulait autour d'un ascenseur sans porte. À l'autre extrémité de cette salle se découpaient deux énormes portes métalliques portant la mention : *cage 1* et *cage 2*. Ce n'étaient pas du tout des cages, mais des chambres fortes protégées de tous les côtés par trente centimètres de blindage, aussi résistant que celui d'un cuirassé.

La Banque fédérale fournissait tout l'argent en circulation aux États-Unis, et si ces cages existaient, c'était parce que les billets s'usaient très vite et devaient être changés plusieurs fois par an. Quand ils étaient défraîchis, toutes les banques du pays les envoyaient ici pour les échanger contre des billets neufs.

Si les informations de Michel Bivott étaient correctes, la cage numéro un contenait plusieurs millions de dollars sous forme de billets verts craquants. Mais surtout, la cage numéro deux renfermait la même somme en billets usagés et donc impossibles à retrouver par leurs numéros de série.

Tous les lundis, les vieux billets étaient aspergés d'encre rose avant d'être expédiés vers le nord, dans un centre d'incinération. Mais on était dimanche soir et la cage numéro deux contenait peut-être la bagatelle de six millions de dollars.

Il n'y avait aucun moyen de traverser les murs ou le sol blindés, à moins de provoquer une explosion qui ferait trembler la moitié de Manhattan. Voilà pourquoi Michel avait l'intention de détruire le mécanisme de verrouillage à l'intérieur, à l'aide de quatre tubes de plastic introduits à des endroits stratégiques. Seul problème : les trous devaient avoir exactement le même diamètre que les bâtons d'explosif afin que la déflagration provoque une onde de choc appropriée. Malheureusement, il avait brisé le foret alors qu'il perçait le dernier trou dans la porte en métal.

— J'ai réussi à extraire du trou tous les débris de métal, pendant que tu étais parti faire ta petite course, dit Michel. C'est l'affaire de cinq minutes maintenant.

PT enfonça des bouchons de cire dans ses oreilles, pendant que son père déballait l'un des deux forets pour l'introduire dans une perceuse hydraulique alimentée par une bouteille d'air comprimé, installée dans la cavité en dessous. Il enfonça la mèche dans le trou inachevé et utilisa tout le poids de son corps pour maîtriser les vibrations du système de percussion.

Percer un blindage provoque une friction intense, le foret peut facilement se dilater et rester coincé, c'est la raison pour laquelle PT était penché au-dessus de la mèche avec un seau d'eau. Après dix secondes de forage assourdissant, Michel ressortait la mèche et son fils l'aspergeait d'eau pour la refroidir. Les premières gouttes se transformaient en vapeur sifflante au contact de l'acier surchauffé.

— C'est bon, commenta Michel quand il jugea que le trou était suffisamment profond. Je vais introduire les explosifs et faire les branchements. Toi, tu assembles le petit train et tu rejoins tes frères pour remonter tout le matériel dont on n'a plus besoin.

— Pigé, papa.

PT redescendit par le trou dans le sol et accrocha deux autres wagonnets au premier. C'était suffisant pour emporter la perceuse et le reste du matériel de forage. Quant à la bouteille d'air comprimé, il fallut la sangler à l'aide de ceintures en cuir.

— Quand vous voulez ! cria Michel.

Il hissa PT par le trou et le convoi s'ébranla, tiré par Léon qui se trouvait à l'autre bout.

Michel savait manier le plastic de manière à ne pas endommager le tunnel mais, au cas où, le père et le fils allèrent se réfugier en haut de l'escalier, derrière l'ascenseur, en traînant derrière eux deux longueurs de fil électrique. Pour provoquer la détonation, il suffisait de joindre les deux extrémités dénudées. Michel tendit les fils à PT.

— À toi l'honneur, fiston.

Le garçon prit les fils dans ses mains tremblantes, non pas qu'il doutât des connaissances de son père en matière d'explosifs, mais parce que cet instant était l'aboutissement de trois mois de préparation et de dur labeur.

Au moment du contact, il se produisit une secousse, suivie d'un grand fracas métallique et d'un éclair. Un souffle s'engouffra dans l'escalier et un portrait de George Washington se détacha du mur en projetant des éclats de verre.

Après avoir attendu que la poussière retombe et que les bourdonnements cessent dans leurs oreilles, PT et son père ôtèrent leurs bouchons de cire et dévalèrent l'escalier.

Michel se pencha à l'intérieur du trou dans le sol pour s'assurer que la détonation n'avait pas endommagé le tunnel. Au sommet de l'escalier, une épaisse porte blindée donnait sur un long couloir, au rez-de-chaussée de la banque. Au bout se tenaient des gardes armés. Le tunnel représentait donc la seule issue qui ne fût pas synonyme de séjour en prison.

– Quelques morceaux de plancher se sont effondrés dans la grotte, commenta Michel. Mais à part ça, tout semble intact.

PT s'intéressait davantage à la porte de la cage numéro deux. La chambre forte était fermée par trois broches de gros calibre prises en sandwich à l'intérieur de la porte. L'ouverture était commandée par un mécanisme double qui nécessitait que deux personnes tournent simultanément une clé dans des serrures incrustées de chaque côté de la porte. Ce procédé avait pour but d'empêcher un seul employé de pénétrer dans le coffre pour empocher quelques billets indétectables.

L'ensemble de roues dentées et d'engrenages à l'intérieur de la lourde porte blindée actionnait un pêne unique qui la traversait en son centre. Il bloquait la poignée principale qui immobilisait les broches. Tout système de sécurité, aussi performant soit-il, est dépendant de son élément le plus faible et, si ce système de double verrouillage décourageait les petits larcins, sa complexité constituait un atout pour tout perceur de coffre digne de ce nom.

Michel avait volé les plans de la chambre forte dans les bureaux de la Banque fédérale, situés aux étages supérieurs et qui étaient mal gardés. Il avait calculé que quatre charges explosives, placées à des endroits bien précis, provoqueraient une onde de choc qui ferait sauter le levier central. Si ses calculs étaient bons, PT n'avait plus qu'à tirer sur le levier : les broches coulisseraient et la porte de deux tonnes s'ouvrirait en douceur.

PT actionna le levier. Il se produisit un bruit métallique, suivi d'un moment d'angoisse durant lequel rien ne se passa. Mais le garçon n'eut qu'à tirer d'un coup sec, et l'énorme porte pivota sur ses gonds, entraînée par son poids, obligeant PT à reculer.

L'ouverture du coffre alluma trois ampoules qui éclairèrent ses entrailles d'acier : des murs de quatre mètres d'épaisseur tapissés d'étagères métalliques. PT contourna la porte pour entrer. L'air sentait le renfermé et les parois avalaient tous les bruits.

Sur les étagères s'entassaient des sacs de coton blanc gros comme des ballons de football. Ils portaient tous la mention : POUR INCINÉRATION. Une étiquette rédigée à la main détaillait le contenu : *Banque de Manhattan. 9 270 dollars en diverses coupures. Déposés le 4/12/38. Comptés et échangés par CLK le 6/12/38.*

Michel s'arrêta sur le seuil pendant que son fils arrachait une des étiquettes et jetait un coup d'œil aux billets froissés qui se trouvaient dans le sac. Avec un sourire jusqu'aux oreilles, il demanda :

– Alors, papa. Ça fait quel effet d'être millionnaire ?

CHAPITRE QUATRE

Le restaurant *Chez Bert* était situé au même coin de rue depuis trente ans. Les gens s'y pressaient pour savourer un des meilleurs breakfasts de la ville et les pâtisseries confectionnées par la femme de Bert. Il n'était pas rare d'y voir des banquiers de Wall Street ou des personnes qui faisaient des courses dans le quartier venir chercher des tartes entières qu'ils emportaient chez eux, mais la clientèle se composait principalement de chauffeurs de taxi, d'imprimeurs et de femmes de ménage qui travaillaient de nuit dans les bureaux.

Le soir, il régnait une ambiance chaleureuse. Un vieux flic obèse nommé Vernon et son jeune équipier, Perkins, eurent droit à des clins d'œil amicaux et à quelques signes de la main lorsqu'ils entrèrent et allèrent s'asseoir à une table éloignée du froid de la porte. Un chauffeur de taxi, occupé à lire son journal, remarqua que Vernon boitait ; il ne put s'empêcher de demander :

— Qu'est-ce qui t'arrive, Vern ? Tu as glissé sur le verglas ? C'est rudement dangereux, dehors !

Vernon introduisit sa bedaine entre la table et la banquette, pendant que son jeune collègue racontait ce qui s'était passé.

— On a été appelés à la *Quincaillerie A & H.* Une saleté de gamin a balancé une poubelle dans la vitrine.

— Un cambriolage ? dit le chauffeur de taxi.

Le jeune policier secoua sa casquette pour faire tomber la neige.

— Oui. Sauf que le gamin n'a rien fauché. Il a même laissé son écharpe et vingt-trois dollars dans la caisse. Il a fichu le bazar en cherchant quelque chose, avant de filer par-derrière.

— Vous l'avez arrêté ?

Le jeune Perkins ricana dans sa moustache ; il hésitait à répondre. Vernon était son supérieur et peut-être n'avait-il pas envie que l'histoire s'ébruite.

Le vieux policier haussa les épaules.

— Te bile pas, Perky. Y a bien quelqu'un qui leur racontera ce qui s'est passé, de toute façon. Alors, autant que ce soit moi. Comme Perkins conduisait, je suis entré le premier dans le magasin. Juste à temps pour voir cet avorton sortir par la fenêtre de derrière... Disons que je ne suis plus aussi svelte que dans le temps.

Perkins éclata de rire.

— Tu aurais bien rigolé. Quand je suis arrivé dans la pièce du fond, j'ai découvert le gros cul de Vernon coincé dans la fenêtre. « Aide-moi à sortir de là ! qu'il criait. Si jamais j'attrape ce sale petit... »

Une demi-douzaine d'habitués du restaurant s'esclaffèrent.

— Et c'est là que tu t'es blessé à la cheville ? demanda le chauffeur de taxi.

— Non, c'est après, expliqua Perkins. Vernon était tellement énervé qu'à force de s'agiter, il est tombé direct sur le trottoir et a glissé dans le caniveau.

Ce dénouement provoqua de nouveaux éclats de rire dans la salle, alors que le fils de Bert déposait deux tasses sur la table des policiers.

— Et voilà, un café noir et un café au lait, dit-il. Vous savez, messieurs les agents, il se pourrait que j'aie vu quelque chose. Si ce gamin a filé par-derrière, il est forcément ressorti par le porche, de l'autre côté de l'avenue, non ?

L'agent Vernon esquissa un geste vague.

— On a sillonné le secteur pendant une demi-heure pour essayer de retrouver ce petit saligaud. Il a fichu le camp depuis longtemps. Et je dis : bon débarras !

— Laissez-moi finir, Vernon, dit le jeune serveur. J'étais justement dehors, à ce moment-là. Il y a de ça trois quarts d'heure peut-être. Le gamin a traversé la rue en courant, presque sans regarder. Personne ne court sur le verglas à moins d'y être obligé ; j'en déduis que ça devait être votre gars. Le truc, c'est que ce gamin, je l'ai souvent vu dans notre autre restau, à quelques rues d'ici. Il y va le soir, toujours très tard, et parfois, il a plein de taches de boue sur son bleu de travail. Il achète des cafés et des sodas. Il parle avec un accent : italien, français ou quelque chose comme ça. Un jour, je lui ai demandé ce qu'il faisait dehors à cette heure et il m'a répondu qu'il travaillait dans une équipe, avec son père, pour creuser des canalisations.

Perkins dressa l'oreille et demanda :

— Tu sais à quel endroit ?

Le serveur hocha la tête.

— Je l'ai vu entrer dans ce parking, là-bas, avec la grande enseigne rouge : le cheval avec une sorte de pointe sur la tête.

— Le garage Unicorn Tyre, dit Perkins en récupérant sa casquette sur la table avant de se lever. On va aller vérifier.

Mais Vernon saisit son équipier par le bras pour l'obliger à se rasseoir. Il se tourna ensuite vers le serveur.

— Sans vouloir t'offenser, mon gars, je parie que tu t'es fourré le doigt dans l'œil. Tu veux nous aider, et je t'en remercie, mais franchement, comment tu peux reconnaître un visage qui passe dans le noir à toute allure ?

Le serveur parut offusqué, mais il n'allait pas contredire un client ; il tenait à son pourboire.

— J'étais quasiment certain que ça devait être lui. Mais vous avez plus d'expérience que moi, Vernon. Alors, vous avez sans doute raison.

Perkins regarda son supérieur.

— C'est tout près d'ici, chef. En voiture, y en a pour deux minutes. Ça ne coûte rien d'aller voir.

Vernon émit un grognement.

— Bon, d'accord, on ira vérifier s'il y a quelqu'un qui travaille là-bas. Mais d'abord, j'ai envie de manger. Je veux mon steak frites, comme d'habitude. Y a quoi comme tarte, aujourd'hui ?

— Pêche, cerise, chocolat et citron vert.

Le policier obèse hocha la tête, le regard pétillant.

— Une part à la pêche et une part au chocolat. Avec de la glace.

Un des chauffeurs de taxi présents dans le restaurant pouffa.

— Deux parts de tarte et un steak frites à quatre heures du mat' ! Pas étonnant que ton gros cul reste coincé dans les fenêtres.

∴

PT attendait depuis des mois. Des mois à creuser dans le tunnel jusqu'au bord de l'évanouissement à cause du manque d'air, à charger la terre dans le camion, avec les rats morts, les inondations et les chapelets de jurons quand les wagonnets sortaient de leurs rails.

Un million de fois, il avait imaginé le butin ; malgré cela, un déclic se produisit dans la tête de PT lorsqu'il ouvrit d'un geste brusque le premier sac en coton et découvrit les billets froissés. Maintenant qu'il tenait tout cet argent dans ses mains, ce coup ne concluait pas seulement une série d'escroqueries et de cambriolages plus ou moins minables. C'était un rêve qui se concrétisait.

Le rôle de chacun avait été planifié. PT constituait le premier maillon de la chaîne ; c'était lui qui devait prendre les sacs d'argent dans le coffre et les déposer dans des cartons. Dès que six cartons avaient été transportés dans la grotte et empilés dans les wagonnets du petit train par son père, celui-ci actionnait la cloche et Léon, posté à l'autre extrémité, tractait le chargement dans le tunnel.

Il lançait les sacs à son jeune frère Jeannot, puis faisait tinter la cloche pour que leur père ramène les wagonnets. Jeannot, lui, jetait les sacs à l'intérieur d'un camion garé en haut de la rampe du parking. Le temps que le petit train regagne son point de départ, PT avait rempli six nouveaux cartons pour le voyage suivant.

⁘

Vernon estimait qu'ils perdaient leur temps en allant inspecter le parking. En plus, il s'était foulé la cheville et il avait deux parts de tarte dans le ventre ; aussi ne descendit-il même pas de voiture quand son équipier s'arrêta devant l'entrée.

— Attention au verglas, mon gars ! lança-t-il à son collègue qui s'avançait vers le garage Unicorn Tyre.

Perkins, âgé de vingt-cinq ans, s'était engagé dans la police de New York en espérant devenir sergent au bout de trois ans. Hélas, ses espoirs ne s'étaient pas concrétisés. Difficile de briller quand vous faites équipe avec un tire-au-flanc comme Vernon, qui préfère manger de la tarte plutôt que d'arrêter des criminels. Mais c'était un vieux bonhomme sympa, malgré tout, et Perkins gagnait de quoi nourrir ses trois gamins. Tout le monde ne pouvait pas en dire autant, dans ce contexte de crise économique sans précédent.

Il secoua la grille du parking et constata qu'elle était verrouillée. En collant le nez aux barreaux, il n'aperçut que la caisse et les rampes pour monter et descendre. C'est seulement en rebroussant chemin qu'il remarqua la porte qui se découpait dans la grille. À tout hasard, il tourna la poignée et la porte s'ouvrit. Il entra. Une souris lui fila entre les jambes. Ses semelles en caoutchouc crissaient sur le sol de béton.

Apparemment, le parking était désert, mais cette porte ouverte l'intriguait. Il prit la grande lampe torche accrochée à sa ceinture. Il éclaira la rampe montante, puis celle qui descendait vers le sous-sol. C'est là que Perkins vit une camionnette stationnée à mi-pente. Les portes arrière étaient ouvertes. Drôle d'endroit pour se garer, pensa-t-il. La situation devint plus intéressante quand il avisa deux petites chaussures marron qui se déplaçaient derrière le véhicule.

— Les sacs sont chargés, Léon ! cria Jeannot. Prêt pour le convoi suivant.

S'il avait entendu une voix d'homme, Perkins aurait battu en retraite et appelé des renforts. Mais il passerait pour un idiot s'il réclamait de l'aide pour deux gamins des rues qui s'amusaient dans un parking. En outre, cette histoire piquait sa curiosité. Le serveur de *Chez Bert* avait peut-être raison. Dans ce cas, il était tombé sur une bande à laquelle appartenait le gamin qui avait cambriolé la *Quincaillerie A & H*. Pas de quoi projeter sa carrière vers des sommets, certes, mais nul doute que cette arrestation impressionnerait le lieutenant.

Perkins éteignit sa lampe, recula jusqu'au mur et se glissa prudemment dans l'espace étroit entre la rampe et la camionnette. Un bruit sourd fit vibrer la carrosserie. Il comprit que le gamin avait repéré la lumière de sa torche et plongé à l'intérieur du véhicule pour se cacher.

Alors que Perkins continuait d'avancer à pas feutrés, une clochette tinta. En se penchant en avant pour risquer un coup d'œil au-delà de la camionnette, il aperçut la porte ouverte du débarras et le tuyau d'où s'écoulait un filet d'eau.

Rien ne bougeait, mais il entendait une respiration haletante, celle d'un homme qui accomplit un travail physique, un son creux venant d'en bas. Perkins ne comprenait pas ce qui se passait, mais il n'aimait pas ça. Il était temps de ressortir. Hélas, en se retournant, il découvrit le double canon d'un fusil braqué sur sa poitrine, à l'intérieur de la camionnette.

— Je ne te veux pas de mal, petit, dit Perkins sur ses gardes, surpris par la détermination qui se lisait sur le visage maculé de boue de cet enfant de sept ans.

Néanmoins, il ne croyait pas un seul instant qu'un garçon aussi jeune pouvait presser la détente.

À bout portant, la gueule du canon lança un éclair et les plombs criblèrent le visage et la poitrine de Perkins, qui se retrouva projeté au sol. Le recul propulsa Jeannot à l'intérieur du camion, sur les sacs de billets. Il se releva prestement et sauta à terre, le fusil à la main, au moment où Léon lui criait, du fond du trou :

— Qu'est-ce qui se passe ? Je t'ai dit de ne pas toucher au fusil de papa !

— J'ai tiré sur quelqu'un !

En s'approchant, Jeannot découvrit un insigne de la police new-yorkaise sur la poitrine rouge de sang. Un flic !

Léon n'en croyait pas ses oreilles. Il avait envie de sortir du trou pour savoir ce qui se passait au juste, mais le train était presque arrivé à destination et, lorsqu'il était aussi lourdement chargé, il avait une fâcheuse tendance à dérailler au moindre changement de rythme.

Dès que les wagonnets s'arrêtèrent bruyamment à ses pieds, Léon bondit hors du trou et découvrit son jeune frère pétrifié devant un corps ensanglanté, allongé sur le ciment.

— Tu crois qu'il est mort ? demanda Jeannot.

Léon lui arracha le fusil des mains.

— Quand la cervelle éclabousse le mur comme ça, tu peux être sûr que oui !

La voix de l'enfant se brisa, comme s'il allait se mettre à pleurer.

— Mais... bredouilla-t-il, papa nous dit toujours qu'on doit d'abord tirer et poser les questions après.

Léon donna une petite tape dans le dos de son frère.

— Tu as fait exactement ce qu'il fallait. Mais maintenant, il faut filer d'ici au plus vite. Tu as vu quelqu'un d'autre ?

— Non. Juste lui.

Léon réfléchit.

— Les flics vont toujours par deux. Je vais essayer de trouver le deuxième. Toi, saute dans le trou et donne l'alerte avec la clochette. Tu sais comment faire ?

Jeannot hocha la tête.

— Trois coups, une pause, trois coups, dit-il. S'il n'y a pas de réponse, je recommence au bout de dix secondes.

Alors que son jeune frère disparaissait à l'intérieur du débarras, Léon fit le tour de la camionnette, furtivement, en serrant le fusil dans ses mains, le dos collé au mur. Arrivé au sommet de la rampe, il aperçut la silhouette d'un homme ventripotent qui regardait à travers la grille.

— Perky ? Qu'est-ce qui se passe, là-dedans ? cria l'agent Vernon.

Léon courut se mettre à l'abri derrière la cabine de la caisse. Le gros type l'avait entendu.

— C'est toi, Perkins ?

Léon avança la tête et vit le flic obèse faire deux pas en avant. Il boitait bas et n'était visiblement pas en état d'aller très loin. Finalement, il rebroussa chemin pour regagner sa voiture. Au moment où il se penchait à l'intérieur afin de lancer un appel radio, Léon jaillit de sa cachette.

— Ici agent Vernon, je réclame des renforts. Je suis au parking Unicorn Tyre, au coin de...

L'opératrice radio du poste de police entendit la détonation dans ses écouteurs.

Vernon, lui, sentit une pluie de plombs s'abattre dans son dos et sur l'arrière de ses cuisses.

Mais Léon avait tiré de loin et la plupart des projectiles tintèrent contre la carrosserie. Tandis qu'il cassait le fusil pour recharger, l'agent Vernon dégaina son arme de service et tira à son tour, à l'aveuglette.

La première balle se perdit dans le vide, mais le coup de feu fit sursauter Léon, ce qui donna à Vernon le temps de viser. La seconde balle explosa dans la poitrine du jeune garçon, lui déchiquetant les poumons, alors qu'il était projeté contre la grille du parking.

Une décharge d'adrénaline avait permis au policier de tenir sur ses jambes, mais dès que Léon fut à terre, Vernon succomba à la douleur provoquée par les projectiles brûlants qui avaient pénétré sous sa peau, et il s'écroula dans la neige, devant sa voiture.

Il essaya de tendre la main à l'intérieur pour se saisir du micro, mais il renonça quand il comprit que c'était inutile. L'opératrice avait certainement entendu le coup de feu qui avait interrompu son appel.

« *Code un !* braillait-elle à travers les parasites. *Un agent en danger ! Appel à toutes les unités. Veuillez vous rendre au garage Unicorn Tyre. Priorité absolue !* »

•:•

PT sortit en courant de la cage numéro deux et sauta dans le trou dès qu'il entendit son père crier.

— Ils ont lancé un signal d'alarme ! expliqua celui-ci. Il est temps de filer d'ici.

PT n'en revenait pas.

— Il reste encore la moitié de l'argent dans le coffre. Léon ne nous renvoie pas le train ?

Michel s'impatientait.

— Ils ont donné l'alarme, je te dis ! C'est sûrement le niveau d'eau qui remonte dans la galerie. Tu connais les règles : deux fois trois coups de clochette, ça veut dire qu'on doit décamper sur-le-champ.

La traversée du tunnel prenait trente secondes quand vous étiez tracté. Si vous deviez vous mouvoir par vos propres moyens, couché sur le dos, en poussant avec vos pieds ou en vous accrochant au grillage fixé au plafond, cela pouvait prendre deux minutes, davantage même s'il y avait de l'eau stagnante au fond.

PT s'allongea sur un wagonnet et son père lui coinça un sac de billets entre les jambes.

— Au cas où on ne pourrait pas revenir, dit-il en souriant, avant de pousser son fils.

Alors qu'il s'enfonçait dans l'obscurité, tête en avant, PT espérait que ce n'était pas la dernière fois qu'il effectuait ce trajet. Ils avaient raflé deux millions de dollars ; largement de quoi vivre. Léon avait cessé de pomper quand ils avaient commencé à charger les wagonnets, et la présence d'une importante quantité d'eau dans une partie du tunnel confirma la théorie de leur père : ils allaient devoir interrompre les opérations pour effectuer un pompage. C'était une sale corvée, mais ils l'avaient déjà faite cent fois.

Toutefois, en apercevant l'extrémité de la galerie souterraine, PT sentit que quelque chose clochait. Ce n'était pas Léon, mais Jeannot qui l'attendait, en larmes.

— Qu'est-ce qui t'arrive, l'avorton ? demanda-t-il en ôtant son wagonnet des rails, car il entendait son père qui arrivait juste derrière.

— Y a des flics qu'ont débarqué. J'en ai tué un. Léon a poursuivi le deuxième et ils se sont tirés dessus.

Cette nouvelle fit à PT l'effet d'un coup de poing dans l'estomac.

— Comment va Léon ? Où est-il ?

— Près de la grille, sanglota le garçon. Il est mort.

Michel avait émergé du tunnel entre-temps ; il comprit rapidement la situation.

— Pourquoi a-t-il fallu que ça arrive ce soir ? s'écria-t-il. C'est vraiment un sale coup, nom de Dieu ! Jeannot, tu as vu arriver d'autres flics ?

— Non.

Michel aida ses fils à sortir du trou. Tout en fourrageant dans ses poches de pantalon, il montra la camionnette.

— PT, monte à l'avant et fais chauffer le moteur. Jeannot, monte à l'arrière avec le fric, et fais bien gaffe de fermer les portières.

Dès que les deux garçons furent dans la camionnette, Michel courut jusqu'au rez-de-chaussée, où il découvrit son fils aîné couché contre la grille. La voiture de police était toujours stationnée devant l'entrée. L'agent Vernon avait perdu connaissance sous l'effet de la douleur.

Michel aurait voulu faire ses adieux à Léon, mais il eut juste le temps de déposer un baiser sur son front et de récupérer le fusil.

Il trouva enfin la clé qu'il cherchait et s'en servit pour ouvrir la grille, avant de revenir à la camionnette en courant. Il s'installa au volant et jeta un rapide coup d'œil à l'arrière.

— Tu as bien fermé les portières, Jeannot ?

— Oui, papa !

Michel ôta le frein à main prématurément et ils dévalèrent la pente à reculons pendant plusieurs mètres avant qu'il n'enclenche la marche avant ; la camionnette gravit alors la rampe dans un nuage de fumée noire.

— Accrochez-vous, les gars ! cria-t-il. Ça va secouer !

PT était inquiet de voir que la voiture de patrouille bloquait la sortie et qu'un policier gisait dans la neige près de la portière ouverte.

— Tu vas l'écraser, papa !

— Ce salopard a tué mon fils ! éructa Michel, hors de lui.

La camionnette heurta la voiture de police qui valdingua au milieu de la chaussée. PT ressentit le choc dans sa nuque, mais il serrait contre lui le sac que son père lui avait fourré entre les jambes avant l'ultime traversée du tunnel, et le coussin de billets lui évita de se cogner contre le tableau de bord.

Michel n'avait pas prévu la violence de l'impact. Son visage vint heurter le volant et il perdit connaissance.

— Papa ! hurla PT.

Il fit un bond sur son siège, tandis que la camionnette continuait d'avancer. Elle traversa un terre-plein décoré de massifs de fleurs et de buissons. La collision avait réduit sa vitesse et fait caler le moteur. À l'arrière, les sacs ballottaient et Jeannot fut projeté contre la paroi métallique, alors que son frère glissait la main entre les sièges pour tirer le frein à main. La camionnette s'arrêta enfin, avec plusieurs buissons coincés entre les roues.

PT se retourna.

— Tout va bien, Jeannot ?

Une des portes arrière s'était ouverte et, dans la lumière venue de la rue, PT aperçut l'enfant affalé au milieu des sacs d'argent, inerte. Il sauta hors de la cabine, au moment même où il entendait les sirènes de police. Il devait prendre ses jambes à son cou, mais il voulait tenter d'emmener son petit frère.

— Jeannot ? cria-t-il en se penchant à l'intérieur pour écarter des sacs de billets.

Jeannot saignait du nez et il avait la lèvre fendue. Il respirait, mais il était évanoui et PT n'avait pas assez de force pour le porter au-delà de quelques mètres.

Le spectacle de son petit frère inconscient et le souvenir de son autre frère gisant près de la grille du parking, de l'autre côté de la rue, lui brisèrent le cœur. Mais il y avait également deux flics sur le carreau et PT savait que si leurs collègues lui mettaient le grappin dessus, il allait passer un sale quart d'heure.

— Tout ira bien, dit-il en tapotant la cheville de son frère, tandis que le vacarme des sirènes s'intensifiait.

Puis il se mit à courir avec, dans la main, un seul sac en coton blanc.

CHAPITRE CINQ

PT lut l'étiquette attachée à son sac en coton et découvrit qu'il possédait 3 800 dollars[4] en billets de vingt, dix et cinq. Il le glissa dans la ceinture de son pantalon, repartit en courant, malgré le verglas, et prit un taxi jusqu'à la Gare centrale. Après s'être débarrassé de son bleu de travail dans les toilettes, puis débarbouillé pour ôter la terre sur son visage, il monta dans un des premiers métros pour se rendre dans le quartier du Queens. À cette heure, un dimanche qui plus est, il n'y avait pas beaucoup de monde. Son cœur cognait à tout rompre ; à chaque arrêt PT s'attendait à voir des policiers s'engouffrer dans le wagon.

Son père, braqueur de banque connu, avait sans doute été identifié en quelques minutes ; il n'osait donc pas rentrer chez lui. Ses vêtements chauds étaient restés dans le vestiaire du parking et il attirait les regards en déambulant en chemisette par ce froid glacial. Dans

4. Soit l'équivalent de 55 000 dollars actuellement.

un snack quasiment désert, il commanda un petit déjeuner, mais il n'avait pas faim et se contenta de jouer avec le contenu de son assiette ; quand il paya avec un billet de vingt dollars tout déchiré, le serveur le regarda d'un drôle d'air.

– Mon père a gagné à la loterie, expliqua-t-il. Il m'a dit de m'offrir ce que je voulais.

Il avait à peine eu le temps de voir Léon lorsque la camionnette avait jailli au sommet de la rampe, mais cette image restait gravée en lui : la poitrine maculée de terre, le sang qui formait une petite flaque dans la neige, et cette expression d'incrédulité sur son visage, comme quand on le surprenait en train de tricher aux cartes.

Même si Léon n'avait pas l'intelligence de PT, c'était un grand frère qui inspirait le respect : il était toujours là pour prendre votre défense dans le quartier et il lui suffisait de jeter un coup d'œil à une fille pour obtenir ses faveurs. Sa mort était une chose horrible qui dépassait l'entendement, néanmoins, PT devait se ressaisir et affronter la dure réalité.

Problème le plus immédiat : lutter contre le froid. Il se rendit dans un marché aux puces qu'il connaissait, où il acheta une nouvelle paire de gants, un manteau d'occasion et une chemise propre. Mais les policiers du quartier connaissaient sa tête, alors il prit un bus pour aller dans le sud, à Brooklyn.

Il descendit au hasard dans un endroit où il n'avait jamais mis les pieds. Des blocs d'immeubles bordaient les deux côtés d'une rue en pente, interrompus uniquement par un terrain de jeux et une laverie automatique solitaire. Un vieil habitant du quartier jouait les bons Samaritains en déblayant la neige tombée durant la nuit.

À l'intersection suivante, des distributeurs de journaux proposaient la dernière édition du *Sunday Post*. Le sang et les tripes faisaient vendre du papier et en première page figurait la photo de l'agent Vernon écrabouillé contre une voiture de police, sous ce gros titre :

DEUX POLICIERS ET DEUX VOLEURS TUÉS
DANS UN CAMBRIOLAGE SOUTERRAIN
DE 10 MILLIONS DE DOLLARS.

Deux voleurs.

PT parcourut l'article jusqu'à ce qu'il arrive à cette phrase : « Un célèbre cambrioleur de banques de Chicago, Michel Bivott, est mort en voulant résister aux policiers qui tentaient de le capturer… »

Les policiers avaient dû arriver sur place moins d'une minute après que PT avait pris la fuite, et son père n'était certainement pas en état de résister. À vrai dire, cette triste nouvelle n'avait rien de surprenant. PT fréquentait des individus louches depuis toujours, et ils connaissaient tous la chanson : si vous tuez un flic, ils vous tuent à leur tour ou bien ils vous font regretter de ne pas être mort.

Il continua à lire l'article en espérant avoir des nouvelles de son petit frère.

« Le plus jeune fils de Bivott a été découvert à l'arrière de la camionnette ; il est actuellement interrogé par la police. Un troisième enfant, que l'on pense être le cadet, Philippe, a eu le temps de prendre la fuite. Il est recherché... »

PT eut envie de pleurer en imaginant le petit Jeannot enfermé dans une cellule, terrorisé. Nul doute que les flics, désireux de venger leurs deux collègues morts, le mettraient sous pression en lui distribuant des gifles et en le menaçant du pire s'ils n'étaient pas satisfaits de ses déclarations. Heureusement, le jeune âge de Jeannot jouait en sa faveur : à sept ans, il ne pouvait pas être envoyé en prison, et avec un peu de chance, la justice verrait en lui une victime plus qu'un criminel.

Contrairement à Jeannot, PT était assez âgé pour répondre d'une accusation de meurtre. La police de New York possédait sa photo et ses empreintes dans son casier, et s'il se faisait arrêter, il ne couperait pas à un nouveau séjour en centre de détention pour mineurs délinquants. Si son père et lui étaient abattus par des policiers dans des conditions louches, cela provoquerait peut-être un tollé. Alors, il était peu probable qu'ils le tuent, mais ils le passeraient à tabac. Le juge ne lui ferait pas de cadeau non plus et les gardiens de la prison veilleraient à ce qu'il en bave un maximum.

Il devait fuir. Mais où ?

.:.

Le mercredi soir, il attendit que la nuit tombe. Au bout de quatre jours passés dans la rue, PT faisait peine à voir. Ses bottes et son pantalon étaient durcis par le gros sel répandu sur les trottoirs et la neige grise. Il avait le visage et les doigts noirs de crasse, la boue séchée le démangeait furieusement sous plusieurs épaisseurs de vêtements. Il rêvait de retourner en Californie, mais il craignait d'être arrêté par la police à la gare. En outre, sa photo ayant été publiée dans les journaux de la veille, faire du stop était exclu.

Après trois nuits glaciales, recroquevillé au fond d'un garage, PT ne se sentait pas capable d'en affronter une quatrième. Il devait prendre des risques, en priant pour que son audace ne l'expédie pas au fond d'une cellule. Sa tante et son oncle, le frère de sa mère décédée, vivaient dans un appartement du bas de Manhattan, près des docks.

La police avait sans doute deviné qu'ils étaient ses uniques parents encore vivants, aussi PT approcha-t-il avec prudence de l'immeuble en question et il utilisa la technique que lui avait enseignée son père pour surveiller un lieu quelconque avant un cambriolage.

Il arpenta la rue dans les deux sens, d'un pas décidé, en s'assurant que personne n'était assis dans une voiture garée le long du trottoir, puis il sauta par-dessus un grillage et emprunta l'escalier de secours, derrière l'immeuble, pour grimper jusqu'au deuxième étage. Deux enfants étaient installés sur le palier ; ils partageaient un sachet de cacahuètes et s'amusaient à lancer les déchets dans le vide.

L'appartement numéro 18 était le cinquième dans le couloir. PT remarqua les traits de lumière autour de la porte. Il tendit l'oreille pendant quelques secondes, puis il frappa. Sa tante Mae vint ouvrir, sans ôter la chaîne de sécurité car c'était un quartier mal famé.

Elle demeura bouche bée en le voyant, mais très vite son expression devint plus accueillante, au grand soulagement de PT, et elle s'empressa de le faire entrer dans un salon encore plus chaleureux que son sourire.

— Mon pauvre chéri ! s'exclama-t-elle en jetant un regard méfiant dans le couloir avant de refermer la porte. Mon Dieu, dans quel état tu es !

Mae ne pouvait pas avoir d'enfants ; elle avait reporté son affection maternelle sur plusieurs canaris qui pépiaient dans leur cage au fond de la pièce. Ce vacarme et l'odeur de gâteau aux graines de carvi ravivèrent des souvenirs liés à sa première visite, avec sa mère : il n'avait que six ans, Jeannot était encore un bébé. Mae lui avait offert un camion de pompiers en fer avec des échelles qui s'accrochaient sur les côtés.

— Tu as ouvert à quelqu'un ? demanda l'oncle Thierry en sortant prudemment la tête par la porte de la cuisine.

Il avait travaillé sur les docks toute sa vie et il portait toujours un débardeur blanc, taché de sueur, qui laissait voir les dragons et les serpents de mer tatoués sur ses bras. Sa réaction quand il aperçut PT fut très différente de celle de son épouse.

— Tiens, tiens, dit-il avec un petit mouvement de tête qui souleva l'estomac du garçon. Regardez qui vient de jaillir du caniveau.

— Tu as faim ? demanda Mae. J'ai fait du ragoût.

PT hocha la tête avec empressement et se retrouva assis à table, en face de son oncle, tandis que sa tante versait dans son assiette des louches d'épais ragoût de mouton aux pommes de terre, accompagné d'une grosse tranche de pain.

— Où que t'étais passé ? interrogea son oncle.

— Oh, j'ai traîné ici et là. J'ai dormi dans un garage de Brooklyn. Je me suis planqué, quoi. Tu sais ce que c'est.

— Non, rétorqua le docker. J'ai jamais tué un flic, moi. J'ai jamais été en cavale.

PT se sentait vulnérable. Vingt années de labeur sur les quais avaient transformé l'oncle Thierry en armoire à glace ; il n'aurait eu aucun mal à l'écarteler à mains nues, et le jeune garçon avait la désagréable impression qu'il envisageait sérieusement de passer à l'acte.

— Les poulets sont venus ici dimanche après-midi pour me cuisiner. Tu as vu les journaux ? Cette pauvre veuve avec trois gamins en bas âge. Qui c'est qui a tiré, ton père ?

PT porta la cuillère à sa bouche d'une main tremblante.

— Non. Léon, je crois.

— La Banque fédérale ! J'ai toujours dit que ton père était un pauvre connard.

— Inutile d'employer ce langage, Thierry, dit sèchement Mae. C'est le fils de ta sœur et il n'a que treize ans. C'est son père qui l'a élevé de cette façon. PT n'est pas responsable de la vie que Michel a imposée à ses enfants.

— J'ai fait tout ce que je pouvais pour ce type quand ta mère est morte, déclara son oncle en le regardant fixement, tout en mordant à pleines dents dans une épaisse tranche de pain. J'ai fait jouer mes relations pour lui dégoter un boulot peinard : charger le courrier sur les navires transatlantiques. Tu sais combien de types ont pelleté du charbon sur les docks pendant vingt ans sans jamais décrocher un job comme ça ? Ce salopard n'a même pas travaillé deux mois, et moi, je suis passé pour un imbécile.

PT ne pouvait pas répondre des péchés de son père ; il se tourna vers sa tante.

— Tu as vu Jeannot ? demanda-t-il.

— Ils m'ont autorisée à lui rendre visite ce matin, dit Mae. Il est très triste, mais la police a fini de l'interroger, ils l'ont envoyé dans un foyer. Je vais essayer de le recueillir, mais il faut suivre une longue procédure. Je dois faire une demande auprès du tribunal ; ça peut prendre un mois, ou plus.

— Il fait partie de la famille, ajouta Thierry. Et à son âge, peut-être qu'il n'a pas encore la tête farcie avec les idées stupides de son père.

— J'ai de l'argent, déclara PT. Je pourrais vous aider et…

L'éclat de rire de son oncle l'interrompit.

— Tu crois que je vais toucher à cet argent souillé par le sang d'un flic assassiné ? Si je me mets à claquer du fric à droite et à gauche, les poulets vont m'expédier en taule plus vite qu'un docker claque sa paie.

— Tu as toujours de l'influence sur les docks, auprès du syndicat et tout ça ? demanda PT.

Il connaissait déjà la réponse, car Thierry avait beau reprocher à son beau-frère d'avoir été un criminel, lui-même était un représentant, grassement payé, du syndicat des dockers, dont nul n'ignorait les liens avec la mafia new-yorkaise.

— Je suis sûre qu'un avocat pourrait nous être utile, dit Mae. Mais après ce qui s'est passé, PT, tu vas devoir accepter un châtiment sévère, et là, on ne peut pas faire grand-chose.

L'oncle Thierry sourit, et PT crut déceler dans ce sourire un peu de compassion.

— Mais tu n'es pas venu pour ça, n'est-ce pas ? dit-il.

PT secoua la tête.

— Je pensais que tu pourrais m'aider à embarquer sur un bateau.

— Tu as toujours été plus futé que tes frères. Je me doutais que tu finirais par pointer le bout de ton nez ici, tôt ou tard. Alors, j'ai commencé à tâter le terrain, au cas où.

PT sourit à son tour, jusqu'à ce que son oncle se penche par-dessus la table pour lui attraper l'oreille et tirer dessus, manquant de l'arracher.

— Aïe ! Arrête, s'il te plaît !

— Quand des flics se font tuer, la pression monte, mon petit gars. J'aimais beaucoup ma sœur. Elle n'aurait pas voulu que tu croupisses en prison, alors je vais faire ça pour elle. Mais une fois que tu auras fichu le camp, tu ne dois plus *jamais* revenir aux États-Unis. Ni le mois prochain, ni l'année prochaine, ni même quand tu auras cent ans.

— Oui, j'ai compris, gémit le garçon.

— Si la police découvre que je t'ai aidé, je serai dans un tel pétrin que même mes relations au sein du syndicat ne pourront rien pour moi. Alors, fermela et si, par malheur, tu prononces mon nom ou si tu essayes de nous contacter, moi ou ton petit frère... tu le regretteras.

Sur ce, son oncle lui lâcha enfin l'oreille.

— Merci.

Pendant que Mae lui resservait du ragoût, Thierry fournit quelques détails à PT :

— Un passeport français et des documents volés te coûteront cent soixante dollars. Je peux me les procurer en quelques heures. Je suppose que c'est dans tes prix ?

— J'ai de l'argent.

— Et tu parles bien le français ?

— C'était la langue que parlait papa à la maison.

— Un cargo lève l'ancre pour Bordeaux demain soir. Le capitaine est un type que je connais depuis des années. Il t'inscrira sur la liste de l'équipage, en tant que mousse. Mais j'imagine qu'il te réclamera quelques centaines de dollars pour le dérangement.

— Je n'aurai pas de problème pour accéder au port ?

Le docker secoua la tête.

— La traversée dure environ dix-huit jours. Une fois arrivé à Bordeaux, tu seras livré à toi-même, mais puisque tu as du fric, peut-être que le capitaine te filera un coup de main quand tu seras là-bas. On trafiquera les documents pour que tu aies quatorze ans ; un tas de gamins de cet âge travaillent sur des bateaux, tu ne devrais donc pas avoir de mal à trouver une chambre dans un foyer. Et quand l'argent commencera à manquer, tu trouveras toujours du boulot sur un bateau ou sur les quais.

— Merci infiniment, mon oncle, dit PT en sentant les larmes lui monter aux yeux.

Thierry était un homme dur, mais on pouvait compter sur lui dans les moments importants.

TROISIÈME PARTIE

3 juillet 1940 - 5 juillet 1940

Bordeaux, France

Le 22 juin 1940, la France se rend officiellement à l'Allemagne. Le pays se trouve alors divisé en deux zones. Le Nord industrialisé et une large bande s'étendant le long des côtes atlantiques, jusqu'à l'Espagne, seront occupés par le vainqueur. Le Sud rural et les côtes de la Méditerranée seront dirigés par un gouvernement fantoche basé dans la petite ville de Vichy.

Conformément aux conditions de la reddition, la marine française est placée sous les ordres du gouvernement de Vichy, mais les Britanniques craignent que cette flotte ne tombe entre les mains des Allemands. Le 3 juillet, la Royal Navy encercle le gros de la flotte française dans le port nord-africain de Mers-El-Kebir et lance un ultimatum aux Français. Ils ont le choix entre saborder leurs navires, rejoindre les forces britanniques pour combattre les nazis ou voir leurs vaisseaux détruits.

Pendant ce temps, à Berlin, le haut commandement allemand se réjouit de la capitulation éclair de la France et espère conclure avec la Grande-Bretagne un accord diplomatique qui mettra fin à la guerre en quelques mois.

CHAPITRE SIX

Quand il eut enfin retrouvé Paul et Rosie, Henderson aurait souhaité les mettre sur un bateau au départ de Bordeaux ou leur faire franchir la frontière pour les conduire dans un pays neutre. Malheureusement, l'état de santé de Paul après le naufrage du *Cardiff Bay* l'empêcha de voyager pendant une semaine, et quand il fut enfin rétabli, les forces allemandes contrôlaient toute la côte atlantique ainsi que les frontières avec l'Espagne et la Suisse.

Henderson ne pouvait pas courir le risque de se faire arrêter dans un port ou en essayant de passer à l'étranger. Il décida donc de se cacher. Avec un peu de chance, les Allemands finiraient par penser qu'il avait réussi à quitter le pays d'une manière ou d'une autre.

Il avait besoin d'un endroit sûr. Celui-ci lui fut fourni par Maxine Clerc, la secrétaire du consul. Fille d'un promoteur immobilier de Bordeaux, à moitié anglaise, Maxine permit à Henderson et aux quatre enfants de s'installer dans une maison que lui avait léguée une grand-tante. Il s'agissait d'une villa somptueuse, mais comme elle était située sur un terrain vallonné à plusieurs kilomètres de la ville, il était peu probable que les Allemands s'y intéressent.

La façade était rose. Un balcon faisait tout le tour du premier étage. L'intérieur était richement décoré de meubles anciens et d'une inquiétante collection de peaux de bêtes sauvages et d'objets d'art indigènes que la grand-tante de Maxine avait rapportés des colonies françaises en Afrique. Mais, si l'intérieur de la maison demeurait impressionnant, la propriété offrait un triste visage car le jardinier avait été appelé sous les drapeaux.

Par beau temps, assis dans l'herbe haute du jardin, on pouvait se faire dorer au soleil de l'été avec pour seul accompagnement sonore le chant des oiseaux. Du moins, jusqu'à ce que PT et Marc décident de jouer aux lutteurs. Dès lors, le calme cédait place au chaos.

Pieds et torses nus, les deux garçons se tenaient face à face, une main dans le dos et un mouchoir glissé dans la poche arrière de leur pantalon. Le but du jeu était d'attraper le mouchoir de son adversaire. Malgré les trois ans d'écart et une énorme différence de taille, le combat était étonnamment équilibré.

Marc ressemblait à un taureau. Les épaules larges, les membres épais, il se campait sur ses deux jambes, tandis que son adversaire dansait autour de lui. PT le toisait, sautillait d'un pied sur l'autre, attaquait de tous les côtés en lançant des jurons. Parfois, il parvenait à saisir le mouchoir de Marc, mais la plupart du temps, ce dernier esquivait les assauts de PT jusqu'à ce qu'il se fatigue. Il utilisait alors toute sa puissance pour se jeter sur lui et l'expédier au tapis.

Comme aujourd'hui. Paul et Rosie, allongés dans des fauteuils de jardin à quelques mètres de là, virent PT tomber lourdement à la renverse dans les herbes hautes. Rosie se réjouissait que les deux garçons débordant de testostérone mettent de l'animation dans cette maison, d'autant qu'ils ne ménageaient pas leurs efforts pour attirer son attention.

PT exprimait son attirance de manière audacieuse, même si Rosie ne lui avait pas laissé l'occasion de lui voler un deuxième baiser. L'intérêt que lui portait Marc était plus innocent, mais elle le surprenait parfois en train de reluquer sa poitrine ou de lancer des regards jaloux dans sa direction quand elle discutait avec PT.

Paul était moins à l'aise avec les deux autres garçons. D'un tempérament plus calme, il préférait le dessin à la bagarre, et il n'aimait pas partager l'affection de sa grande sœur. Dix-neuf jours s'étaient écoulés depuis le naufrage du *Cardiff Bay*, malgré cela, il ne pouvait pas fermer les yeux sans que son imagination l'entraîne dans les profondeurs marines. Son bras cassé l'élançait nuit et jour, et son visage tuméfié lui donnait de fréquentes migraines.

– Ah ! s'écria PT triomphalement, lorsque son long bras parvint à arracher le mouchoir de la poche du short de Marc. Trente-cinq à vingt-huit pour moi.

Ils comptaient les points depuis le premier jour et le score était l'objet de vifs débats.

— Trente-trois à trente-cinq pour *moi*, rectifia Marc.

PT fit mine de s'étrangler.

— Tu ne peux pas compter ces combats ridicules dans la chambre ! Je dormais à moitié et il n'y avait pas assez de place pour bouger.

— Arrête ton char ! répliqua Marc. Si tu ne veux pas les compter, c'est parce que je t'ai cloué au sol cinq fois de suite.

— Va te faire voir ! Tu serais même pas capable de torcher le cul d'un cheval avec une feuille de journal !

— On parie ? lança Marc, alors que les deux garçons se faisaient face de nouveau.

Il n'était plus question de mouchoirs ni de règles quelconques.

Rosie sourit et se redressa dans son fauteuil pour mieux voir. Paul soupira et se leva.

— Je rentre pour me reposer un peu.

L'inquiétude se lut sur le visage de sa sœur.

— Ça ne va pas ? Tu veux que j'aille te chercher à boire ou un cachet d'aspirine ?

Au moment où Paul entrait dans la maison, PT et Marc se jetèrent violemment l'un sur l'autre.

— Espèce de sale baratineur ! cria Marc.

— Trouillard ! rétorqua PT.

Il noua ses longs bras autour de Marc et lui donna une grande claque sur son dos nu. Marc continua d'avancer furieusement, projeta son adversaire dans l'herbe, sous lui, et lui immobilisa une épaule avec son genou.

— À quinze ans, tu n'es qu'un gringalet ! ricana-t-il alors que la sueur ruisselait sur son front. Si j'avais ton âge, je t'écrabouillerais.

PT réussit à le repousser et ils se retrouvèrent tête-bêche. Cette fois, c'était PT qui était dessus. Il broya la poitrine de Marc en s'agenouillant sur lui, mais son pied droit se trouvait à la hauteur du visage de Marc et ce dernier ouvrit grand la bouche.

— Aïeeeeee ! hurla PT en se relevant d'un bond pour sauter à cloche-pied. Bouffeur d'orteils ! C'est quoi, cette façon de se battre ? La vache, je saigne !

— À moi la victoire ! clama Marc en se martelant la poitrine avec ses poings.

Il récupéra sa chemise dans l'herbe pour essuyer le sang de PT sur ses lèvres.

Rosie trouvait ce spectacle hilarant mais, alors qu'elle riait aux éclats, elle se retourna et vit que Paul était revenu dans le jardin.

— Ça va, petit frère ?

Paul répondit par un sourire espiègle, avant de montrer une des fenêtres du premier étage avec son pouce.

— En montant pour me reposer, j'ai vu un truc. Henderson est là-haut avec Maxine et ils n'ont pas bien fermé la porte.

— Faut qu'on voie ça ! s'exclama Marc.

PT profita de la déconcentration de son adversaire pour le pousser brutalement dans l'herbe, puis il s'engouffra le premier à l'intérieur de la maison pour gravir l'escalier de marbre. Paul, Marc et Rosie lui emboîtèrent le pas, en pouffant. Tous les quatre avancèrent prudemment dans le couloir et glissèrent la tête par la porte entrebâillée.

La chambre principale mesurait plus de dix mètres de long ; il y avait un sol en parquet et un lit à colonnes. Maxine était étendue sur une chaise longue devant la fenêtre, vêtue uniquement d'une paire de bas noirs. Henderson, assis à l'extrémité, lui massait les pieds, qu'elle avait posés sur ses genoux.

— Je parie qu'il va la féconder, chuchota Marc en ricanant.

PT mit sa main devant les yeux de Paul.

— Tu ne dois pas voir ça, tu es trop jeune.

— Fous-moi la paix ! grogna Paul en repoussant sa main. C'est moi qui suis venu vous prévenir, je te signale.

Ignorant la présence de ce public fasciné, Henderson se pencha vers Maxine et l'embrassa sur la bouche, avant de se redresser et de déboutonner sa chemise.

— Ça veut dire quoi, « féconder » ? demanda Paul, tout doucement.

PT réprima un petit rire, pendant que Marc fournissait une explication à voix basse :

— On faisait ça à la ferme où je travaillais. On met la vache dans un enclos, puis Henri fait entrer le taureau. Son truc grandit jusqu'à ce qu'il mesure une trentaine de centimètres et ensuite, il le rentre direct dans la vache.

— Les taureaux ont un machin de trente centimètres ? demanda Paul, hébété. Mais pourquoi est-ce qu'Henderson ferait une chose pareille ?

Cette fois, c'en était trop pour PT, qui dut se précipiter vers le fond du couloir pour laisser échapper un éclat de rire.

— C'est un moment intime, dit Rosie. On ne devrait pas regarder. Surtout toi, Paul.

Joignant le geste à la parole, elle voulut entraîner son jeune frère, mais celui-ci refusait de passer pour un dégonflé devant les plus grands et, lorsqu'il se libéra d'un geste brusque, sa chaussure crissa sur le sol du couloir. Henderson se retourna vivement en direction du bruit.

— Bon sang ! rugit-il en se précipitant vers la porte, son pantalon à la main. À quoi vous jouez, là ?

PT, qui avait déjà battu en retraite, disparut dans l'escalier, mais les trois plus jeunes n'eurent pas le temps de décamper et c'est d'un air inquiet qu'ils regardèrent Henderson approcher. Lorsqu'il brandit le poing, ils se recroquevillèrent dans le couloir.

— Allez, déguerpissez ! Si jamais je surprends encore l'un de vous à m'espionner, je prends une baguette et je vous fouette les fesses jusqu'au sang !

Remis de leur frayeur, les quatre enfants jaillirent dans le jardin en se tordant de rire.

— Quel vieux cochon ! dit Rosie, outrée. Quand je pense qu'il a une femme en Angleterre.

.:.

Paul dormit presque tout l'après-midi ; il fut réveillé par Maxine qui lui caressait le visage.

— Ça va ? demanda-t-elle tendrement.

Le jeune garçon avait les yeux encore un peu collés, mais les ombres dansantes sur le mur lui indiquèrent que le soleil était passé derrière les grands arbres plantés devant la maison.

Maxine était une jolie femme, dans le genre sévère. Sa grande taille et son goût pour les vêtements sombres lui donnaient des airs de star de cinéma, parfaits pour incarner les méchantes.

— Ça m'a fait du bien de dormir, répondit Paul, avant de repenser à ce qu'il avait vu juste avant sa sieste. Pardon de vous avoir espionnés. Je sais que c'est mal.

Maxine lui caressa les cheveux.

— Les enfants sont curieux, c'est naturel. Charles a préparé le dîner. Va te laver le visage et les mains.

PT et Marc étaient assis à la grande table en acajou, pendant que Rosie aidait Henderson à porter les assiettes dans lesquelles se trouvaient des morceaux de poulet accompagnés de tranches de lard, de pommes de terre rôties et de légumes du jardin. Si la nourriture manquait dans les villes, c'était essentiellement à cause d'un problème de transport. Pour quelqu'un qui avait des relations comme Maxine, les privations n'existaient pas.

— Faites chauffer la radio, dit Henderson en consultant sa montre. On va écouter les actualités de dix-neuf heures.

Paul tendit la main vers le bouton d'une vieille radio avec pick-up, encastrée dans un meuble en bois. Les lampes qui servaient à amplifier le son mirent une minute à chauffer. La conversation était détendue, agrémentée d'une musique légère, jusqu'à ce que le clairon de *Radio Paris* annonce dix-neuf heures. La station était désormais sous contrôle nazi et cela était perceptible dans la nature des programmes résolument proallemands.

« *Bonsoir à toute la France*, récita le présentateur d'un ton haché. *Ici* Radio Paris. *Nous avons appris ce soir la nouvelle de la plus grande défaite navale depuis Trafalgar. Malgré l'assurance offerte par Adolf Hitler lui-même que la flotte française pourrait continuer à opérer en toute indépendance pour défendre nos colonies, la Marine britannique a encerclé nos navires aujourd'hui dans le port de Mers-El-Kebir, en Afrique du Nord, et les a bombardés implacablement. Les canons des cuirassés* Hood *et* Valiant *ont ouvert le feu sans sommation, massacrant des milliers de marins français innocents...* »

— J'aimerais connaître l'autre version de cette histoire, cria Henderson en lançant à Paul : Mets la *BBC*, vite !

« Ce soir, dans une déclaration à la BBC, *le Premier Ministre Winston Churchill a exprimé sa tristesse devant la disparition tragique d'un petit nombre de marins français qui combattaient aux côtés de leurs alliés britanniques depuis un an. Toutefois, il a souligné que les navires français représentaient une menace pour les intérêts britanniques en Méditerranée. Par ailleurs, la flotte française avait été amplement avertie et les équipages avaient eu largement le temps de débarquer avant que la Royal Navy n'ouvre le feu. »*

Une fois le programme terminé, Marc regarda Henderson en fronçant les sourcils.

— Pourquoi est-ce que vous coulez nos bateaux ? Qu'est-ce qu'on vous a fait ?

Maxine avait davantage de sympathie pour l'engagement britannique.

— Ce n'est pas aussi simple que ça, Marc, dit-elle. Hitler n'est pas un homme digne de confiance. Il a renié tous les engagements qu'il avait pris et, désormais, les Britanniques ne peuvent plus compter que sur leur domination maritime.

Paul ne put résister au plaisir de taquiner Marc.

— L'armée française a été écrasée par les Allemands. Et maintenant, votre marine se fait dégommer par nous, les Britanniques. Avoue-le, la France est nulle dans tous les domaines.

Marc n'était pas un fervent patriote, sauf quand un étranger le provoquait.

— Tu veux voir ce que le poing de ce nul de Français est capable de faire à tes dents ?

— Paul, nous sommes à moitié français, je te le rappelle, souligna Rosie de manière diplomatique.

— Allons, calmez-vous ! ordonna Maxine. Sinon, je vous envoie au lit.

Henderson vint se rasseoir en bout de table. Ignorant le contenu de son assiette, il tapota sur la table en acajou avec sa fourchette. Plusieurs minutes s'écoulèrent avant qu'il ne demande d'un ton autoritaire :

— Maxine, le poste émetteur que tu as récupéré au consulat, il était gravement endommagé ?

— Il est tombé d'une table quand la bombe s'est abattue sur la bijouterie, près du consulat. Plusieurs lampes se sont brisées et le boîtier métallique a été enfoncé. Mais à mon avis, on peut le réparer, avec de nouvelles lampes et un peu de soudure.

Henderson hocha la tête.

— Il faut que je révise ma stratégie. Quand la France a été vaincue si rapidement, j'ai cru que Churchill prenait des poses pour essayer de tirer le meilleur parti de la situation avant de conclure un accord diplomatique avec l'Allemagne. Mais la destruction de la flotte allemande prouve que les Britanniques sont prêts pour une longue épreuve de force.

Maxine nc semblait pas convaincue.

— Les Allemands ont balayé tout le monde. La Pologne, la Tchécoslovaquie, l'Autriche, le Danemark et maintenant, la France. Quelles sont les chances de la Grande-Bretagne ?

PT intervint :

— La Grande-Bretagne n'est pas seule. Il y a tout l'Empire britannique : le Canada, l'Australie, l'Inde, la moitié de l'Afrique. Et elle possède huit fois plus de navires de guerre que les Allemands.

— Mais les Allemands ont la maîtrise des airs, souligna Marc. J'ai voyagé de Beauvais jusqu'ici. Les Allemands bombardaient absolument tout et je n'ai pas vu un avion britannique. Pas un.

Henderson se tourna vers Maxine.

— Je vais jeter un coup d'œil à cet émetteur dès ce soir. Si je pense qu'on peut le réparer, j'irai à Bordeaux demain matin avec la camionnette, pour essayer de trouver des outils et des pièces détachées. La moindre communication par radio nous fait courir un risque, j'en suis conscient ; elle peut indiquer notre position aux Allemands. Mais il est probable que je sois le seul agent britannique opérant en France actuellement, et mon gouvernement a peut-être besoin de moi.

— Et nous, alors ? demanda Rosie, inquiète. Je croyais qu'on devait se cacher jusqu'à ce que Paul soit rétabli et tenter ensuite de franchir les montagnes pour se rendre en Espagne ?

— Je sais très bien ce que j'ai dit, répliqua Henderson, agacé. Je n'ai pas l'intention de vous abandonner, mais vous êtes à l'abri ici et le gouvernement britannique pourrait avoir une mission à me confier avant qu'on ne quitte le pays.

CHAPITRE SEPT

La Jaguar de Maxine était un animal assoiffé. L'essence étant une denrée rare en temps de guerre, ils se rendirent à Bordeaux à bord de la camionnette qu'Henderson avait volée quelques semaines plus tôt dans le sud de Paris. Maxine et Rosie avaient pris place à l'avant, tandis que l'Anglais brinquebalait à l'arrière avec Marc, en compagnie de deux paniers en osier remplis d'œufs et de légumes.

Henderson avait ordonné à Maxine de détruire tous les documents sensibles et de fermer le consulat. Elle avait obéi à la première partie de son ordre, mais ignoré la seconde et décidé, de son propre chef, de rouvrir les locaux pour accueillir les réfugiés, officieusement, et créer un bureau des enfants perdus.

Les pièces du premier étage, dont la salle de banquet lambrissée, abritaient maintenant des gamins dont certains n'avaient même pas cinq ans, tandis que les cuisines, où l'on préparait autrefois des menus raffinés pour des dignitaires locaux, s'étaient reconverties dans le lait chaud et les plats pour les tout-petits.

L'exode chaotique vers le Sud de la France avait séparé des milliers d'enfants de leurs familles. Trente jeunes garçons et filles vivaient au premier et au deuxième étage du consulat, alors que deux cents autres, du bébé au préadolescent, étaient répartis entre les églises, les écoles et les domiciles privés des environs. Certains s'étaient perdus dans la confusion de la fuite ; d'autres avaient vu leurs mères, leurs frères ou leurs sœurs être tués ou horriblement mutilés lors des bombardements.

La population manquait de tout : nourriture, habits, draps et couvertures, médicaments. Après avoir déchargé les paniers de la camionnette, Rosie se précipita au premier étage du consulat, où elle fut accueillie par une bande d'enfants étonnamment joyeux, qui s'accrochèrent à ses jambes et la supplièrent de jouer avec eux.

Maxine avait recruté plusieurs réfugiées pour s'occuper d'eux, en échange de quoi elle leur offrait le gîte et le couvert. Prendre soin d'autant d'enfants dans un espace qui n'était pas conçu à cet effet constituait une lourde tâche, c'est pourquoi Rosie donnait un coup de main pour la toilette, les repas et le lavage.

Depuis deux semaines, elle avait appris à connaître ces enfants, mais ce travail l'épuisait et, par moments, elle n'en pouvait plus. Certains de ces petits réfugiés étaient malades, et après tout ce qu'ils avaient enduré, beaucoup d'entre eux faisaient pipi au lit. Toutefois, ce labeur permettait à Rosie de ne pas trop penser à la mort tragique de son père.

Heureusement, il y avait dans ce travail des aspects plus agréables. L'après-midi, quand il faisait beau, elle emmenait un groupe de cinq enfants gambader dans le parc d'une église voisine, et parfois, elle assistait à un petit miracle : une mère ou une tante se présentait et repartait avec l'un d'eux.

Pendant ce temps, Maxine travaillait au rez-de-chaussée dans les bureaux. Elle dressait la liste de tous les enfants disparus à Bordeaux et aux alentours, et parallèlement, elle publiait celle des enfants ou des parents qui avaient perdu quelqu'un. Chaque jour, cette longue suite de noms était dactylographiée sur des stencils puis ronéotypée manuellement.

Après le déjeuner, Maxine faisait le tour de la ville pour afficher sa liste dans des lieux stratégiques comme la gare, les commissariats et les églises. Dans tous ces endroits, elle était consultée par une foule de gens impatients de voir si les noms de leurs proches y avaient été ajoutés.

La jeune femme terminait sa tournée par le quotidien local, qui imprimait les nouveaux noms de la liste et trouvait parfois un peu de place dans ses colonnes pour rapporter une histoire au dénouement heureux.

•:•

Il y avait à Bordeaux plusieurs ateliers de réparation de radios, mais Henderson estima que celui qui se trouvait sur les quais, habitué à s'occuper d'émetteurs de bateaux, était plus susceptible de posséder en stock les pièces dont il avait besoin pour remettre en état l'appareil du consulat.

Dans le port et aux alentours, la situation était encore plus déprimante que trois semaines plus tôt. Plusieurs péniches transportant du charbon étaient enfin arrivées, ce qui avait permis aux navires immobilisés de lever l'ancre, mais les camions attendaient toujours du gas-oil et les voies ferrées avaient été sérieusement endommagées par la dernière vague de bombardements allemands. Résultat, des montagnes de vivres pourrissaient sur les docks, à défaut de pouvoir être acheminés vers les marchés.

Les Allemands, désireux que la France retrouve un rythme de vie normal, demandaient aux réfugiés de rentrer chez eux, mais les gens étaient confrontés au même problème de transport que les denrées périssables. D'autant que les rares trains qui circulaient étaient réservés en priorité aux déplacements de l'armée d'occupation.

En outre, la présence de nourriture sur les docks attirait des milliers de nouveaux réfugiés affamés. Ils n'avaient à leur disposition ni eau, ni abri, ni toilettes ; par conséquent, dans la chaleur de l'été, les rues empestaient. Ce n'était qu'une question de temps avant que la typhoïde ou le choléra ne fassent leur apparition.

En descendant de la camionnette volée par Henderson, Marc découvrit tous ces gens affalés devant les portes des maisons ; ils n'avaient presque plus apparence humaine. Certains s'efforçaient de rester propres en se lavant dans la mer, mais la plupart avaient renoncé à sauver les apparences. Si vous étiez vaillant, vous pouviez prendre la direction de la campagne et chaparder dans les fermes de quoi vous nourrir, ou bien tenter de rentrer chez vous à pied. Ceux qui restaient sur les quais étaient généralement les plus âgés, les malades et les personnes encombrées de plusieurs enfants.

La boutique *Radio Maritime* possédait une vitrine moderne qui faisait tache au milieu des bars miteux et des hôtels borgnes de la rue. La porte d'entrée avait été condamnée par des planches à la suite d'un des nombreux bombardements, mais une pancarte indiquait l'existence d'une entrée latérale, dans une ruelle. En approchant de la fenêtre, Henderson se réjouit de découvrir un vaste atelier et une réserve.

— Ils ont sûrement toutes sortes de pièces détachées, dans un endroit pareil, commenta-t-il.

Il frappa à la porte en acier tout en cherchant déjà un moyen d'entrer par effraction, quand un bruit de verrou se fit entendre à l'intérieur. Un jeune homme leur ouvrit. Lorsqu'il s'écarta pour laisser entrer

Henderson et Marc, ils remarquèrent son pied bot, qui lui avait sans doute valu d'être réformé.

— Pardonnez-moi, j'étais au sous-sol, expliqua-t-il. Et je ferme la porte, car il y a des gens qui entrent pour réclamer de la nourriture ou supplier qu'on les laisse utiliser les toilettes. Mais elles ne fonctionnent plus ; il y a tellement de réfugiés en ville que tous les égouts sont bouchés.

Henderson sortit de sa poche de veste une feuille de papier froissée.

— J'ai besoin de remplacer deux ou trois lampes. J'ai noté la référence du modèle.

Le jeune vendeur siffla entre ses dents.

— Y a plus une seule lampe en rayon, hélas ! Ce sont des articles fragiles, et quand les bombardements ont commencé, nous n'avons pas pu faire face à toutes les réparations. Lorsque les Boches ont débarqué, ils ont raflé le peu de stock qu'il nous restait pour réparer le matériel militaire.

— Logique, répondit Henderson d'un ton amer. Cela signifie, je suppose, que plus personne en ville n'a ce type de lampes ?

— Vous supposez bien, monsieur. Je ne peux même pas vous vendre un des nouveaux postes qui se trouvent en vitrine, car ils ont tous été dépouillés. Désormais, je suis condamné à faire du boulot de récup' : si vous m'apportez deux vieux émetteurs, je peux en fabriquer un qui fonctionne.

— Je suppose également que vous n'avez pas gardé un appareil en stock quelque part, pour un client disposé à payer un bon prix ? demanda Henderson.

— Cette boutique appartient à mon père. Il m'a dit que j'aurais dû essayer d'en planquer quelques-uns, en effet, mais quand deux grands types en uniforme sont entrés avec des armes et ont commencé à tout rafler sur les étagères, je n'ai pas eu envie de jouer aux héros pour quelques tubes de verre.

Henderson semblait profondément déçu.

— Supposons que quelqu'un doive absolument se procurer une lampe d'émetteur, à qui devrait-il s'adresser ?

Le jeune homme haussa les épaules.

— À moins d'aller se servir chez les Boches dans leur caserne, je ne vois pas.

Le regard de l'Anglais s'illumina.

— Vous sauriez où ils sont cantonnés, par hasard ?

— Bien sûr. Mon père et ma sœur les aident à réparer leur matériel. Ils ont réquisitionné le bâtiment de l'université, de l'autre côté du fleuve. Mais vous perdez votre temps ; ils ne vous donneront rien.

— Oui, je crois que vous avez raison, soupira Henderson. Bon, je vous laisse retourner à votre boulot de récup'.

La puanteur des rues assaillit Marc lorsqu'ils ressortirent dans la ruelle.

— Je crois que c'est foutu pour la radio, chef, commenta-t-il, dépité.

Henderson sourit avec détermination.

— Marc, s'il n'y avait plus une seule lampe à Bordeaux, ce serait foutu, comme tu dis. En l'occurrence, nous sommes simplement confrontés à une petite difficulté.

Marc ne put s'empêcher de rire, alors qu'ils revenaient vers la camionnette.

— Vous êtes sans doute l'homme le plus recherché de France. Vous n'envisagez pas sérieusement de cambrioler une caserne allemande, si ?

Le garçon s'arrêta devant la camionnette, persuadé qu'ils allaient remonter à bord, mais Henderson continua à marcher en direction des quais.

— Viens, dit-il. Je te parie dix francs qu'on ne rentrera pas à la maison les mains vides. Il nous suffit de trouver un bateau avec un nom allemand écrit sur la coque.

.:.

Pendant que Maxine, Rosie, Henderson et Marc se rendaient à Bordeaux avec la camionnette, PT et Paul demeurèrent dans la maison rose.

Paul détestait le vacarme qui régnait au consulat à cause de tous ces enfants ; et Henderson avait clairement fait comprendre qu'il voulait être accompagné uniquement de Marc dans sa quête de pièces détachées d'émetteur radio. Tous les deux avaient noué des liens profonds depuis Paris et l'Anglais ne cachait pas son affection pour le jeune garçon.

Maxine avait déposé du pain, du beurre et de la confiture sur la table de la cuisine, avant de partir, et Paul boulotta trois épaisses tartines. C'était son petit déjeuner préféré et il avait bien l'intention de manger la même chose à midi si Henderson n'était pas rentré d'ici là.

Rassasié, il remonta pour chercher un carnet à dessins et une petite boîte de crayons de couleur dégotés par Maxine. Avant, il possédait toute une collection d'encres et de pastels, mais elle avait disparu en même temps que ses autres affaires lors du naufrage du *Cardiff Bay*.

Les trois garçons partageaient la plus grande chambre de la maison, après la chambre principale bien évidemment, et PT avait profité du départ matinal de Marc pour s'étaler sur le lit à deux places. Généralement, il était d'humeur ombrageuse jusqu'à l'heure du déjeuner ; c'est pourquoi Paul se déplaça sur la pointe des pieds pour ne pas le réveiller.

Quand ils étaient encore de ce monde, les parents de Paul s'inquiétaient qu'il soit aussi timide. Sa mère voulait l'obliger à assister à des goûters d'anniversaire, tandis que son père l'inscrivait à des activités viriles, du style camp de boy-scouts ou club de boxe.

Malgré les railleries de sa sœur, qui le traitait de femmelette, et quelques corrections infligées par son père, Paul résistait en piquant de violentes colères, jusqu'à ce que ses parents renoncent à leurs projets et acceptent que leur fils soit un garçon calme, appréciant la solitude.

À cause de son bras droit en écharpe, il eut du mal à transporter son carnet à dessins, sa boîte de crayons, une tranche de pain avec du beurre et de la confiture, et une gourde remplie d'eau. Son père venant de mourir et son avenir étant pour le moins incertain, Paul ne pouvait pas être véritablement heureux mais, assis au bord d'un ruisseau qui passait à l'extrémité de la propriété, le dos chauffé par le soleil, il se sentait presque bien.

Un ami de son regretté père enseignait aux Beaux-Arts à Paris. Il avait repéré le talent de Paul et, à plusieurs reprises, il lui avait permis d'assister à une séance de pose dans un atelier avec ses élèves. Bien qu'intimidé par la présence des étudiants plus âgés, Paul aimait se retrouver dans cet endroit où l'art était au centre de tout, et où il pouvait s'essayer au pastel ou au fusain pour la première fois.

Utilisant une technique que lui avait enseignée ce professeur, Paul s'obligeait à exécuter des esquisses en seulement trois minutes. Un canard sur le lac, la maison rose et les collines environnantes ou une coccinelle. Conscient de n'avoir plus que douze feuilles vierges dans son carnet, il réalisait de petits dessins, tous du même côté.

Au bout d'une heure et demie, Paul fit une pause et alla s'allonger dans l'herbe. Il mangea sa tartine et but l'eau qui avait chauffé dans la gourde en fer-blanc fixée à sa ceinture. Il avait prévu de passer la matinée dehors, mais ses intestins en décidèrent autrement et il s'empressa de regagner la maison pour s'enfermer dans les toilettes.

Une fois soulagé, comme il n'était que onze heures trente, il décida de retourner dans le jardin. En passant dans le couloir, il remarqua le sac en peau de porc de Marc appuyé contre le mur.

— Tu es déjà rentré, Marc ? lança-t-il.

Mais il savait bien que Marc n'avait pas emporté son sac ; il l'avait vu dans l'armoire, là-haut, quand il était monté chercher ses crayons. Il tira sur le cordon qui le maintenait fermé et trouva à l'intérieur une chemise et des vivres pour plusieurs jours.

Paul parcourut les pièces du bas, à la recherche de PT. Ne l'ayant pas trouvé, il remonta, entra dans leur chambre et découvrit qu'il avait fait ses bagages.

Certes, PT avait l'âge de voler de ses propres ailes, mais Paul n'aimait pas le fait qu'il ait pris le sac de Marc ; d'autant qu'il avait décidé de filer en douce, pendant qu'il n'y avait personne dans la maison. C'était louche.

En ressortant de sa chambre, Paul entendit un bruit sourd provenant de celle d'Henderson, au bout du couloir. À pas feutrés, il avança jusqu'à la porte et vit PT penché au-dessus du lit, en train de fouiller dans la valise de l'Anglais.

Il le regarda manipuler les armes et le matériel. Soudain, devant ses yeux hébétés, le garçon s'empara de la bourse en cuir qui contenait des lingots d'or et des devises étrangères.

— Lâche ça ! s'écria Paul.

Il se rua dans la chambre en se demandant s'il avait eu raison d'agir ainsi, alors que ses paroles résonnaient encore dans la grande pièce.

Effrayé, PT sursauta, mais il parut soulagé de voir qu'il s'agissait de Paul, lequel ne représentait pour lui aucune menace.

— Je croyais que tu étais dehors, en train de dessiner.

— Qu'est-ce que tu fabriques ?

— À ton avis ?

— Pourquoi tu t'en vas ? Je croyais que tu te plaisais ici.

— Tout ce que je veux, c'est vivre tranquille, dit PT. C'était sympa de passer un moment avec vous. J'aimais bien l'idée de traverser les montagnes pour se réfugier en Espagne. Mais Henderson a changé d'avis. Maintenant, il veut contacter le gouvernement britannique ! C'est dangereux, ces conneries. Je ne veux pas être mêlé à ces histoires.

— Alors, pars ! dit Paul, indigné. Mais après tout ce qu'Henderson et Maxine ont fait pour toi au cours de ces trois semaines, comment peux-tu voler ce qui lui appartient ? Alors que tu as déjà plein d'argent. Rosie l'a vu.

— Je n'emporte pas tout, répondit PT en sortant trois lingots d'or de la bourse. Mais dans les périodes troublées comme celle-ci, les gens préfèrent l'or aux dollars ou aux francs.

— Remets ça, supplia Paul.

PT empocha les trois lingots.

— Écoute, Paul. J'ai déjà des problèmes à régler ; je ne peux pas me permettre d'avoir encore des ennuis. Dis à Henderson que je lui suis reconnaissant pour tout ce qu'il a fait, et que je suis navré de devoir prendre une partie de son or.

Paul n'aimait pas beaucoup PT, mais Rosie serait fâchée si, en rentrant, elle apprenait qu'il avait fichu le camp.

— Reste au moins jusqu'à ce soir, le temps qu'on en discute. Remets cet or là où tu l'as trouvé et je ne dirai rien. Tu as ma parole.

— Je partirai dès que je serai prêt.

Il y eut un moment de silence pendant lequel les deux garçons s'affrontèrent du regard.

— Dans ce cas, il ne me reste plus qu'à te faire mes adieux, dit Paul d'un ton hésitant, en tendant la main.

PT la lui serra en souriant.

— Eh oui.

Paul parvint à lui rendre son sourire, mais il se sentait mal à l'aise en ressortant de la chambre. Son cerveau bouillonnait pendant qu'il redescendait. Personnellement, il ne regretterait pas le départ de PT ; néanmoins, ça l'embêtait de le laisser filer comme ça, en douce, en volant ce qui appartenait à Marc et à Henderson. Tout cela lui laissait un goût amer dans la bouche.

Que savait-il de PT, au juste ? Il prétendait avoir fui un père qui le battait ; il s'était fait engager comme mousse et avait gagné plusieurs milliers de dollars en jouant au poker avec les autres marins. Mais dès qu'on l'interrogeait sur son passé, PT devenait fuyant. Nul ne croyait véritablement à son histoire, et Henderson avait laissé suggéré que cet argent était volé.

PT était donc un menteur et un voleur, et après trois semaines passées dans la maison rose, il avait entendu suffisamment d'histoires racontées par Rosie et Marc pour deviner qu'Henderson était un agent secret britannique. Il pouvait se rendre à Bordeaux en une heure, peut-être moins s'il faisait du stop. La question primordiale était : que ferait-il une fois arrivé là-bas ?

S'il contactait la Gestapo pour lui offrir des renseignements en échange d'une récompense, Henderson et les autres risquaient d'être reçus par un comité d'accueil un peu particulier en rentrant. Paul ne pensait pas que PT irait livrer des informations aux nazis, mais il n'était pas digne de confiance et les conséquences pouvaient être fatales.

Henderson et Maxine seraient torturés, puis exécutés, en tant qu'espions britanniques ; le sort réservé à Marc, Rosie et lui-même ne serait guère plus enviable.

Marc avait déjà eu une dent arrachée par un officier de la Gestapo.

Finalement, il décida d'agir. Mais que pouvait-il faire ? PT avait quatre ans de plus que lui, et, avec son bras en écharpe, Paul n'avait aucune chance en cas d'affrontement physique. Conclusion, il devait prendre PT par surprise ; et il n'avait que quelques minutes devant lui pour élaborer un plan.

CHAPITRE HUIT

L'institut des sciences et de médecine de Bordeaux offrait une base idéale pour la garnison allemande. Les dortoirs des étudiants pouvaient accueillir les soldats, il y avait un réfectoire, des installations sportives et même un hôpital universitaire pour soigner les blessés. Les chars et les pièces d'artillerie, qui avaient énormément souffert après deux mois d'offensive, étaient remis à neuf dans la cour principale de l'institut, alors que les armes de poing et le matériel de communication étaient réparés dans les divers laboratoires.

Un café situé de l'autre côté de la rue prospérait grâce aux soldats allemands en permission. Marc et Henderson se frayèrent un chemin à travers la fumée de cigarette et les uniformes verts, jusqu'à un groupe d'hommes qui paraissaient plus gradés que les autres.

Henderson possédait un don extraordinaire pour les langues étrangères. Il ne se contentait pas de parler les cinq grandes langues européennes, il était capable d'imiter divers accents locaux. Marc se tint à l'écart pendant que l'Anglais entrait dans la peau du capitaine von Hoven, du *SV Hamburg*, un navire de commerce. Son maintien se raidit et ses intonations devinrent celles d'un aristocrate allemand.

Après avoir offert, de manière exubérante, des verres de cognac aux trois officiers supérieurs, il porta un toast à la conquête allemande, les félicita pour leur rôle dans la défaite éclair de la France et dit combien il regrettait qu'une blessure provoquée par une chute sur le pont d'un navire l'ait tenu éloigné des combats.

— La France est une nation du passé, déclara-t-il, suffisamment fort pour être entendu par la moitié des clients du café. Toutes ses gloires appartiennent à une époque révolue. C'est une nation de paysans, de toilettes sales et de téléphones hors d'usage. Les Français ne le savent peut-être pas encore, mais cette invasion est certainement la meilleure chose qui leur soit jamais arrivée.

Les officiers approuvèrent vigoureusement.

— Nous sommes ici depuis deux semaines et nous n'avons pas entendu une seule plainte de la part de la population, souligna l'un d'eux. Mes hommes ont reçu l'ordre de se comporter correctement avec les Français, et ceux-ci en font autant.

— Ils ne pensent qu'à se remplir la panse, ajouta un deuxième officier, d'une voix pâteuse. Ils n'ont pas eu de chef digne de ce nom depuis Napoléon. C'est pour ça que nous avons pu les écraser si facilement.

Le barman ne parlait pas l'allemand, mais son expression indiquait qu'il n'hésiterait pas à cracher dans leurs verres si la moindre occasion se présentait. Henderson offrit une nouvelle tournée de vieux cognac aux officiers et refusa qu'ils lui rendent la pareille.

— J'ai les moyens, dit-il. Et c'est le moins que je puisse faire pour honorer les hommes qui se sont battus au nom de l'Allemagne pendant que je transportais une cargaison de bois brésilien sur l'Atlantique.

Henderson, alias von Hoven, présenta rapidement Marc comme un mousse travaillant à bord de son navire. Pendant qu'il continuait à lier connaissance, le jeune garçon alla s'asseoir à une table branlante, étouffé par l'épaisse fumée de cigarette, et prit son temps pour déguster une tartine et un café. Grâce à une certaine disposition pour les langues et à un professeur dévoué qui avait donné des cours d'allemand à ses élèves les plus doués en dehors des heures de classe, il pouvait suivre presque tout ce que disait Henderson.

Au bout d'une demi-heure, un des officiers s'en alla, mais les deux autres se laissèrent tenter par une nouvelle tournée de cognac. Henderson fit un signe discret avec son pouce.

Alors, Marc le rejoignit et s'adressa à lui timidement, dans un allemand médiocre.

— Capitaine von Hoven, je ne veux pas paraître impertinent, mais nous devons trouver les pièces détachées si nous voulons…

— Hein ? rugit Henderson en agrippant le garçon par le col de sa chemise. Tu sais que je ne supporte pas de t'entendre marmonner. Exprime-toi comme un homme !

Marc recommença, d'une voix plus ferme.

— Nous devons remplacer les lampes brisées, capitaine. Si vous avez l'intention de rester ici tout l'après-midi, à boire du cognac, peut-être que vous pourriez me donner de l'argent pour que j'aille les acheter.

Amusés par le ton sarcastique de Marc, les officiers allemands s'esclaffèrent, tandis qu'Henderson se pliait en deux pour hurler au visage du garçon :

— Tu as envie de passer une semaine en prison ?

— Non, capitaine, murmura Marc.

Henderson adressa un grand sourire aux officiers.

— Mon bateau possède une magnifique prison, expliqua-t-il. Elle se trouve à fond de cale, juste à côté des chaudières. Les parois sont en métal et il fait tellement chaud à l'intérieur que les hommes en ressortent couverts de cloques.

— Ça te plairait, mon garçon ? ricana un colonel, visiblement ivre, tandis que Marc mimait la frayeur.

— Je vous demande pardon, capitaine.

Les Allemands riaient de voir le garçon dans cet état, mais après avoir jeté un coup d'œil à sa montre, Henderson lui pinça l'épaule dans un geste amical.

— C'est un brave petit gars, en vérité. Il m'enquiquine plus que ma femme, mais il ne ménage pas sa peine. C'est d'autant plus remarquable qu'il est français. Et il a raison : nous avons véritablement besoin de lampes pour notre radio de bord. Nous avons sillonné cette ville paumée de long en large, et jusqu'à présent, nous avons fait chou blanc.

Le plus jeune des officiers esquissa un sourire.

— Que cherchez-vous, exactement ?

Henderson sortit de sa poche de veste le bout de papier froissé. L'Allemand qui lui avait posé cette question le lui arracha des mains, lut ce qui y était écrit et le montra au colonel.

— Vous pensez qu'on peut venir en aide à un compatriote ?

Le colonel tendit la feuille à Marc.

— On veille sur ton capitaine, dit-il. Va de l'autre côté de la rue avec ça. Arrivé à la porte, dis aux gardes que le colonel Graff t'autorise à prendre tout ce que tu veux.

Marc acquiesça poliment. Il était impressionné, et un peu effrayé, par le pouvoir de manipulation d'Henderson. Alors qu'il ressortait du café, le barman servait une nouvelle tournée de cognac et Henderson portait un autre toast.

— Longue vie à la mère patrie !

•:•

Paul sortit de la grande maison rose et s'assit sur les marches du perron, se frottant les joues de ses paumes et essayant de raisonner. Exception faite de deux visites – malgré lui – dans une salle de boxe et de quelques coups infligés par Rosie, son expérience de la bagarre lui venait principalement du cinéma.

Dans un éclair de génie, il se souvint d'avoir vu un film de gangsters américain, dans lequel un gardien de prison était mis K-O à l'aide d'une chaussette remplie de boules de billard. Il n'y avait pas de billard dans la maison, mais Paul portait de longues chaussettes grises et il pensa aux cailloux qui entouraient les massifs de fleurs : ça ferait l'affaire.

Avec un bras en écharpe, ce n'était pas facile. S'il ôta sans difficulté sa chaussure et sa chaussette, il eut beaucoup plus de mal à maintenir celle-ci ouverte pour y introduire les pierres rugueuses qui s'accrochaient à la laine. Quand la chaussette lui parut suffisamment lestée, Paul exécuta quelques essais en la faisant tournoyer.

La meilleure tactique, décréta-t-il, consistait à enrouler une partie de la chaussette autour de son poignet et de s'en servir comme d'une matraque. Mais le doute s'insinua en lui alors qu'il était accroupi derrière un arbre, à quelques pas de la maison, attendant que PT apparaisse. Empêcher celui-ci de s'échapper lui semblait une bonne chose en théorie, mais dans la réalité, sa frêle stature et son bras cassé l'incitaient à se demander si l'élément de surprise constituait un avantage suffisant.

PT affichait un air solennel en sortant de la maison, une petite valise marron dans une main et le sac en peau de porc de Marc sur le dos. Il se retourna et fit quelques pas à reculons, les yeux levés vers la maison, visiblement triste de s'en aller.

Paul faillit renoncer à la chaussette pour tenter encore une fois de convaincre PT. Mais il n'avait pas de nouveaux arguments et il savait que cette hésitation était motivée par la peur, plus que par l'espoir de réussir.

Alors que les pas de PT faisaient crisser les graviers de l'allée, Paul se surprit à transpirer de la tête aux pieds. Néanmoins, il puisa du courage quelque part en lui, et lorsque l'occasion se présenta, la chaussette vint frapper le crâne de PT avec un bruit effroyable.

— La vache ! cria le fuyard, projeté au tapis par la violence du coup et le poids de sa valise.

Il s'effondra au milieu de l'allée, dans une gerbe de graviers. Un filet de sang coula dans ses cheveux, tandis qu'il roulait sur le dos. Paul constata avec horreur qu'il n'avait pas réussi à l'assommer.

— Qu'est-ce qui te prend, imbécile ?

— Tu en sais trop, répondit Paul. Reste où tu es, ou je t'en refile un coup.

PT se redressa d'un air de défi. Paul craignait de recevoir une raclée si l'autre se relevait. Les pierres aux angles tranchants avaient usé la chaussette et, quand Paul voulut frapper de nouveau, elles jaillirent par un trou au niveau du gros orteil. Quelques-unes atteignirent PT, mais les plus grosses manquèrent la cible.

— Arrête, nom de Dieu ! Tu veux que je te tabasse ?

PT essaya encore une fois de se relever, mais il avait la tête qui tournait et un gravillon s'était niché dans son œil. Paul se dit qu'un peu de terre dans l'autre œil égaliserait les chances, alors il se pencha pour en ramasser une poignée, qu'il lança de toutes ses forces.

Pendant que PT tentait de se protéger le visage, Paul lui décocha un coup de pied dans le ventre. Mais PT lui saisit la cheville et exécuta un mouvement de torsion. Paul s'écroula dans l'allée, grognant de douleur en tombant sur son bras cassé.

Le sang gouttait du menton de PT, penché au-dessus de son cadet. Paul grimaça. Il s'attendait à recevoir une pluie de coups, car PT lui avait cloué les jambes au sol avec ses genoux. Alors que le poing de PT se crispait, prêt à frapper, la main de Paul qui tâtonnait sur le sol se referma sur une pierre et son bras jaillit.

La pierre heurta PT à la tempe. Paul gigota pour se libérer et le poing de son adversaire frôla sa tête. Une seconde plus tard, les épaules de PT s'affaissèrent et il bascula sur le côté. Des nuages de poussière s'élevaient de l'allée de graviers. Paul fut pris d'une violente quinte de toux ; une vive douleur lui enflamma le ventre lorsqu'il se redressa en position assise. Mais il avait enfin réussi à assommer PT.

∴

C'est dans une atmosphère chaleureuse que le quatuor reprit la route de la maison rose, sous un soleil de fin d'après-midi. Après sa journée passée au consulat, Rosie tombait de fatigue, mais c'était une fatigue saine, celle que vous éprouvez quand vous avez accompli quelque chose.

Maxine était d'humeur joyeuse. Elle faisait exprès de rouler à toute allure sur les bosses, car elle savait qu'Henderson ne se sentait pas très bien à cause de la demi-douzaine de cognacs qu'il avait dû ingurgiter. Assis à l'arrière, Marc tenait sur ses genoux une sacoche de mécanicien allemand contenant une bobine de brasure, un fer à souder et les quatre précieuses lampes.

C'est un Paul en pleurs qui jaillit de la maison pour les accueillir. Il avait essayé de nettoyer son bras et de remettre les attelles, sans grand succès. Redoutant le pire, Henderson dégaina son arme en sautant de l'arrière du camion.

— Je l'ai attaché, expliqua Paul d'une voix tremblante, alors qu'il entraînait l'Anglais vers la cuisine.

Il n'était pas sûr d'avoir bien agi et craignait de se faire réprimander ; aussi éprouva-t-il un immense soulagement lorsque Henderson le regarda fièrement.

— Tu as agi tout seul. Pourtant, il est sacrément plus grand que toi.

— Je ne vais pas avoir d'ennuis, alors ?

— Certainement pas. Filer en douce en emportant mon or ! Écoutons ce que ce petit saligaud a à dire pour sa défense.

PT était étendu sur les dalles en terre cuite, la tête posée sur un oreiller rouge de sang. Après lui avoir ligoté les bras et les mains avec une corde à linge, Paul avait réussi, malgré son bras cassé, à traîner son prisonnier à l'intérieur pour éviter que des passants ne l'aperçoivent dans l'allée.

— Voilà le sac de Marc et la valise, dit Paul en montrant la table. Je n'ai touché à rien, je voulais que vous voyiez par vous-même.

Henderson découvrit les lingots d'or, au moment où Marc les rejoignait dans la cuisine.

— Traître ! cracha celui-ci, furieux que PT ait tenté de lui voler son sac et sa seule chemise de rechange.

Les deux représentantes du sexe féminin se montrèrent plus rationnelles. Rosie était partagée entre un sentiment de compassion envers PT, allongé sur le sol dans un état pitoyable, et la loyauté envers son frère accablé. Maxine examina rapidement Paul, avant d'allumer la cuisinière à bois afin de faire chauffer de l'eau pour nettoyer sa blessure et refaire son pansement sale.

— Pourquoi as-tu tenté de filer ? brailla Henderson. *(Il souleva PT de terre et l'assit brutalement sur une chaise.)* Tu t'es dit que j'avais été idiot de te faire confiance, hein ? Tu voulais me voler mon or ? Qu'est-ce que tu mijotais ? Tu projetais d'aller en ville pour essayer de nous vendre à la Gestapo ?

La tête de PT tomba sur sa poitrine. Henderson colla la chaise contre la table pour empêcher son corps de basculer vers l'avant.

— Tu réponds ou tu préfères que je te fasse cracher le morceau ?

Un filet de morve rougeâtre s'écrasa sur la table, tandis qu'Henderson s'approchait de PT, sous les regards angoissés des trois autres jeunes gens.

— Je voulais juste foutre le camp d'ici, expliqua PT, la bouche pleine de sang. Je croyais qu'on allait se rendre en Espagne. Mais hier, vous avez commencé à parler de mission d'espionnage, de réparer des émetteurs, et ainsi de suite. Moi, je ne suis pas partant pour tout ça. Ce que je veux, c'est une vie tranquille.

Henderson agrippa le garçon par les cheveux et lui cogna le front contre la table.

— Pourquoi est-ce que je te croirais ? rugit-il d'une voix effrayante.

Maxine, qui s'affairait devant la cuisinière, se retourna.

— Allons, Charles ! Ce n'est qu'un enfant !

— Pourquoi as-tu essayé de filer en douce ? répéta Henderson. Pourquoi as-tu volé mon or ?

— Pour la même raison que *vous* le transportez, répondit le garçon, secoué de sanglots d'indignation. Il y a des choses que seul l'or peut acheter, y compris les guides gitans qui aident les gens à franchir les montagnes pour atteindre l'Espagne.

— Tu es un menteur, grogna Henderson pour maintenir la pression, même si PT avait raison au sujet des gitans. Tu fonçais droit à la Gestapo, je parie. Tu voulais nous dénoncer et empocher une belle récompense pendant que les Allemands tortureraient à mort Rosie, Paul et Marc, tes prétendus amis.

— C'est faux ! s'écria PT. Une vie tranquille, c'est tout ce que je demande.

Henderson esquissa un sourire.

— Le problème, mon petit gars, c'est que je ne peux plus te croire. Je ne peux pas te laisser partir car tu en sais trop et je n'ai aucune prison pour t'enfermer. Il ne me reste donc qu'une seule solution, n'est-ce pas ?

L'Anglais sortit de sa poche le pistolet et ôta le cran de sûreté. PT posa sur l'arme un regard rempli de terreur.

— Vous ne pouvez pas le tuer ! cria Rosie.

— Qu'est-ce qui m'empêche de liquider ce sale petit traître ?

Marc était partagé. Il savait de quoi était capable Henderson et il en voulait terriblement à PT de les avoir trahis, d'avoir essayé de voler le peu de choses qu'il possédait. Mais PT était son ami et son partenaire de lutte depuis trois semaines, ce n'était pas rien.

— Je vous en supplie, monsieur Henderson, sanglota PT en sentant le canon de l'arme appuyé contre sa tempe. Je n'ai pas mis les pieds en ville depuis le naufrage du *Cardiff Bay*. Je ne sais pas où sont les Allemands, ni même s'ils offrent des récompenses. Et croyez-moi, je ne vais pas aller trouver les autorités, je risquerais d'être arrêté avant vous.

— Pourquoi ça ? demanda Henderson.

— Cet argent, je ne l'ai pas gagné au jeu. Regardez dans mon carnet. Il est dans la valise. Il y a un article de journal plié à l'intérieur. Si vous le lisez, vous comprendrez pourquoi je n'irai jamais chez les flics, ni à la Gestapo, ni ailleurs.

Rosie était la plus proche de la valise. Elle trouva rapidement le carnet et, entre les pages, la feuille de journal abîmée par l'eau. Elle la déplia et lut le gros titre :

— « La traque continue pour retrouver le jeune cambrioleur du tunnel. »

Suivaient un bref article et une photo de famille.

— Ils ont dû trouver cette photo en fouillant notre appartement, expliqua PT. C'est la seule que je possède.

— Tu n'as pas gagné cet argent en jouant au poker à bord d'un bateau ? demanda Henderson.

Le garçon secoua la tête.

— Deux flics sont morts pendant ce cambriolage et les agents fédéraux ont lancé un mandat d'arrêt international. S'ils me ramènent aux États-Unis, je suis un homme mort. Je figure sur la liste des personnes recherchées par la police française.

Henderson essuya avec un mouchoir le sang sur le canon de son arme avant de la glisser dans sa poche. PT poussa un soupir de soulagement, mais l'Anglais le prit par surprise en lui cognant la tête contre la table encore une fois.

— Tu n'en demeures pas moins un menteur et un voleur ! Peut-être que tu ne serais pas allé trouver la Gestapo, mais tu as quand même essayé de filer avec mon or.

— Qu'est-ce que vous voulez que je vous dise ? s'écria PT d'un ton désespéré. Je ne peux pas le nier. Si vous voulez me tuer, allez-y, espèce de vieux cinglé !

— Tu as sacrément de la chance de ne pas avoir un ou deux ans de plus, cracha Henderson. J'ai tué des espions, des traîtres, des soldats et des voleurs, mais j'ai conservé un petit reste de conscience qui me dit qu'on ne peut pas éclabousser une si jolie table avec la cervelle d'un gamin de quinze ans.

Marc et Rosie échangèrent des regards soulagés. Maxine paraissait en colère après Henderson, mais elle se concentrait sur sa tâche : nettoyer la plaie de Paul.

Henderson se tourna vers celui-ci.

— Il reste de la corde à linge ?

— Un peu.

— Bien. *(Henderson s'accroupit de façon à parler directement dans l'oreille de PT.)* Je vais t'emmener dans la cabane de jardin et t'attacher. Je réfléchirai à ton cas cette nuit. Demain matin, je viendrai t'annoncer si j'ai trouvé une raison quelconque de te laisser vivre.

PT semblait sur le point de dire quelque chose, mais il se retint.

— Et pour manger ? Pour boire ? s'inquiéta Rosie.

— Il n'aura ni l'un ni l'autre, répondit Henderson en saisissant PT par le col de sa chemise pour le pousser vers la porte du fond. La faim et la soif l'inciteront peut-être à répondre aux questions que je déciderai de lui poser demain matin.

CHAPITRE NEUF

Henderson déposa l'émetteur cassé sur la table de la salle à manger et déplia à côté un schéma de l'appareil. Paul lui proposa son aide, mais l'Anglais était de mauvaise humeur après l'épisode avec PT et il l'envoya sur les roses.

Alors, Paul passa une heure dans le salon à lire un ouvrage sur la Grèce antique, pendant qu'Henderson s'énervait dans la pièce voisine et poussait des jurons de plus en plus orduriers.

— Mon père était représentant de la Compagnie impériale de radiophonie, déclara timidement le jeune garçon en s'arrêtant sur le seuil de la salle à manger pour observer le visage empourpré de l'Anglais. Évidemment, ils avaient des ingénieurs, mais mon père effectuait souvent des petites réparations pour rendre service à des clients et, parfois, je lui donnais un coup de main.

Henderson poussa un soupir.

— Puisque tu es si malin, viens donc jeter un œil.

De toute façon, tu ne peux pas faire pire que moi, j'ai déjà tout bousillé.

Paul approcha de l'immense table rustique. Le fer à souder était branché et il régnait dans la pièce une odeur de chaud et de métal fondu. Henderson avait réussi à remplacer deux des lampes grillées, mais ses tentatives pour refaire quelques branchements s'étaient soldées par un désastre.

– C'est du travail bâclé, commenta Paul en faisant sauter avec son ongle un amas de brasure.

– Je ne t'ai pas demandé d'y toucher, grogna Henderson.

– Vous n'obtiendrez jamais une bonne connexion si vous utilisez autant de métal pour la soudure, expliqua le garçon.

Il ôta encore un peu de laiton au bout du fil, puis se pencha sur le schéma.

– En plus, ajouta-t-il, vous l'avez rebranché sur la mauvaise borne.

Henderson écarta le garçon d'un geste pour étudier attentivement le schéma.

– Oh…

– Si vous aviez branché l'émetteur comme ça, vous auriez tout fait sauter, déclara Paul en risquant un petit sourire. Il se trouve que je me suis amusé à fabriquer un appareil de ce type l'été dernier.

– Avec l'aide de ton père ?

– Un peu, avoua Paul en arrachant un autre fil mal soudé. Mon père avait déniché le plan d'une radio rudimentaire et il m'a fourni tous les éléments, mais je les ai assemblés tout seul. Sauf quelques petits trucs vraiment très minutieux.

— Impressionnant. Pourtant, tu n'avais que neuf ans à l'époque ?

— Ce n'est pas si compliqué, en fait. À partir du moment où vous avez le schéma des branchements et toutes les pièces. C'est un peu comme un puzzle, sauf qu'à l'arrivée, le résultat est plus utile qu'une stupide photo de chatons dans un panier.

Sous les yeux d'Henderson, Paul aligna le fil avec la borne qui convenait.

— Je n'ai qu'un bras valide. Alors, tenez le fil et la brasure, pendant que je soude.

Paul prit le fer incandescent sur son socle, se pencha doucement au-dessus de l'Anglais et fixa le fil sur la plaquette de circuit imprimé en faisant fondre une simple goutte de laiton.

— Il faut en mettre suffisamment pour que ça tienne, mais pas trop surtout, expliqua-t-il, alors que le métal durcissait déjà pour former une soudure solide. Mon père disait toujours que ça aide d'avoir des petits doigts.

— Pardon de t'avoir parlé aussi sèchement tout à l'heure. Quand tu as proposé de m'aider, j'ai cru que tu allais venir t'asseoir près de moi, les coudes sur la table, pour me poser un tas de questions horripilantes. Mais je commence à m'apercevoir que les enfants sont capables de faire bien plus de choses qu'on ne le pense.

Depuis qu'ils étaient arrivés dans cette maison, Paul avait l'impression d'être sur la touche, c'est pourquoi le compliment d'Henderson lui alla droit au cœur.

— Les gens croient que je suis idiot parce que je ne parle pas beaucoup. En fait, j'étais toujours le meilleur de ma classe.

— On vit à l'ère de la technologie, dit Henderson avec un sourire. La cervelle est plus importante que les muscles.

— C'est ce que j'essayais de me dire chaque fois qu'une brute épaisse me clouait au sol dans les toilettes de l'école.

Paul venait de remarquer quelque chose à l'intérieur de l'émetteur ; il se pencha.

— Voilà le principal problème, dit-il en montrant une des lampes brisées. Le support lui-même est cassé. Mais il y a une radio hors d'usage là-haut, dans la grande chambre. Si on récupère cette pièce, ça devrait faire l'affaire.

Henderson se pencha à son tour.

— Tu es sûr qu'il est cassé ?

Paul agita le tube en verre.

— On ne voit rien à cause de la poussière et du gras, par contre, on sent qu'il y a du jeu quand je le secoue. Ça signifie que l'isolant dessous est fichu. Donc, il faut soit le remplacer, soit le retirer et le recoller. Mais si on le recolle, ce ne sera pas sec avant demain matin, au plus tôt.

Henderson secoua la tête.

— Mon créneau de transmission, c'est ce soir, entre neuf heures quarante-cinq et dix heures.

— À quoi sert ce créneau ?

— Je possède un code spécial. Avec mon mot de passe, la date et grâce à une formule particulière, j'obtiens une fréquence et une heure de transmission pour chaque jour de l'année. En Grande-Bretagne, il y a quelqu'un, normalement, qui guette mon message à cette heure-là sur cette fréquence, tous les jours.

— Qui ?

— Ce devrait être mon assistante, Miss McAfferty. Mais nous n'avons plus de contact depuis un mois ; j'en déduis qu'elle a peut-être été affectée à un autre poste. Dans ce cas, sa tâche aura été confiée au centre des écoutes du MI5.

— Astucieux, commenta Paul. Cela veut dire qu'il nous reste environ une heure et demie pour réparer cet émetteur.

— Quelles sont nos chances, à ton avis ?

Paul se réjouit de constater que c'était Henderson qui lui posait des questions désormais.

— Vous avez déjà perdu une heure, fit-il remarquer. Et à cause de mon bras, je ne peux pas travailler très vite. Mais on peut tenter le coup.

∴

Marc jeta un coup d'œil d'un bout à l'autre du couloir, avant de regarder dans la cuisine et de murmurer à Rosie :

— Vas-y.

La jeune fille prit une assiette vide et se précipita vers le garde-manger. Elle coupa une épaisse tranche de saucisson à l'ail, préleva quelques morceaux de blanc sur la carcasse du poulet rôti de la veille, ajouta une pomme, une carotte et deux petites tomates.

— Il lui faut quelque chose pour faire passer tout ça, fit remarquer Marc.

Pendant que Rosie remplissait un broc en émail au robinet, le garçon ouvrit la porte de derrière et s'assura qu'il n'y avait personne dans le jardin.

— Henderson est concentré sur l'émetteur, dit-il tandis qu'ils s'aventuraient au-dehors. Il faut surtout se méfier de Maxine.

Rosie confia le broc à Marc.

— Elle n'a pas dit grand-chose, mais il est évident qu'elle n'apprécie pas le comportement d'Henderson dans cette affaire.

Il était presque vingt heures et le soleil couchant les éblouit lorsqu'ils descendirent la pente douce du jardin qui menait à un abri en tôle délabré. Marc tourna la clé dans le cadenas rouillé et la porte s'ouvrit en grinçant.

PT était allongé sur le dos. Une croûte de sang séché recouvrait sa blessure à la tête. Il était bâillonné, les chevilles ligotées et les poignets attachés à une épaisse poutre qui supportait le toit.

Marc s'approcha de lui avec méfiance.

— Si je t'enlève ton bâillon, promets-moi de ne pas faire de bruit, OK ?

PT hocha la tête et Marc fit glisser le foulard dans son cou. Rosie avait du mal à regarder le sang séché et les yeux larmoyants du prisonnier.

— On t'a apporté à manger, dit-elle.

— C'est le repas du condamné ? demanda PT d'un ton amer.

Ni Marc ni Rosie n'avaient le cœur de répondre à une question aussi lugubre.

— Je ne peux pas manger si vous ne me détachez pas.

Rosie secoua la tête.

— Je vais te faire manger. Par quoi veux-tu commencer ?

— J'ai soif.

Elle approcha le broc de la bouche de PT et l'inclina. Il but goulûment, sans se soucier de l'eau qui coulait sur son menton.

Il n'avait rien absorbé depuis que Paul l'avait assommé, huit heures plus tôt, et il sembla soudain retrouver des forces.

— Pourquoi vous ne voulez pas me détacher ? Vous pensez que je suis un traître, vous aussi ?

— Henderson est prudent, c'est tout, expliqua Rosie.

Le ton de Marc était plus hostile.

— Rosie m'a convaincu de venir, mais la façon dont tu as essayé de me voler mes affaires, je trouve ça honteux. Tu as plus de mille dollars, alors que moi, je n'ai que ce sac et une tenue de rechange.

Rosie aida PT à manger une tomate.

— Je suis un voleur, avoua celui-ci. Quand je vois un truc qui traîne, je le fauche. Je suis désolé de le dire, mais j'ai été élevé comme ça. J'ai volé l'or car je pensais que je pourrais en avoir besoin pour passer en Espagne. Je vous signale que je n'ai pas tout pris. J'ai volé ton sac parce qu'il me plaisait… mais tu étais mon pote, et je n'aurais pas dû.

— Pourquoi tu voulais t'enfuir, d'abord ? demanda Rosie.

— Je me fiche pas mal de savoir quel camp va gagner cette guerre stupide. Ça fait deux ans et demi que je suis en cavale ; je chaparde ici et là, je travaille quelques semaines sur un bateau ou sur les quais quand je m'ennuie. C'est pas une mauvaise vie, mais j'évite les problèmes en gardant profil bas et en ne prenant pas des risques inutiles.

— Si tu aimes cette vie, pourquoi voulais-tu aller en Espagne avec nous ? demanda Marc. Pourquoi tu es venu ici quand Maxine t'a invité ?

— Les Allemands me fichent les jetons, expliqua PT. De plus, les hivers sont moins froids en Espagne, et j'ai envie de changer de décor.

— Les Allemands semblent se comporter correctement, dit Rosie. Peut-être qu'ils ne sont pas aussi méchants que tout le monde le prétend.

Marc la foudroya du regard et retroussa sa lèvre pour montrer le trou dans sa gencive à la place de son incisive.

— Et quand ils m'ont arraché cette dent, ils se sont comportés « correctement » ? Ou quand ils ont largué une bombe sur ton père ?

— Oui, oui, je sais, dit Rosie en levant les mains dans un geste défensif. J'ai autant de raisons que n'importe qui de haïr les Allemands.

— L'année dernière, j'ai travaillé pendant quelques semaines sur un navire semblable au *Cardiff Bay*, expliqua PT. Beaucoup de passagers étaient des juifs polonais qui traversaient la Manche avant de s'embarquer pour l'Amérique. Les histoires qu'ils racontaient sur les nazis étaient horribles. Alors, peut-être que les Allemands ont des raisons de bien traiter les Français pour l'instant, mais je n'ai pas envie d'attendre de voir si ça va continuer. Et quand Henderson a commencé à parler de transmissions radio, de missions secrètes... C'est pas pour moi, tout ça. J'ai décidé de filer à la première occasion.

— Henderson m'a sauvé la vie, dit Marc. C'est un chic type. Il l'a prouvé quand il avait l'occasion de m'abandonner sur le quai pour monter à bord du *Cardiff Bay* avec Paul et Rosie.

— Oui, peut-être qu'il est bon avec toi, soupira PT. Après tout, tu es son petit préféré.

— Tu lui as volé son or. Tu m'as volé mes affaires. Si tu te retrouves ligoté et couvert de sang, tu ne peux t'en prendre qu'à toi !

Rosie s'efforça de détendre l'atmosphère pendant qu'elle faisait manger à PT le dernier bout de saucisson à l'ail, accompagné d'une gorgée d'eau.

— Ce que je trouve incroyable, dit-elle, c'est que mon freluquet de frère ait réussi à t'assommer.

PT avait la bouche pleine ; il prit son temps pour répondre.

— Ce petit saligaud m'a eu par surprise.

Marc rigola.

— Paul est un minus, il a des jambes comme des brindilles. Et tu mesures dix têtes de plus que lui !

PT haussa les épaules.

— Si Henderson me tire une balle dans la tête demain matin, au moins il m'évitera de mourir de honte.

Il essayait de prendre ça à la légère, mais la réalité de la menace pesait dans l'esprit de chacun.

— Il ne te tuera pas, déclara Rosie d'un ton plein d'assurance.

L'amertume était encore perceptible dans la voix de PT quand il dit :

— Henderson est un espion professionnel. Il ne peut pas courir le risque de laisser en liberté quelqu'un comme moi qui sait des choses sur lui.

— Je lui parlerai, promit Marc. Peut-être que si tu t'excuses et si tu proposes de rester avec nous…

PT sourit.

— On boira un thé avec des petits gâteaux, tous ensemble, et on vivra heureux jusqu'à la fin de nos jours ? Tu viens de quelle planète, Marc ? Ma seule chance de survivre, c'est que vous me détachiez et que vous me laissiez foutre le camp.

Marc et Rosie échangèrent un regard gêné.

— Toutes nos parties de rigolade, ces dernières semaines… dit Marc. Je te prenais pour un ami. Je vais être franc, depuis que tu as essayé de voler mon sac, je ne te fais pas plus confiance qu'Henderson.

Rosie avait les joues mouillées de larmes.

— On ne peut pas te laisser partir, PT. Mais j'irai parler à Maxine et à Henderson, et j'essaierai de tout arranger.

— Autant me tirer une balle dans la tête toi-même !

— Parle moins fort, ordonna Rosie.

Marc remit le bâillon sur la bouche de PT et resserra le nœud.

— Viens, dit-il en prenant Rosie par le bras. Il a mangé et il a bu. On était venus pour ça.

Marc luttait pour masquer ses sentiments, mais Rosie et lui avaient le cœur lourd en regagnant la maison.

•:•

Grâce aux connaissances de Paul en matière de soudure, ils purent mettre en marche l'émetteur un peu avant vingt et une heures. L'étape suivante, pour Henderson, consistait à coder le message.

— Comment ça marche ? demanda Paul en voyant l'Anglais griffonner des chiffres sur un bloc de feuilles.

— À partir d'une simple phrase clé, expliqua celui-ci. Relativement facile à décoder. C'est pourquoi on ne peut l'utiliser que pour les messages d'une cinquantaine de mots. Par exemple, supposons que ma phrase clé soit « Mary avait un petit agneau » et que je veuille envoyer le nom « Charles Henderson ». Le M de Mary est la treizième lettre de l'alphabet et le C de Charles la troisième. Trois plus treize, ça fait seize, alors j'envoie la seizième lettre de l'alphabet en morse.

— P, calcula Paul. Mais si le total dépasse vingt-six ?

— Tu soustrais vingt-six au total. Par exemple, la quatrième lettre du nom est un R et la quatrième lettre de ma phrase clé est le Y. R est la dix-huitième lettre de l'alphabet et Y est la vingt-cinquième. J'ajoute dix-huit et vingt-cinq, moins vingt-six, égale dix-sept. Donc, j'envoie la lettre Q.

— Vous devez faire ça pour chaque lettre ?

— Oui, sans exception. Le message que me renverra le quartier général sera codé à partir d'une autre phrase clé.

— On ne recevra pas une réponse immédiatement ?

Henderson secoua la tête.

— Ils accuseront réception immédiatement, s'ils reçoivent notre signal. J'ai une autre fenêtre de transmission sur une autre fréquence, entre minuit et trois heures du matin, pour qu'ils m'envoient leur réponse. Si on ne reçoit pas de message cette nuit, je me remettrai à l'écoute demain.

La maison rose était adossée à de hautes collines, et Henderson estimait qu'ils devaient se placer en hauteur pour que leur transmission arrive jusqu'à Londres.

Maxine dénicha une couverture au premier étage et prépara une gourde de café. Paul avait vécu une journée éprouvante, mais il n'avait pas ménagé sa peine pour réparer l'émetteur et il tenait à participer à l'expédition pour voir si son travail portait ses fruits. De son côté, Henderson se disait que le jeune garçon pourrait lui être utile s'ils avaient du mal à obtenir un signal satisfaisant.

C'était un appareil pesant, conçu pour envoyer des messages sécurisés depuis le consulat, et non pas pour être transporté à flanc de colline par des espions. Les Allemands avaient imposé un couvre-feu dès vingt et une heures dans toute la zone occupée. Cette mesure écartait la possibilité d'utiliser la camionnette et même d'emprunter à pied les chemins de terre qui menaient aux fermes situées en haut de la colline.

De ce fait, Henderson et Paul franchirent la haie qui se dressait au fond du jardin, traversèrent le ruisseau et entreprirent l'ascension de la colline plantée de rangées de vigne. À cette époque de l'année, les ceps étaient chargés de grappes de raisin pas encore mûres.

Pendant qu'Henderson peinait sous le poids de l'émetteur, Paul transportait le clavier morse, une batterie au plomb, une couverture, la gourde de café, du pain et du pâté. Il n'avait pas plu depuis quinze jours et la brise du soir soulevait des tourbillons de poussière.

Après un quart d'heure de marche harassante, ils approchèrent du sommet de la colline. À cette hauteur, il y avait trop de vent pour cultiver la vigne. Le sol accidenté et herbeux était livré aux moutons qui ignorèrent les deux intrus lorsque ceux-ci s'abritèrent derrière un rocher couvert de mousse.

Paul regarda en bas de la pente ; un coucher de soleil orangé éclairait la maison rose, au pied de la colline. Mais ils n'avaient pas le temps d'admirer le paysage. Le créneau de transmission était déjà entamé depuis un quart d'heure et, en supposant que certains éléments de l'émetteur ne s'étaient pas détachés pendant l'ascension, il fallait quand même plusieurs minutes pour brancher la batterie et attendre que les lampes chauffent.

À leur grand soulagement, les petites ampoules orange éclairèrent les vumètres qui indiquaient la qualité du signal radio lorsque Henderson brancha le clavier morse.

— Génial ! s'exclama Paul.

Henderson fouillait furieusement dans ses poches.

– Zut ! J'ai laissé le message codé et mon bloc sur la table de la salle à manger.

Paul resta bouche bée.

– Vous êtes sûr ?

Il savait qu'ils n'avaient pas le temps de redescendre jusqu'à la maison puis de remonter avant la fin du délai de transmission.

– Je t'ai eu ! s'exclama l'Anglais avec un grand sourire.

Il sortit le bloc de sa poche de pantalon et l'agita sous le nez du garçon.

– Quel idiot ! J' me suis fait avoir…

Henderson se pencha au-dessus du bouton en bakélite du clavier morse.

– Je ne suis pas opérateur radio, dit-il. Lis-moi les lettres, lentement.

– Vous auriez dû demander à Rosie de venir. Elle a appris le morse chez les éclaireuses, à Paris. Elle a eu la meilleure note de toute sa troupe.

– C'est maintenant que tu me le dis ? grogna Henderson en posant des écouteurs sur ses oreilles. Vas-y, je t'écoute.

Paul lut ce qui était écrit sur la feuille :

– Q… T… M… L…

Il continua à énumérer les lettres tandis qu'Henderson, concentré sur le clavier, tapait des points et des traits.

Une fois décodé, le message serait le suivant :

SÉRAPHIN VIVANT. RÉGION DE BORDEAUX. PLANS PERDUS EN MER. DÉPART PROCHAIN VIA ESPAGNE AVEC COMPAGNONS MAIS PRÊT À AGIR SI AUTRES INSTRUCTIONS. TERMINÉ.

Bien que le texte se composât uniquement de vingt-trois mots, il fallut à Henderson plus de deux minutes pour le taper. Après avoir attendu plusieurs minutes que quelqu'un vérifie son message et envoie une réponse cryptée, il se saisit d'un crayon pour noter les lettres qu'il entendait dans son casque.

Sous le regard inquiet de Paul, il se servit ensuite d'une phrase clé différente pour les décoder.

— REC, McAfferty, dit-il, visiblement ravi. Elle l'a eu !

— Que signifie REC ? demanda Paul.

— « Reçu et compris. »

Henderson se redressa pour serrer le garçon dans ses bras, puis il lui tendit la main.

— Je n'aurais pas réussi sans toi. Serre-moi la pince, petit.

En échangeant une poignée de main avec l'Anglais, Paul remarqua, derrière celui-ci, un trio de moutons intrigués.

— Je déteste les moutons, dit-il avec le plus grand sérieux. Avec leurs petits yeux noirs qui vous observent.

— Certes, mais ils font de délicieux déjeuners dominicaux, répondit Henderson en riant. *(Il étendit la couverture sur le sol.)* On a deux heures à patienter jusqu'au prochain créneau de transmission. Tout est en ordre maintenant. Tu peux redescendre à la maison pour dormir, si tu veux.

Le simple fait de penser à son lit fit bâiller Paul, mais ce soir, il avait établi un lien puissant avec Henderson et il ne voulait pas s'en aller.

— Je préfère attendre, au cas où il y aurait un problème avec l'émetteur.

Henderson but une gorgée de café et observa le coucher de soleil. Ils n'avaient qu'une seule tasse, qui se vissait sur le goulot de la gourde, et quand il se retourna vers Paul pour lui proposer du café, il découvrit le jeune garçon étendu sur la couverture, les yeux fermés. Il crut qu'il dormait, mais lorsqu'il s'allongea sur la couverture près de lui, Paul ouvrit un œil.

— Je crois que PT est un brave garçon, dans le fond, dit-il. Pas vous ?

Henderson poussa un long soupir.

— Je ne crois pas qu'il avait l'intention de nous dénoncer, mais il sait tout sur nous. C'est ma faute, j'aurais dû faire plus attention à ce qu'on disait devant lui. Mais il s'entendait si bien avec Marc, et il a le béguin pour ta sœur. Je ne pensais vraiment pas qu'il essaierait de filer comme ça.

— Je vous en prie, ne le tuez pas.

L'Anglais posa la main sur la poitrine de Paul, les yeux fixés sur le motif écossais de la couverture.

— J'ai fait un tas de vilaines choses dans ma vie, dit-il à voix basse. C'est inévitable quand on exerce le métier d'espion. Mais je n'ai pas l'intention de tuer PT, Paul. La question est : que va-t-on faire de lui si je ne le tue pas ?

CHAPITRE DIX

Personne ne dormit très bien cette nuit-là dans la maison rose. Levée en même temps que le soleil, Rosie parcourut quelques centaines de mètres jusqu'à la ferme d'un vieil homme farfelu qui augmentait sa maigre retraite en élevant des poules. Sur le chemin du retour, elle songea à faire un détour par la cabane pour porter de l'eau à PT, mais la chambre d'Henderson donnait sur le jardin et ses rideaux étaient déjà ouverts.

Une lumière jaune entrait par les fenêtres de la cuisine. Assis à table, Paul léchait la confiture sur un couteau. Sa sœur déposa le panier d'œufs sur le plan de travail.

— Un de ces jours, tu vas te transformer en tartine, dit-elle, amusée. Alors, comment ça s'est passé hier soir ?

— Bien, répondit simplement Paul, avant de mordre à pleines dents dans sa tranche de pain. La radio a fonctionné. On a reçu une réponse.

— Tu t'es couché à quelle heure ?

— Il était plus de deux heures quand on a redescendu ce foutu émetteur de là-haut. Mais j'avoue que j'ai un peu somnolé entre les transmissions.

Rosie attendait d'autres informations. Les bras croisés, elle fronça les sourcils.

— Il faut que je te tire les vers du nez ou quoi ? Que disait ce message ?

Paul secoua la tête, malgré lui. Il n'aimait pas faire des cachotteries à sa sœur, par esprit de loyauté, mais aussi parce qu'elle avait tendance à se montrer violente quand elle était en colère contre lui.

— Henderson m'a demandé de ne rien dire à personne tant qu'il ne se sera pas occupé de PT.

Rosie soupira.

— Ce message, c'était une bonne ou une mauvaise nouvelle ?

Paul savourait cet instant : il savait une chose que sa sœur ignorait.

— Tu ne réussiras pas à me faire parler. Ce n'est ni une bonne ni une mauvaise nouvelle. C'est intéressant, voilà tout.

— Tu veux des œufs brouillés avec des toasts ? Ou as-tu déjà le ventre rempli de pain et de confiture ? Depuis hier, tu as englouti la moitié d'un pot.

— Je mangerais bien quelques œufs.

Rosie regarda à l'intérieur du panier, en essayant de calculer combien d'œufs elle devait faire cuire.

— Qui d'autre est levé ? demanda-t-elle.

— Marc. Et j'ai entendu Henderson prendre sa douche.

— Et Maxine ?

Paul secoua la tête.

— Elle a dormi chez elle, expliqua-t-il. Je crois qu'ils se sont disputés.

— Elle ne devait pas être très contente de la façon dont il a traité PT. Je les ai entendus crier là-haut, avant le dîner.

Marc descendit à son tour, les cheveux mouillés et torse nu.

— Bonjour ! lança-t-il. *(Il aperçut le panier.)* Oh, chouette, des œufs !

Sous l'œil horrifié de Paul, il brisa une coquille en la cognant contre le bord de l'évier, renversa la tête en arrière et goba l'œuf cru.

— C'est dégoûtant ! s'exclama Rosie.

Marc sortit sa langue, couverte d'une substance gluante et jaune.

— Embrasse-moi, ma chérie !

Elle prit une cuillère en bois sur le plan de travail et donna un grand coup sur le coude de Marc.

— Si tu fais un pas de plus, tu vas le regretter !

— Tu es venue avec ton armée ? rétorqua Marc.

Et il se jeta sur elle.

Rosie poussa un hurlement, mais le chahut cessa brusquement lorsqu'une chaîne atterrit avec un fracas métallique sur la table en bois, dans leur dos.

— Bonjour, dit Henderson d'un ton ferme. Tout le monde va bien ?

— Vous voulez des œufs ? proposa Rosie.

— Avec plaisir. Fais-en pour PT également. Il doit être affamé.

Marc sourit.

— Ça veut dire que vous n'allez pas le punir ?

Henderson secoua la chaîne.

— S'il sait se tenir, j'ai deux options à lui proposer. Marc, je veux que tu ailles le libérer et que tu me l'amènes. Dis-lui que je l'ai à l'œil et que je n'hésiterai pas à l'abattre s'il tente de s'enfuir.

Marc prit un couteau aiguisé dans un tiroir et courut jusqu'à la cabane de jardin. Rosie vérifia que la plaque de la cuisinière à bois était suffisamment chaude avant de casser les œufs dans une poêle.

— Il paraît que vous avez reçu une réponse hier soir, dit-elle, toujours impatiente d'en savoir plus. C'était une bonne nouvelle ?

— Je n'ai pas envie de répéter la même chose six fois de suite. Je vais d'abord m'occuper de PT. Ensuite, nous parlerons de ce message et de nos nouveaux plans.

— À quoi sert cette chaîne ? demanda Paul.

Henderson avait une manière sournoise d'esquiver les questions embarrassantes. Ignorant l'intervention du jeune garçon, il alla voir s'il y avait de l'eau chaude sur la cuisinière.

— Je vais faire du café.

Il jeta un coup d'œil par la fenêtre, en direction de la cabane de jardin, pour s'assurer qu'il n'y avait pas de problème avec PT.

Celui-ci fit son entrée une minute plus tard. Il s'assit devant la grande table. La cabane était mal ventilée et il ne s'était pas lavé depuis sa bagarre avec Paul dans l'allée. Du sang séché durcissait sa chemise, sa plaie à la tête s'était transformée en vilaine croûte et l'odeur de sa transpiration couvrait celle des œufs et du café.

— Un cadeau du ciel ! s'exclama-t-il en s'attaquant voracement à l'assiette que Rosie venait de déposer devant lui.

Marc et Paul voulurent s'installer à table, mais Henderson leur ordonna de manger debout près du placard, avec Rosie.

— Je devrais te tuer, dit-il à PT. Laisser la vie sauve à une vermine de ton espèce, c'est prendre un risque qui pourrait conduire chacune des personnes ici présentes à une mort lente et douloureuse. Mais tu n'es encore qu'un gamin.

PT leva les yeux de ses œufs, mais après ce que lui avait fait subir Henderson, il refusait de se montrer reconnaissant.

L'Anglais désigna Rosie et les deux garçons.

— Je croyais que c'étaient tes amis, PT.

— Je n'ai rien contre aucun de vous, c'est juste que j'ai pas envie d'aller espionner les nazis.

— Deux options, déclara Henderson d'un ton théâtral en brandissant la lourde chaîne. Voici la première. Je ne peux pas te permettre de filer avant que nous ayons un ou deux jours d'avance sur toi. Alors, je vais t'installer là-haut, dans la chambre, je t'enchaînerai à un lit et je te ferai avaler un somnifère. Je te laisserai à manger, à boire et une lime. Tu te réveilleras au bout de dix-huit à vingt-quatre heures. Ensuite, j'estime qu'il te faudra entre huit et dix heures pour réussir à limer le montant du lit. Le temps que tu te libères, nous serons à plusieurs centaines de kilomètres d'ici. Je te laisserai ton argent. Je ne te donnerai pas l'or dont tu pourrais avoir besoin pour passer en Espagne, mais tu as déjà travaillé sur des bateaux. Seul, tu as plus de chances de te faire engager sur un navire qui vogue vers la Méditerranée.

— J'ai renoncé à monter sur un bateau depuis que le *Cardiff Bay* a coulé sous mes pieds, répliqua PT. Je préfère franchir la frontière par la terre ferme.

Henderson se gratta la tête et réfléchit un bref instant.

— Et si je te vendais deux lingots d'or pour six cents dollars ? Le problème, c'est que pour pénétrer en Espagne en ce moment, c'est un véritable cauchemar, paraît-il. Des dizaines de milliers de réfugiés se bousculent. La frontière est fermée et, même si tu arrives à dégoter un guide pour te faire traverser les montagnes, il y a de fortes chances qu'il te conduise dans un coin isolé et te dépouille entièrement avant de te balancer du haut d'une falaise. Surtout si tu voyages seul.

— Je vais bien rigoler, on dirait, répondit PT en plongeant son visage dans ses mains. Où est-ce que je signe ?

— C'est mieux qu'une balle dans la nuque, non ? ironisa Henderson.

— C'est quoi, l'autre option ?

— Dans la vie, on prend tous de mauvaises décisions, un jour ou l'autre. Surtout quand on a quinze ans et qu'on est en cavale. Voilà pourquoi je suis prêt à passer l'éponge. Tu peux venir avec nous.

— Où ça ?

Cette fois, l'Anglais s'adressa à tout le monde :

— J'ai un travail très important à effectuer avant qu'on ne quitte la France. Je n'essaierai pas de vous faire croire que c'est sans danger pour nous tous, mais une fois cette opération achevée, nous serons dans une position idéale pour filer en Grande-Bretagne. Hélas, je ne peux pas vous en dire plus sans compromettre la réussite de ce plan.

— C'est un peu léger, fit remarquer PT avec un rictus.

— Dans la vie, tout repose sur la confiance. Si tu voyages avec nous, ça veut dire que je te fais confiance et que tu ne chercheras pas à t'enfuir de nouveau. De ton côté, tu dois savoir que je veillerai sur toi.

— Quelle option *vous* préférez ? demanda le garçon.

Henderson haussa les épaules.

— Franchement, je m'en fiche. Mais je peux t'assurer que si tu trahis encore ma confiance, tu ne seras plus en vie pour une troisième chance.

Rosie s'approcha de PT.

— Tu devrais rester avec nous. On veillera les uns sur les autres. À quoi bon partir seul ?

Marc approuva d'un hochement de tête.

— Avant de rencontrer Henderson, dit-il, je me suis retrouvé seul à Paris. Franchement, je ne te le conseille pas. Partout où tu vas, tu tombes sur des gens qui essayent de te voler ou de t'escroquer.

PT s'autorisa un petit sourire. Il avait tenté de s'enfuir car il n'aimait pas l'idée de jouer les espions. La raclée et la nuit passée dans la cabane, attaché à une poutre, avaient accru son hostilité envers Henderson. Mais Rosie et Marc étaient venus lui apporter à manger en douce ; c'était la preuve qu'il s'était fait deux véritables amis.

— Les gens vous pardonnent seulement s'ils tiennent à vous, dit PT en osant enfin regarder Henderson droit dans les yeux. Vous n'avez aucun intérêt à me laisser vivre.

L'Anglais sourit.

— Sauf ma bonne conscience... et le fait que Maxine et Rosie ne m'adresseraient plus la parole.

Paul intervint à son tour :

— Ce n'est pas drôle de se retrouver seul.

— Je sais.

Rosie sourit.

— Alors, tu viens avec nous ?

PT aimait cette idée, mais il ne se sentait pas prêt à s'engager.

— Ne le brusquez pas, dit Henderson. Il a besoin d'un bon bain et de quelques heures de sommeil. Je préfère qu'il prenne son temps et qu'il fasse le bon choix.

QUATRIÈME PARTIE

16 juillet 1940 - 20 juillet 1940

« En dépit de sa situation militaire catastrophique, la Grande-Bretagne ne semble nullement disposée à conclure un accord. J'ai donc décidé de préparer et de mener contre elle, si nécessaire, une invasion maritime.

La Royal Air Force doit être diminuée mentalement et physiquement afin qu'elle ne soit pas capable de mener une attaque d'envergure au cours de l'invasion allemande.

Les préparatifs en vue du débarquement doivent être achevés à la mi-août. »

Adolf Hitler, 16 juillet 1940.

CHAPITRE ONZE

Muséum d'histoire naturelle, Londres, Grande-Bretagne.
Q.G. du ministère du Renseignement

Eileen McAfferty sortit de l'ascenseur au sous-sol et se retrouva dans un couloir au parquet ciré, tout juste assez large pour laisser passer deux personnes de front. Âgée de trente et un ans seulement, elle s'habillait comme une femme plus mûre : jupes à fleurs et cardigans. Comme toujours, elle portait des chaussures plates, dont elle avait fendu les languettes car elle souffrait d'obésité et, quand il faisait chaud, ses pieds enflaient.

Il faisait une chaleur insupportable dans ce sous-sol, tandis qu'elle passait en revue les numéros inscrits sur les portes. Certaines étaient ouvertes pour laisser circuler un peu d'air et il s'en échappait des cliquetis de machines à écrire ou des bribes de conversation téléphonique. Des gens entraient et sortaient précipitamment avec des classeurs sous le bras ou en poussant des chariots remplis de dossiers ; ils paraissaient tous si affairés que McAfferty n'osait pas les apostropher pour demander son chemin.

Finalement, elle trouva le courage de s'adresser à un homme maigre comme un clou, en costume trois-pièces, affublé d'un fort accent écossais.

— Le quatre-vingt-trois, c'est sur la gauche, dit-il. Une porte à double battant. C'est le bureau du ministre, vous le savez ?

Son expression hautaine indiquait qu'à ses yeux, une personne telle qu'Eileen McAfferty n'avait rien à faire dans le bureau du ministre du Renseignement.

— Je suis en retard, expliqua-t-elle. Une panne de signalisation sur la ligne de Piccadilly.

— Vraiment ? répondit l'homme décharné sans aucune compassion. À votre place, je me dépêcherais. Le ministre enguirlande tout le monde depuis le début de la semaine.

Avec vingt minutes de retard, McAfferty se retrouva finalement dans le bureau du ministre du Renseignement. C'était une pièce sinistre avec des meubles massifs en chêne, qui ne possédait pas le lustre des bureaux de Whitehall, abandonnés car jugés trop dangereux. La peinture des murs s'écaillait et l'unique source de lumière naturelle était une lucarne située près du plafond.

— Ah ! s'exclama l'homme assis à sa table de travail. Apportez-moi un thé corsé et un sablé. Pour ces messieurs…

— Il s'agit de Miss McAfferty, monsieur le ministre, lui glissa son secrétaire. La dame qui prépare le thé ne va pas tarder.

— Oh, je suis affreusement désolé, bredouilla le ministre. Je me présente : Lord Hawthorne. Voici le colonel Jackson, directeur adjoint du Renseignement militaire, et Eric Mews, vice-ministre du département de l'Économie de guerre.

McAfferty serra toutes ces mains importantes et lissa sa jupe sous ses fesses avant de s'asseoir. Jackson et Hawthorne appartenaient à la haute société, comme l'indiquait leur accent snob, alors que Mews venait d'un milieu plus modeste ; c'était un membre du parti travailliste, doté d'un accent populaire. Il tenait à la main une pipe éteinte.

— Je ne connais rien à toutes ces histoires de renseignement, déclara Mews de but en blanc. Mon travail consiste à bâtir une nouvelle organisation connue sous le nom de Special Operations Executive[5]. Je serai franc avec vous, messieurs : je n'ai même jamais entendu parler de votre Espionage Research Unit, et c'est également le cas de plusieurs personnes qui sont dans la partie depuis plus longtemps que moi.

McAfferty acquiesça :

— Si je ne m'abuse, l'ERU est née de la rivalité entre l'armée de terre et la marine au cours de la dernière guerre. L'armée possédait alors une petite unité

5. Ou *SOE*, Direction des opérations spéciales (NdT).

d'espionnage qui s'intéressait surtout à la technologie militaire allemande. Quand la Navy l'a appris, elle a créé une structure équivalente. À son apogée, en 1918, l'ERU se composait de quelques dizaines d'agents, mais depuis, on peut dire qu'elle a périclité.

— L'objectif, expliqua Lord Hawthorne, est de réunir toutes les branches des services de renseignement sous un commandement unique, et ceci pour toute la durée de la guerre.

— C'est une idée pleine de bon sens, commenta McAfferty.

— De quels effectifs dispose actuellement l'ERU ?

— Il y a Betty et moi, au bureau de Greenwich. Ainsi que trois agents. Mais Mr Gant a été blessé au cours d'une opération en Norvège l'été dernier. Il nous reste donc Mr Noon, basé à Gibraltar, et Mr Henderson.

— C'est vous qui dirigez cette organisation ? demanda le colonel Jackson.

— Officiellement, je ne suis que sous-directrice. Mais notre directeur, le capitaine Partridge, a été victime d'un infarctus récemment et il n'a pas encore repris le travail.

— Il n'a pas été remplacé ? s'étonna Hawthorne. À quoi diable joue la Navy ?

— Je ne participe pas aux discussions prises en haut lieu, expliqua McAfferty avec une habileté toute diplomatique. J'ai mis la main à la pâte quand je suis rentrée de Paris, il y a deux mois, après avoir travaillé aux côtés d'Henderson.

— Possédez-vous une solide expérience du monde de l'espionnage ? demanda Lord Hawthorne, méfiant. Henderson est pour nous un précieux atout, et une opération comme celle-ci nécessite le plus grand savoir-faire.

— Il est le seul agent britannique opérant encore en France, ajouta le colonel Jackson. Les Allemands préparent l'invasion de notre pays. Toute information qu'il pourra nous fournir sur leur stratégie sera d'une importance capitale.

— Quel est votre parcours, exactement ? insista Lord Hawthorne.

— Mon père était riveur sur les chantiers navals de Clyde, répondit McAfferty. Je suis allée au collège du coin, puis j'ai décroché une bourse pour étudier à l'université d'Édimbourg. J'ai obtenu une mention « très bien » en économie et en français, après quoi j'ai travaillé pendant trois ans pour les services diplomatiques, d'abord en France, avant de partir deux ans en Malaisie. Hélas, dans le monde de la diplomatie, les seuls postes proposés aux femmes sont des emplois de secrétaire. Comme j'en avais assez de taper à la machine toute la journée, je suis rentrée à Londres et j'ai rejoint l'Espionage Research Unit.

Visiblement impressionné, Lord Hawthorne repoussa son fauteuil. Dans les années 1920, il était rare que la fille d'un ouvrier étudie à l'université. Décrocher un diplôme avec mention « très bien » et entrer dans la diplomatie sans sortir d'une école privée ou sans bénéficier de relations bien placées, c'était tout bonnement stupéfiant.

– Vous aimez le travail de renseignement ? demanda le colonel Jackson.

– Assez, avoua McAfferty. L'ERU étant une très petite organisation, chacun peut assumer de nombreuses responsabilités. Un gros rouage dans une petite machine, comme on dit.

– Vous me faites l'impression d'être une jeune femme intelligente, déclara Mews en posant une main sur son épaule, dans un geste qu'elle trouva chaleureux, mais condescendant. En tout cas, ajouta-t-il, je ne vois aucune raison de nommer au-dessus de vous un officier de marine sans expérience du renseignement. Je vous attribuerai un grade et un statut en rapport avec votre rôle de chef d'une organisation d'espionnage.

– Quel est le grade d'Henderson et de Noon ? demanda le colonel Jackson.

– Capitaine de frégate.

– Dans ce cas, vous devrez être capitaine de vaisseau, déclara Hawthorne, avant d'éclater de rire. Qu'en pensez-vous, McAfferty ?

– Mr Henderson ne sera peut-être pas très content, répondit-elle. J'étais son assistante. Et puis, il est dans la Navy depuis plus de dix ans…

– Nous sommes en guerre, la coupa Mews d'un ton sec. Je dois créer une unité d'espionnage entièrement nouvelle et j'ai le pouvoir d'attribuer à des civils le grade nécessaire pour qu'ils puissent effectuer leur travail. L'ERU faisant partie de la marine, vous recevrez un grade et une solde de la marine. Je transmettrai les documents relatifs à votre promotion. Vous connaissez mon numéro ; si vous avez besoin de personnel supplémentaire, de bureaux plus grands ou de quoi que ce soit, faites-le-moi savoir.

McAfferty était un peu désorientée.

— Très bien. Mais j'ai un petit problème, avoua-t-elle timidement. Mes pieds ont tendance à enfler. Alors, si je dois porter un uniforme, j'espère que la Navy a des chaussures confortables.

— Prenez des chaussures d'homme, suggéra le colonel Jackson. Elles sont plus larges. Je suis certain qu'ils vous trouveront un modèle adapté.

Lord Hawthorne se racla la gorge.

— Si nous mettions de côté les problèmes de chaussures de Miss McAfferty, nous pourrions peut-être évoquer la situation d'Henderson en France.

— Oui, dit McAfferty en réprimant un sourire, stupéfiée par le tour que prenaient les événements. Henderson a consacré presque toute la semaine écoulée à préparer son voyage vers le nord. Il a réussi à obtenir des papiers pour lui-même, son amie Maxine et six enfants.

— *Six* enfants ? répéta Mews. D'où sortent-ils, ceux-là ?

— Je ne sais pas trop, dit McAfferty. Je crois qu'il ramène deux jeunes orphelins chez leurs grands-parents mais, afin de limiter les risques d'interception et de décodage de nos communications, nous n'échangeons que des messages brefs et nous ne posons que les questions importantes.

Comme personne n'intervenait, elle enchaîna :

— Ils se sont procuré assez de carburant pour une camionnette et une voiture, et j'ai cru comprendre qu'ils avaient trouvé à se loger dans une ferme près de Calais. Dès leur arrivée, Henderson inspectera la côte et les bases militaires allemandes pour tenter de glaner des informations sur les plans d'invasion. Si l'occasion se présente, il essaiera également de saboter leurs installations.

— Excellent ! s'exclama Lord Hawthorne en hochant la tête avec enthousiasme. Toutefois, les capacités de sabotage d'un agent isolé sont limitées.

— Et l'objectif secondaire ? interrogea Mews.

— Monsieur le ministre, répondit McAfferty, l'objectif du Special Operations Service est de rassembler des renseignements sur l'occupation allemande. Comme vous le savez, bien évidemment, nous comptons envoyer des agents dans la France occupée dès que ceux-ci auront été formés, mais nous savons très peu de chose sur ce qui se passe là-bas. Nous avons besoin d'informations sur les couvre-feux, les horaires de train, les zones d'atterrissage et les mesures de sécurité de l'ennemi. Quand il quittera la France, Henderson rapportera le maximum de documents officiels pour que le service falsification du SOE puisse fabriquer des faux papiers.

Lord Hawthorne jeta un coup d'œil à sa montre, avant de faire un large geste pour indiquer que la réunion était terminée.

— Colonel, j'espère vous voir au club ce soir. Miss McAfferty, sachez qu'un grand nombre d'actions futures reposent sur l'opération du commandant Henderson. L'avenir de la Grande-Bretagne pourrait dépendre de sa capacité à nous prévenir de la date et du lieu de l'invasion allemande.

McAfferty était intimidée et ses pieds lui faisaient tellement mal qu'elle redoutait le long chemin jusqu'à l'ascenseur. Elle se pencha au-dessus du bureau pour serrer la main du ministre.

— Henderson est un agent hors du commun, dit-elle. J'ai entièrement confiance en lui. Il réussira.

CHAPITRE DOUZE

NORD DE LA FRANCE

Lucien Boyer avait quatre ans, des cheveux bruns et un regard sérieux. Il était arrêté au bord de la route, à quinze kilomètres au nord-est d'Abbeville, face à la carcasse d'un char calciné.

— Alors ! lui lança Henderson. Qu'est-ce que tu attends ?

Le garçon le regarda par-dessus son épaule.

— Faut que quelqu'un défasse mon bouton.

Henderson se pencha vers le garçon, et aussitôt une odeur désagréable lui agressa les narines. Ils roulaient depuis deux jours et demi maintenant, dormant sur le bas-côté de la route ou à l'arrière de la camionnette. Tout le monde était sale, bien évidemment, mais la palme revenait à Lucien qui parfois s'oubliait la nuit.

D'un geste brusque, Henderson abaissa le short et le caleçon du garçonnet. Aussitôt, un jet puissant aspergea les chenilles du char.

— Bon sang ! s'exclama Henderson en agitant la main pour chasser quelques gouttes d'urine. Tu ne pouvais pas attendre deux secondes ?

Lucien semblait honteux, mais Henderson évita une crise de larmes en déposant un baiser furtif sur son front.

— Tu es un gentil garçon. Allez, dépêche-toi de remonter dans la camionnette.

Pendant qu'Henderson ouvrait sa braguette pour se soulager à son tour, Marc se pencha à l'arrière du véhicule pour aider Lucien à enjamber le hayon. D'un pas mal assuré, le jeune enfant alla s'asseoir au centre, sur un monticule d'oreillers et de coussins. Sa sœur de cinq ans, Hortense, le repoussa.

— Tu pues ! Me touche pas !

De retour au volant, Henderson klaxonna pour indiquer à Maxine qu'elle pouvait repartir à bord de sa Jaguar décapotable. La camionnette lui emboîta le pas lentement. À l'arrière, Rosie prit la petite Hortense dans ses bras pour l'éloigner de son frère.

— Vous n'allez pas recommencer à vous battre ! dit-elle, face au regard noir de la fillette.

— Il n'arrête pas de se faire pipi dessus ! répondit-elle en tapant du pied sur le plancher métallique. Il pue !

— Je pue pas !

— Calmez-vous tous les deux, ordonna Rosie. Il n'y en a plus pour longtemps. On devrait arriver à la ferme pour le dîner.

Assis à l'extrémité du camion, Marc se redressa et appela Lucien.

— Viens donc par ici.

Le garçonnet était fatigué et ronchon. Il se blottit contre Marc et ferma les yeux, pendant que celui-ci continuait à regarder dehors, effaré par ces visions de carnages, de tous les côtés.

Aux abords d'Abbeville, la campagne avait été le théâtre d'affrontements parmi les plus violents entre troupes allemandes et françaises, lors de la première phase d'invasion. La route avait été réparée tant bien que mal et on avait dégagé les débris, mais tout autour, le paysage était jonché d'armes lourdes endommagées. Un grand nombre de chevaux et d'êtres humains morts avaient été empilés, puis brûlés, mais les bûchers noircis étaient toujours là, et il suffisait d'ouvrir les yeux pour apercevoir, dans les fossés ou les buissons, des morceaux de chair en putréfaction rongés par les rats.

Les bombardements avaient été plus intenses par ici que dans le sud et tout ce qui tenait encore debout avait été rasé par les chars ou l'artillerie, alors que les Allemands se précipitaient vers l'ouest pour tenter – avec succès – de couper la France en deux afin d'isoler les bataillons les plus puissants de leurs lignes de ravitaillement.

Marc essayait d'imaginer l'enfer vécu par les habitants du coin, obligés de se cacher dans les champs ou les caves pendant que des bombes et des canons pulvérisaient leur monde.

La camionnette et la Jaguar parcoururent encore six kilomètres. La pluie menaçait dans le ciel de fin de journée et il y avait peu de circulation, hormis des véhicules militaires allemands qui roulaient en sens inverse. Enfin, ils atteignirent un hameau ayant échappé au gros des combats. Un groupe de cinq fermes semblait inoccupé, mais des voitures allemandes stationnaient devant et un barrage gardé par deux soldats armés coupait la route.

Cette barrière marquait la séparation entre les départements de la Somme et du Pas-de-Calais. Les Allemands, qui voulaient que la France retrouve une vie normale, encourageaient les gens qui avaient fui vers le sud à revenir chez eux. Mais le Pas-de-Calais et la pointe nord du pays constituaient une exception.

Cette région était considérée comme une zone militaire. On y avait construit une douzaine de bases de la Luftwaffe, d'où décollaient régulièrement des avions qui partaient bombarder l'Angleterre, et un très grand nombre de soldats avaient été envoyés dans ce secteur pour faire leurs classes.

Par conséquent, le Pas-de-Calais était l'endroit idéal pour quiconque souhaitait espionner les plans d'invasion des Allemands. Voilà pourquoi ces derniers surveillaient aussi attentivement les moyens d'accès.

— Descendez et mettez-vous en rang ! aboya un des soldats, en français. Mains en l'air. Pas de mouvements brusques.

Maxine et PT descendirent de la Jaguar, Paul et Henderson de la cabine de la camionnette, pendant que Marc et Rosie sautaient de l'arrière avant d'aider les deux petits.

Henderson avait dû avoir recours à la corruption et user de mille subterfuges pendant une semaine afin d'obtenir de faux papiers d'identité pour tout le monde, à l'exception de Lucien et d'Hortense. Ensuite, il s'était attelé à une tâche plus ardue : se procurer des documents permettant de pénétrer dans la zone militaire.

— Monsieur Boyer, lut à haute voix le soldat de deuxième classe allemand, planté devant Henderson pour examiner son permis de conduire. Âge : trente-deux ans. Pourquoi n'êtes-vous pas dans l'armée ?

— Je me suis blessé au dos à la suite d'un accident à la ferme, il y a quelques années, mentit Henderson. Vous avez entre les mains mon certificat d'exemption.

— Vous m'avez pourtant l'air vaillant, fit remarquer le soldat.

— Ça dépend des jours.

— Et d'un très bon ami médecin, je suppose. Tous ces gens sont de votre famille ?

Henderson hocha la tête.

— Mon épouse Maxine. Mes enfants Paul, Rosemarie et Marc. Philippe Tomas et les deux petits sont ceux de mon frère.

— Où est-il, votre frère ?

— Nous n'avons plus de nouvelles. Il est très certainement prisonnier en Allemagne.

Des cœurs s'emballèrent lorsque le soldat saisit d'un geste brusque les autres documents que lui tendait Henderson et lui demanda de se diriger vers une table en bois installée dans la boue, le long de la barrière.

Leurs documents étaient tous fabriqués à partir d'authentiques formulaires vierges volés, soigneusement vieillis et donc impossibles à distinguer des vrais. Mais quiconque prenait la peine d'interroger longuement la « famille » Henderson ne manquerait pas de constater qu'ils avaient tous des accents très différents. En outre, une fouille en règle de la camionnette permettrait de découvrir l'émetteur, plusieurs armes et divers accessoires d'espionnage, cachés dans un compartiment secret sous un faux plancher.

— Vous êtes fermier ? demanda l'Allemand d'un air soupçonneux.

Il faisait de grands gestes pour attirer l'attention de son supérieur. Le tonnerre grondait et le soleil avait disparu derrière des nuages gris anthracite.

— Ça pose un problème ? répondit Henderson.

L'officier était un homme voûté avec des cheveux gris tout fins. Il regarda le soldat et s'adressa à lui en allemand.

— Je dois appeler le quartier général, déclara-t-il, sans savoir qu'Henderson comprenait.

— Retournez là-bas, ordonna le soldat en français, pendant que son supérieur disparaissait à l'intérieur d'une des fermes avec les documents.

Henderson rejoignit les autres à l'extérieur en leur lançant un sourire rassurant qui ne trompait personne.

Les minutes s'écoulèrent. Lucien et Hortense ne tenaient pas en place. Plusieurs véhicules militaires passèrent, suivis d'un camion rempli d'ouvriers. Le chauffeur se contenta d'agiter un document par la vitre et il fut autorisé à franchir le barrage. Soudain, il se mit à pleuvoir.

Le crachin se transforma bientôt en averse. Des trombes d'eau balayaient maintenant la route grise, les arbres se balançaient et le vent mugissait à travers les vitres cassées de la ferme. Le ciel était presque noir lorsque Maxine sortit du rang.

— Peut-on au moins mettre les enfants à l'abri dans la camionnette ? demanda-t-elle. Je ne veux pas qu'ils attrapent froid.

— Retournez à votre place ! ordonna le soldat en pointant son fusil sur elle. Moi, je suis obligé de rester dans ce trou à rats nuit et jour, qu'il pleuve ou qu'il vente. Vous ferez comme moi.

Après quasiment trois jours passés dans la chaleur étouffante de la camionnette, Marc trouvait cette pluie rafraîchissante. Quant à Lucien, d'humeur enjouée après sa sieste, il fourra sa tête sous la chemise ouverte de Marc pour lui souffler sur le ventre. En temps normal, celui-ci en aurait souri, mais il était à cran et ce décor sinistre lui filait les jetons.

Il n'y avait absolument rien aux alentours, hormis le barrage, les fermes abandonnées et la route qui traversait les champs laissés en friche. Il essayait de ne pas imaginer ce qui les attendait si leurs véritables identités étaient découvertes, car il savait que la Gestapo ferait subir à chacun d'eux de terribles tortures avant de les exécuter.

Ils étaient tous trempés lorsque l'officier ressortit enfin de la ferme et adressa un signe à Henderson.

— Venez ici !

L'Anglais palpa sa ceinture dans son dos pour s'assurer que le petit couteau de chasse était toujours là. La présence des deux soldats armés à l'extérieur le rendait inutile, mais une fois à l'intérieur, il pourrait peut-être attaquer l'officier, lui arracher son arme et abattre un des soldats, ou même les deux, avant qu'ils comprennent ce qui se passait.

Cette ferme n'avait pas l'électricité. Le sol était en terre battue. Les Allemands avaient jeté dehors tous les meubles de la salle à manger et l'officier avait pris une table de cuisine en guise de bureau. À cause de l'obscurité soudaine, il avait allumé une lampe à pétrole. De toute évidence, le téléphone, dont les câbles tressés passaient par la fenêtre de devant, venait d'être installé.

— Assis, ordonna l'officier à Henderson qui dégoulinait sur le sol en terre.

Son français était bien moins bon que celui de son subordonné.

— Je téléphone Calais et ils disent non. Où vous avez ces documents ?

— À Bordeaux. On m'a assuré que...

— Vous avez permis corrects. Mais la raison pour passage dit *fermier*. Pas suffisant pour entrer dans zone militaire.

Henderson pesta intérieurement. Toutefois, sa colère était tempérée par le soulagement car sa pire crainte était d'être identifié comme espion.

— Vous devez retourner, déclara l'officier.

Henderson soupira.

— Ces documents m'ont été remis par le bureau de Bordeaux. Ils ont été signés par un major et on m'a assuré que tout était en ordre avant que je prenne la route. Y a-t-il une personne à qui je puisse parler au bureau de Calais ou ailleurs ?...

L'Allemand l'arrêta d'un geste.

— Stop ! Vous parlez beaucoup trop vite. Mon français pas très bon.

Henderson savait qu'il aurait besoin de tout son pouvoir de persuasion, c'est pourquoi, au grand étonnement de l'officier, il reformula sa question en allemand, en faisant exprès de prendre un fort accent français.

L'officier sourit.

— Vous maîtrisez remarquablement bien ma langue. Où l'avez-vous apprise ?

— J'ai travaillé comme représentant pour une société allemande avant de reprendre la ferme familiale.

Pour une raison quelconque, l'officier trouva cela follement drôle. Quand il eut fini de rire, il sourit de nouveau à Henderson et reprit son téléphone.

— Nous avons beaucoup d'Allemands et beaucoup de Français, mais personne ne se comprend, dit-il. Attendez, je rappelle Calais.

Sous l'effet de la chaleur de la pièce, Henderson sentait ses vêtements mouillés lui coller à la peau, tandis que l'Allemand expliquait à son correspondant qu'il venait de dénicher un fermier qui parlait couramment leur langue.

Henderson craignait que ce talent linguistique n'éveille des soupçons, mais après quelques phrases, l'Allemand raccrocha.

Il prit le laissez-passer, raya la mention *fermier*, écrivit *traducteur* à la place, apposa un coup de tampon et griffonna ses initiales.

— Voilà, vous pouvez continuer jusqu'à votre ferme. Demain matin, vous devrez vous rendre à Calais avant dix heures. Trouvez le quartier général de l'armée allemande et présentez-vous au bureau des traductions pour qu'on évalue vos compétences.

Henderson comprit qu'il s'agissait d'un ordre et non d'un simple conseil. En vérité, c'était une chance inespérée. Un poste de traducteur lui permettrait de se rapprocher du centre des opérations. Mais il savait qu'un véritable fermier n'accepterait pas qu'on l'arrache à ses terres, c'est pourquoi il protesta avec véhémence :

— Je me suis absenté cinq semaines. Ma ferme doit être dans un piteux état. Nous devons engranger le maximum de récoltes avant l'hiver.

L'Allemand pinça les lèvres.

— Vous avez une femme et trois enfants. Ils peuvent s'occuper des terres. Estimez-vous heureux de pouvoir pénétrer dans la zone militaire !

— Oui, bien sûr, monsieur. Je ne voulais pas paraître ingrat.

— Maintenant que j'ai appelé Calais, le bureau va vous attendre. Alors, je vous conseille de vous y rendre si vous ne voulez pas être arrêté et puni.

Henderson lui tendit la main.

— Vous avez des mains douces pour un fermier, souligna l'officier.

CHAPITRE TREIZE

À Bordeaux, on pouvait se promener pendant une demi-journée sans croiser une seule patrouille des forces d'occupation. À l'inverse, dans le Nord, entre les ports de Calais et de Boulogne, les routes étaient envahies de camions allemands et de *Kübelwagens*[6]. Soudain, à la sortie d'un virage, apparut un champ vallonné où des soldats français étaient éparpillés tels des moutons en train de paître. Ils étaient surveillés par une demi-douzaine d'Allemands qui semblaient s'ennuyer à mourir, mais aucun de ces prisonniers ne cherchait à s'évader car ils espéraient être renvoyés chez eux dans quelques semaines.

La destination de la camionnette et de la Jaguar était un hameau situé près de la côte, au sud-ouest de Calais. Cette dernière partie du voyage de sept cents kilomètres n'en finissait pas. Ils s'arrêtèrent

---

6. Véhicule découvert semblable aux Jeeps américaines.

pour refaire le plein de la voiture de Maxine, puis une seconde fois pour se reposer un peu.

Lucien et Hortense Boyer ne tinrent plus en place lorsqu'ils reconnurent leur village natal. Quelques instants plus tard, les deux véhicules franchirent le portail d'une petite maison de campagne dont un des pignons s'ornait d'une tourelle excentrique.

– Mémé ! Pépé ! s'écria Hortense de sa voix haut perchée, alors qu'un vieil homme la soulevait dans ses bras, à l'arrière de la camionnette.

Marc et Rosie étaient émus par l'intensité de ces retrouvailles. Ils sautèrent dans l'allée et marchèrent pour se dégourdir les jambes après être restés assis toute la journée.

– Maman est morte dans un bombardement, expliqua Hortense, la gorge serrée, en fourrant son nez dans le cou de son grand-père.

Luc Boyer la serra contre lui ; il avait les larmes aux yeux. Sa femme Viviane étreignit Lucien et déposa un baiser sur son visage crasseux. Les époux Boyer, proches de la soixantaine, étaient habillés à la manière des paysans, cependant de petits détails – comme la montre suisse de Luc et les chaussures en cuir souple de sa femme – indiquaient qu'ils possédaient des terres mais ne les travaillaient pas eux-mêmes.

– J'ai bien cru ne jamais vous revoir, dit Viviane en sanglotant. Hier, nous avons enfin reçu une carte de votre papa. Il est en prison à Lille, mais au moins il est sain et sauf.

Quand ils entrèrent dans la maison, Lucien se précipita vers une énorme domestique pour la serrer dans ses bras, avant de chahuter avec le fils cadet des Boyer, un garçon de seize ans prénommé Daniel.

L'un après l'autre, les voyageurs prirent un bon bain dans l'immense baignoire de la maison, pendant qu'on lavait leurs vêtements sales. À l'heure du repas, Viviane sortit du four un magnifique gigot d'agneau. Le vin coula à flot au cours du repas et les adultes fermèrent les yeux lorsque Marc, PT et Daniel buvaient des petits coups en douce.

Une fois tout le monde repu, les enfants sortirent dans le jardin de derrière pour profiter des derniers rayons de soleil. Lucien et Hortense se coururent après, Paul et Rosie firent de la balançoire, tandis que les trois garçons plus âgés cuvaient dans l'herbe.

Pendant ce temps, Henderson et Maxine se retirèrent dans le salon en compagnie des époux Boyer pour discuter de choses sérieuses, autour d'un verre de cognac.

Luc fumait un cigarillo en interrogeant Henderson sur son passé et sa famille. L'esprit un peu embrumé par la demi-bouteille de vin qu'il venait de boire, l'Anglais dut faire un effort pour se remémorer les détails d'une histoire complexe où la réalité se mêlait à la fiction.

La vérité, c'était qu'après avoir consulté une liste d'enfants perdus originaires du Pas-de-Calais, grâce aux fichiers constitués par Maxine, Henderson avait choisi

Lucien et Hortense car des documents retrouvés sur le corps de leur mère indiquaient qu'ils venaient d'un village situé entre les ports de Calais et de Boulogne, un endroit idéal pour espionner les préparatifs des forces allemandes en vue de l'invasion de l'Angleterre.

Au cours de ses recherches, il avait également trouvé un carnet dans lequel figurait le numéro de téléphone des beaux-parents de la défunte. Outre que cela facilitait les communications, l'existence d'un téléphone signifiait qu'ils étaient riches et susceptibles de pouvoir l'aider.

Lors de plusieurs conversations, Henderson avait exposé sa situation et trouvé un arrangement avec Luc Boyer. Avec tous ces réfugiés échoués dans le Sud de la France, lui avait-il expliqué, il n'y avait plus d'embauche, or il avait besoin de nourrir ses quatre enfants.

Il avait entendu dire que le travail ne manquait pas, dans le Nord, pour ceux qui pouvaient s'y rendre, et justement, il avait les moyens d'obtenir les papiers nécessaires pour pénétrer dans la zone militaire. Henderson proposa donc à Boyer de lui amener ses deux petits-enfants. En échange, Boyer les logerait gratuitement dans une ferme, sa famille et lui, pendant quelques mois.

— Il reste encore un petit détail que je n'ai pas pu évoquer au téléphone, dit Henderson, timidement, pendant que Viviane lui servait un deuxième verre de cognac. Mon contact allemand m'a dit que ce serait plus facile si nous voyagions tous avec le même nom.

C'est pourquoi nous avons choisi de nous appeler Boyer, nous aussi. Il serait donc préférable que vous expliquiez aux gens d'ici que je suis un lointain cousin ou quelque chose comme ça.

En tendant son verre à Henderson, Viviane lui jeta un regard sceptique.

— Même ceux qui ont vécu ici toute leur vie n'ont pas le droit de revenir dans la région, dit-elle. Les gens vont se demander d'où vous venez.

— Les Boches manquent de traducteurs, expliqua son mari. C'est vraiment une chance *incroyable* que vous parliez bien l'allemand.

Henderson savait que Luc Boyer avait du mal à digérer le fait qu'il ait osé utiliser son nom de famille et, de toute évidence, sa femme et lui sentaient qu'on leur cachait des choses, mais ils étaient fous de joie de retrouver leurs petits-enfants et disposés, apparemment, à se contenter de ces explications. Pour l'instant, du moins.

•:•

Marc se réveilla sur un matelas nu, dans une pièce qui sentait l'humidité. Le soleil qui entrait par une fissure dans la toiture formait une flaque de lumière dans le coin le plus reculé. Un rot provoqua une remontée acide dans sa gorge et, horrifié, il crut qu'il allait vomir sur la couverture.

Des coups sourds résonnèrent à l'intérieur de son crâne quand il tourna la tête pour découvrir les bottes de PT posées sur le sol à côté de lui. Marc repensa au vin qu'il avait bu et au trajet nocturne sur un chemin cahoteux à l'arrière de la camionnette ; en revanche, il n'avait aucun souvenir de la maison, ni de la chambre dans laquelle il venait de se réveiller.

Des stalactites de moisissure pendaient du plafond dans le couloir étroit et l'humidité semblait ronger les murs de l'intérieur. Au pied d'un escalier pentu, une porte qui raclait le sol, car les gonds du haut s'étaient détachés sous l'effet de la rouille, s'ouvrait sur une cuisine.

— Des œufs ! s'exclama joyeusement Rosie en brandissant sous son nez une poêle qui grésillait.

— Fiche-moi la paix, grogna Marc.

Il plaqua sa main sur sa bouche et se précipita devant PT et Paul, vers la porte de derrière, juste à temps pour vomir une sorte de bouillie rougeâtre sur un buisson de chèvrefeuille.

PT s'écria par la porte ouverte :

— Sale porc !

— Pauvre chaton, ironisa Maxine en rejoignant Marc dans la fraîcheur matinale.

Elle avait troqué ses bas, ses jupes et ses beaux chemisiers contre une paire de bottes et une salopette.

— J'ai l'impression, dit-elle, que quelqu'un ne supporte pas très bien le vin.

Pour toute réponse, Marc émit un « Oh, mon Dieu ! », avant de se pencher en avant pour vomir de nouveau.

Plus compatissante, Rosie lui tendit un verre d'eau du robinet pour qu'il se rince la bouche.

— Pourquoi personne ne m'a empêché de boire ? gémit-il.

Il retourna dans la maison d'un pas mal assuré, en se tenant les flancs.

— Si tu es assez bête pour tenter de rivaliser avec un garçon de seize ans deux fois plus grand que toi, tu dois en supporter les conséquences, dit Maxine.

Marc leva les yeux vers les poutres pourries du toit, il regarda les chaises branlantes et le fourneau rouillé.

— Qu'est-ce qu'on fait dans ce taudis ? demanda-t-il.

— Tu aurais dû voir la tête d'Henderson quand on est arrivés hier soir, dit PT avec un sourire jusqu'aux oreilles. Il était furax, il accusait le grand-père Boyer d'être un sale menteur et ainsi de suite. Il n'y a pas d'électricité dans la baraque et les bâtiments de la ferme sont en plus mauvais état encore que cette ruine.

— Il suffit de faire un peu de ménage, dit Maxine d'un ton optimiste, pendant que Rosie servait des œufs à Paul et PT, ce qui provoqua chez Marc un nouveau haut-le-cœur. Et surtout, ajouta-t-elle, nous serons à l'abri.

— Où est Henderson ? demanda Marc.

— Il est parti en vélo à Calais pour voir les Allemands.

— C'est loin d'ici ?

— Une quinzaine de kilomètres. Mais il n'y a plus d'essence dans la Jaguar et de toute façon, cette voiture risque d'attirer l'attention. La camionnette est à sec, elle aussi.

— On ferait bien de réparer le toit dans la chambre, dit Marc. Vu la grosseur du trou, s'il se remet à pleuvoir on risque de mourir noyés dans notre sommeil, PT et moi.

— J'ai fait la liste des tâches à accomplir, annonça Maxine. Rosie et moi, on va récurer cette maison du sol au plafond et ensuite, on sortira de la camionnette tout ce dont on a besoin. PT dit qu'il a vu des plaques de métal dans la cour ; il va essayer de rafistoler le toit. Charles veut envoyer un message cette nuit, le travail de Paul consistera à déballer l'émetteur et à dénicher le meilleur endroit pour la transmission. Il ne reste donc que toi, Marc, pour t'occuper des animaux.

Celui-ci prit un air hébété.

— Quels animaux ?

Maxine sourit.

— D'après Luc Boyer, cette ferme a été abandonnée voici trois mois et les terres n'ont pas été entretenues correctement depuis que le fermier et son fils ont été enrôlés dans l'armée, il y a presque un an de cela. Je crois savoir que c'est toi le spécialiste du groupe.

Marc protesta :

— J'ai fait quelques travaux à la ferme quand j'étais à l'orphelinat, mais je ne suis pas un spécialiste. J'ai d'abord travaillé dans les champs, avant de nettoyer les étables.

— Je vous avais bien dit qu'il s'y connaissait en vaches ! s'exclama gaiement Rosie. Tu peux donc aller t'occuper de Muriel et de Sarah.

— Par pitié, supplia Marc. Tout sauf des vaches sales et puantes. Elles ne savent faire que deux choses : manger et déféquer. Mais comment tu connais leurs noms, au fait ?

— Je ne les connais pas, avoua Rosie. Je les ai baptisées comme ça ce matin, quand je suis allée me promener.

— Je ne suis pas un fermier, je le répète.

— Peut-être que tu ne sais pas tout, dit Maxine, mais moi je n'ai jamais mis les pieds dans une ferme. Charles non plus. Quant à PT, Paul et Rosie, ce sont tous de petits citadins. Autrement dit, tu fais figure de spécialiste par rapport à nous.

— Mais pourquoi s'embêter ? demanda Marc. Henderson et PT ont plein d'argent. On peut acheter à manger.

— On est censés être une famille de pauvres fermiers, je te le rappelle, imbécile ! dit Rosie. Les gens du coin vont se poser des questions s'ils nous voient dépenser à tout-va.

Marc mangea une demi-tranche de pain et but un bol d'eau fraîche avant que Maxine ne le pousse à aller travailler en claquant les portes et en déplaçant bruyamment les ustensiles de cuisine pendant qu'elle nettoyait les placards.

Il eut un choc en découvrant la ferme. Du temps où il vivait à l'orphelinat, il travaillait pour un certain Morel ; il était habitué aux étables propres et aux récoltes soigneusement entreposées. Ici, où qu'il posât le regard, tout était synonyme de travail harassant : deux champs envahis de ronces presque aussi hautes que lui, une charrue à main rouillée, un puits sans seau et des « toilettes » qui se résumaient à une cabane abritant un trou creusé dans le sol, infestée de mouches.

Avant de partir, trois mois plus tôt, les précédents occupants avaient libéré les bêtes pour qu'elles se nourrissent elles-mêmes. Les poulaillers étaient couverts d'une couche d'excréments séchés et aux alentours, les mauvaises herbes étaient parsemées de plumes, vestiges des poules qui avaient été attaquées par des renards. L'enclos des chèvres avait été déserté. Il ne restait que deux pauvres vaches livrées à elles-mêmes dans le champ le plus éloigné de la maison.

En suivant le sentier qui disparaissait sous la végétation, Marc respira l'odeur familière du purin et fut surpris d'éprouver un sentiment de nostalgie pour cette époque passée à la ferme de Morel, près de Beauvais. Il se souvenait en particulier de Jade, la jolie fille du fermier. Jamais il n'avait été si près d'avoir une petite amie, jusqu'à ce qu'il la fasse tomber malencontreusement dans une fosse à purin.

L'étable pouvait accueillir huit bêtes, mais les plus belles avaient dû être vendues avant le départ des propriétaires ou volées par la suite. Il ne restait qu'un veau de six ou huit mois, estimait Marc, affublé d'une malformation d'une patte arrière. Sa mère semblait relativement en bonne santé, exception faite d'une infection due aux tiques qui lui laissait la peau à vif par endroits.

Marc s'accroupit pour inspecter ses pis : il constata qu'elle produisait encore du lait pour son veau. Dans l'étable, il trouva un pot qu'il nettoya dans un abreuvoir rempli d'eau de pluie, puis il s'approcha de la vache, non sans appréhension. Il lui tapota le flanc pour voir si elle acceptait sa présence, avant de mettre un genou à terre afin de s'assurer que les mamelles n'étaient pas infectées.

La vache n'ayant pas été traite depuis longtemps, Marc redoutait une relation violente de sa part, mais lorsqu'il fit glisser délicatement sa main vers les pis gonflés, un jet de lait chaud et crémeux frappa le fond du pot en fer-blanc.

— Bravo, ma belle, dit-il d'un ton rassurant, et il caressa le flanc de la vache qui se mit à meugler.

CHAPITRE QUATORZE

Après six jours passés à la ferme, la fausse famille avait établi un train-train quotidien. Henderson s'était plaint auprès des époux Boyer de l'état des lieux, alors le vieux couple leur avait envoyé un homme à tout faire pour effectuer quelques réparations dans la maison et leur avait donné une chèvre, quelques poules et une troisième vache.

Si les terres étaient encore en friche, la maison, elle, était désormais à l'abri de la pluie. Le temps ensoleillé et une aération frénétique de toutes les pièces chassèrent peu à peu la puanteur de l'humidité. Les précédents occupants avaient planté un potager et deux champs de pommes de terre au printemps, et même si les récoltes avaient été négligées, il restait suffisamment de légumes pour nourrir une famille.

Les poules donnaient des œufs et Marc avait nettoyé l'étable pour pouvoir traire les deux vaches adultes chaque jour. Il en tirait de la fierté, car c'était la première fois qu'il assumait seul une telle responsabilité.

En semaine, Henderson partait à sept heures du matin pour se rendre à Calais où il travaillait comme traducteur au quartier général de l'armée allemande. Pendant ce temps, Maxine et les enfants effectuaient quelques petits travaux, mais du fait de leur manque d'expérience, ils se concentraient essentiellement sur des tâches de nettoyage au lieu de défricher les terres afin d'accroître les rendements de la ferme.

L'école locale avait fermé avant l'invasion et, comme les élèves étaient peu nombreux et les maîtres encore moins, elle ne semblait pas près de rouvrir ses portes. Aussi, après avoir préparé le déjeuner, Maxine laissait-elle les enfants libres de faire ce qu'ils voulaient. Paul aimait partir seul, avec un grand cahier et une boîte de crayons de couleur et de pastels qu'Henderson avait achetés chez un prêteur sur gages de Calais.

Paul avait toujours vécu à Paris et il était fasciné par le bord de mer. À quelques minutes de marche de la ferme, il y avait une plage de galets bordée par une petite falaise de pierre blanche. Il aimait venir s'y asseoir seul pour dessiner, mais encore plus quand les Allemands étaient là.

Ils arrivaient dans des camions ouverts, s'alignaient sur la plage et exécutaient des exercices physiques avant de se mettre en caleçon pour descendre vers la mer. Caché derrière les rochers, Paul s'amusait à les dessiner.

Il avait toujours considéré l'armée allemande comme une force invincible composée de brutes musclées, mais en voyant ces soldats privés de leurs armes, de leurs bottes et de leurs uniformes, il avait l'impression d'assister à un cours de gymnastique comme à l'école. Certains, pleins d'assurance, se jetaient dans les vagues, tandis que d'autres, au corps flasque ou maigrelet, semblaient empotés et avançaient sur les galets en boitillant.

Paul les croquait de quelques coups de crayon, essayant de saisir leurs expressions et leurs postures. Un des hommes, qui ne savait sans doute pas nager, fut entraîné de force dans l'eau par ses camarades. Il braillait et se débattait pendant que d'autres, restés sur le rivage, ricanaient. Leurs railleries rappelaient à Paul les garçons qui prenaient plaisir à le bousculer dans la cour de l'école.

L'idée qu'une fois ses études terminées, il devrait entrer dans l'armée et supporter les mêmes brimades, le déprimait. Trop occupé à s'apitoyer sur lui-même, il n'entendit pas l'officier allemand qui gravissait les rochers blancs, dans un angle mort sur sa gauche.

Soudain, une botte frappa le sol à quelques mètres de lui, faisant jaillir des éclats de calcaire qui dévalèrent la paroi de la falaise. L'officier était un homme séduisant à la mâchoire carrée et aux longs doigts fins.

Redoutant de recevoir une gifle ou un coup de pied, Paul lâcha son carnet et se protégea la tête.

— N'aie pas peur, dit l'officier dans un français presque parfait. Je vois que tu ne portes plus ton attelle aujourd'hui.

Paul n'en revenait pas. Il croyait être invisible, mais de toute évidence, cet Allemand l'avait déjà vu dans les parages.

— Maxi... Euh, ma mère me l'a enlevée hier soir, expliqua Paul, méfiant.

Il tendit son bras, nettement tordu.

— Il n'est pas très bien remis, dit-il, mais heureusement, je dessine avec la main gauche.

— Comme moi, dit l'Allemand sans cesser de sourire. Je suis gaucher également, mais à l'école, chaque fois que je tenais mon stylo de la main gauche, le professeur me donnait une tape sur les doigts.

— Moi aussi, dit Paul, plus détendu maintenant qu'il paraissait évident qu'il ne risquait rien. C'est vraiment idiot, hein ? Qu'est-ce que ça change si on écrit avec la main gauche ?

L'officier haussa les épaules.

— Aucune idée. Dis-moi, que penses-tu de ces nageurs, aujourd'hui ?

— Ils ne sont pas aussi doués que ceux de la semaine dernière.

— C'est un euphémisme ! s'exclama l'Allemand en riant. Il s'agit d'un bataillon de chasseurs alpins. La moitié d'entre eux ne savent pas nager et la plupart n'avaient même jamais vu la mer.

Paul ne savait pas quoi répondre et il s'ensuivit un bref moment de silence avant que l'officier ne se penche pour prendre le carnet du garçon. Il s'esclaffa en découvrant les esquisses représentant ses hommes en train de se débattre dans les flots ou de faire leurs exercices.

— Ces dessins sont excellents. Tu as su rendre leur… je ne connais pas le mot en français. Le *sentiment* de leur corps.

Paul appréciait le compliment. Il sourit.

— Les émotions, dit-il.

— Oui, c'est ça. *(L'officier feuilleta le carnet.)* Les émotions. Tu sais traduire un tas de choses en quelques traits seulement.

Paul tressaillit lorsque l'Allemand tourna les pages du cahier à spirale. Il détestait que l'on regarde ses dessins car, parfois, il représentait des choses très sombres comme des cadavres ou des individus dévorés par des insectes géants.

L'officier s'arrêta sur un pastel représentant Rosie, un marteau à la main, en train d'aider PT à réparer le toit de la ferme.

— C'est ta fiancée ? demanda-t-il pour le taquiner.

Paul secoua la tête.

— Ma sœur.

— Tu dessines très bien. *(L'officier sortit de sa poche une petite barre de chocolat.)* Tiens. J'en ai plein.

Paul raffolait du chocolat. C'était la première fois qu'il en voyait depuis qu'il avait quitté Paris, un mois plus tôt. Il se jeta dessus.

— Merci beaucoup, monsieur.

L'officier lui rendit son carnet et sortit son portefeuille de sa poche d'uniforme.

— Je t'ai aperçu plusieurs fois sur les rochers. Mais j'ignorais que j'étais en présence d'un tel artiste. As-tu déjà essayé de dessiner à partir d'une photo ?

Paul acquiesça.

— Ça ne rend pas aussi bien que d'après un modèle, mais je l'ai fait souvent. Quand j'étais petit, je dessinais des voitures et des avions à partir de photos dans les magazines. Maintenant, je dessine plutôt des gens ou des animaux. Je ne saurais pas dire pourquoi, mais je trouve ça plus intéressant.

L'Allemand prit une photo dans son portefeuille.

— Ma femme, ma fille et moi. Si je te la confiais, pourrais-tu en faire un petit dessin ?

Paul aimait choisir lui-même ses sujets, mais cet officier l'intimidait et puis, il lui était reconnaissant pour le chocolat.

— Tu sembles hésiter, dit l'Allemand. Mais tu aimes le chocolat, non ?

— Ce que j'aime encore plus que le chocolat, c'est le pain et la confiture.

Cette remarque venue du fond du cœur fit rire l'Allemand.

— Dans notre réserve, nous avons des boîtes d'excellent chocolat belge. Il y a vingt-quatre tablettes par boîte. Si je t'en donne une, est-ce que tu dessineras ma famille à partir de cette photo ?

— On n'a presque plus de confiture, dit Paul. Vous en avez aussi ?

L'officier représenta avec ses mains un écartement de trente centimètres.

— On reçoit la confiture dans des boîtes en fer de cette taille. Fraise et abricot.

— Je ferai votre dessin en échange d'une boîte de confiture de fraises.

— Marché conclu, dit l'Allemand en lui donnant la photo. C'est la seule que je possède, fais bien attention de ne pas la perdre.

∴

Henderson était en forme, mais les Allemands le laissaient rarement quitter son travail avant dix-neuf heures et, au retour, le trajet de treize kilomètres le long de la côte n'était pas une partie de plaisir. Les bourrasques venues du large faisaient tanguer sa bicyclette et parfois, il frôlait dangereusement les véhicules militaires. Les chauffeurs allemands se moquaient des limitations de vitesse et savaient qu'ils risquaient tout au plus une réprimande s'ils écrasaient un vulgaire cycliste français.

À mi-chemin entre Calais et la ferme, les Allemands avaient installé un barrage. Composés généralement de deux voitures ou deux camions stationnés en travers de la route et de trois à six soldats, ces points de contrôle surgissaient au hasard dans toute la région.

Celui-ci était le troisième que rencontrait Henderson depuis une semaine qu'ils vivaient dans le Nord. Les Français devaient faire la queue, alors que les véhicules allemands passaient sans s'arrêter. La durée de la queue variait, en fonction de la circulation et du zèle des soldats, mais après une journée de dix heures de travail, une simple attente de dix minutes suffisait à vous mettre en colère.

Les forces d'occupation ayant interdit la vente d'essence aux Français, ceux-ci ne se déplaçaient quasiment plus en voiture. Ce soir, la queue se composait d'un tracteur, de huit cyclistes et d'autant de personnes à pied. Le soldat chargé d'inspecter les documents parlait moins d'une douzaine de mots de français, mais il examinait tous les papiers avec la plus grande attention, en les approchant de la lumière des phares pour essayer de détecter les faux.

Si les Allemands cherchaient avant tout les espions, leurs proies quotidiennes étaient les soldats français échappés des prisons mal gardées. Conséquence : les hommes étaient plus sévèrement contrôlés que les femmes et ceux qui avaient l'âge d'être dans l'armée, comme Henderson, pouvaient s'attendre à être cuisinés.

Au bout d'un quart d'heure d'attente durant lequel la queue n'avait presque pas progressé, une limousine Mercedes, arborant des drapeaux nazis de chaque côté de son long capot, s'arrêta à la hauteur du barrage. Henderson craignait qu'on vienne le chercher pour servir d'interprète au cours d'une réunion nocturne. La porte arrière s'ouvrit, laissant apercevoir l'Oberst[7] Ohlsen, sous-commandant de la région Pas-de-Calais.

— Monsieur Boyer ! dit-il d'un ton chaleureux. Puis-je vous déposer ?

Henderson reconnut l'officier supérieur chauve qu'il avait rencontré le vendredi précédent, alors qu'il assurait la traduction lors d'une discussion avec un responsable des chemins de fer français.

L'Oberst frappa à la vitre qui le séparait du chauffeur et ordonna à celui-ci d'attacher le vélo d'Henderson à l'arrière de la Mercedes. Henderson fit le tour du véhicule pour aider le chauffeur, mais Ohlsen lui enjoignit, d'un ton brusque, de monter.

L'intérieur de la limousine était lambrissé de plaques de noyer. À l'arrière, deux sièges confortables faisaient face à deux strapontins latéraux. Henderson prit place à côté de l'Oberst, séparé de lui par un accoudoir en cuir qu'il souleva pour faire apparaître deux carafes en cristal et une rangée de verres.

— Vous voulez boire quelque chose ?

Henderson avait soif après un trajet de six kilomètres à vélo. Il aurait préféré de l'eau bien fraîche à du whisky ou du vin, mais l'occasion de lier connaissance avec un haut gradé était trop rare pour qu'il la laisse passer. Alors, il accepta un verre de vin rouge.

— Vous rentrez chez vous, monsieur Boyer ?

---

7. Officier de haut rang de l'armée allemande.

— La journée a été longue. J'ai hâte de goûter au repas que m'aura préparé ma femme.

Le chauffeur démarra. Le moteur de l'énorme berline était tellement silencieux malgré sa puissance qu'ils entendirent claquer les bottes des soldats allemands sur la chaussée quand ceux-ci saluèrent leur supérieur.

— Je vous envie, dit Ohlsen. Cela fait quatre mois que je n'ai pas vu ma femme.

Cette remarque provoqua chez Henderson un sentiment de culpabilité. Cela faisait plus de quatre mois que lui non plus n'avait pas vu sa véritable épouse, en Angleterre, et Maxine n'était pas la première femme avec qui il avait eu une aventure durant ce laps de temps.

— C'est mieux que la bicyclette, commenta-t-il avec un sourire en s'affalant dans le siège en cuir rembourré, pendant que l'Allemand levait son verre pour porter un toast.

— À la coopération ! dit Ohlsen.

Henderson l'imita.

— C'est une chance d'être tombé sur vous, monsieur Boyer. Votre traduction lors de cette discussion de vendredi était parfaite, et j'ai découvert qu'un bon interprète pouvait me faciliter considérablement la vie.

— Merci, monsieur.

— J'ai reçu des ordres du général Rufus aujourd'hui. Il m'a chargé de planifier l'ensemble de l'opération Lion de mer.

En fourrant son nez dans des documents, Henderson avait appris certaines choses qu'il n'aurait pas dû connaître, alors il joua les candides.

— L'opération Lion de mer, Herr Oberst ?

— Pour envahir l'Angleterre. La logistique donne le vertige : onze bataillons, vingt mille chevaux, dix-huit mille chars, des pièces d'artillerie et Dieu sait combien de véhicules à acheminer de l'autre côté de la Manche, sur des barges. La bataille entre la Luftwaffe et la Royal Air Force tourne en notre faveur et Berlin exige que nous soyons prêts pour l'invasion dès que nous aurons le contrôle du ciel.

— Une tâche à la hauteur de vos compétences, répondit Henderson.

Devait-il poser une question qui pouvait paraître trop indiscrète ? Il se lança :

— La date de cette invasion a-t-elle été fixée ?

— Pas encore. Mais une fois la Royal Air Force entièrement détruite, les dés seront jetés.

— Avant l'hiver, je suppose ?

— Évidemment, dit l'Oberst. Pour ce genre d'opération, on a besoin d'une météo clémente et de la lumière du jour. L'opération doit avoir lieu avant la fin septembre. Sinon, on devra attendre jusqu'au printemps prochain, et d'ici là, les Britanniques peuvent bâtir on ne sait quelles fortifications.

— En effet, confirma Henderson en buvant sa dernière goutte de vin.

— Un autre verre ? proposa l'Oberst. *(Henderson fit non de la tête.)* Mais revenons-en à vos qualités d'interprète, monsieur Boyer. J'ai dicté une note à l'attention de notre service de traduction, aujourd'hui même, pour demander à ce que vous soyez rattaché à mon service de manière permanente. L'opération Lion de mer est une priorité absolue ; cela signifie que j'ai besoin d'un interprète très compétent, et non pas d'un quelconque incapable choisi par le quartier général.

Henderson sourit.

— Herr Oberst, je suis flatté.

∴

Henderson entra dans la cuisine en sifflotant *All Things Bright and Beautiful*[8] et en exécutant quelques pas de danse. Il embrassa Maxine.

— Tu es en retard, dit-elle. Quelle est la raison de cette bonne humeur ?

— Vous n'allez pas le croire, répondit-il en adressant un signe de tête à Paul et à Rosie déjà assis à table. À moins de recevoir un ordre émanant du bureau du Führer à Berlin pour me confier le commandement de l'invasion de la Grande-Bretagne, je ne pourrais pas être en meilleure position pour dérober des informations.

— Explique-toi, dit Maxine.

---

8. Hymne anglican (NdT).

Elle sortit du four un reste de ragoût de saucisses.

— Vous avez devant vous l'interprète personnel de l'Oberst Günter Ohlsen, responsable de la préparation du plan d'invasion pour la région Pas-de-Calais.

Rosie regarda son frère.

— C'est encore plus fort que l'énorme pot de confiture que tu as soutiré à ce Boche sur la plage.

Assis en bout de table, Henderson était tellement exalté par cet incroyable coup de chance qu'il prit sans faire attention une énorme bouchée de pommes de terre et saucisses.

— C'est brûlant ! s'écria-t-il en recrachant tout dans son assiette. Nom d'un chien ! Maxine, apporte-moi vite de l'eau !

— Idiot, dit-elle en pouffant.

Elle lui tendit un verre d'eau, pendant que Paul et Rosie se tordaient de rire.

— Tu m'as vue sortir le plat du four à l'instant. Tu pensais que c'était froid ?

Quand l'Anglais eut vidé son verre d'eau et avalé quelques cuillerées de ragoût, prudemment cette fois, Rosie déclara, avec le plus grand sérieux :

— Il est huit heures moins le quart. Ce soir, la fenêtre de transmission se situe entre huit heures et quart et huit heures et demie. Si vous devez envoyer un message à Miss McAfferty, je ferais bien de commencer à le coder dès maintenant.

Henderson fit glisser une petite pochette sur la table.

— Ce n'est pas grand-chose, dit-il. Du moins, comparé aux renseignements que j'obtiendrai quand je travaillerai pour l'Oberst. Il s'agit d'informations sur les mouvements des péniches et les nouveaux retards dans la réparation des voies ferrées menant aux quais du port de Boulogne.

Rosie avait un don pour le cryptage des messages. Afin de limiter les risques de voir leur signal radio détecté, elle devait condenser les informations réunies par Henderson pour obtenir le message le plus court possible et le convertir ensuite en utilisant la phrase clé.

— Je me suis entraînée à taper en morse cet après-midi, dit-elle fièrement, tout en parcourant les documents pour commencer à prendre des notes. Je suis arrivée à vingt-deux mots par minute.

— Excellent, dit Henderson. Mais n'oublie pas que la précision est la chose la plus importante quand on communique par code. Il suffit que tu te trompes d'une seule lettre et le pauvre bougre qui reçoit ton message aura toutes les peines du monde à le déchiffrer.

— Je sais, dit Rosie. En fait, j'ai pensé que... Comme vous êtes fatigué et que vous devez vous lever en pleine nuit pour guetter la réponse, vous pourriez peut-être vous reposer ce soir, après le dîner. Paul et moi, on se chargera de la transmission.

Henderson réfléchit en mâchonnant un peu de purée. Paul connaissait mieux que personne le fonctionnement de l'émetteur et Rosie était plus douée que lui pour communiquer en morse. En outre, il était fatigué, en effet, après sa longue journée de travail à Calais.

— Ce n'est pas de refus, dit-il. Je serai ravi de me coucher tôt. Mais n'oubliez pas ce que je vous ai dit. La transmission des messages est la partie la plus risquée de cette opération. Nous ignorons si les Allemands ont des équipes de radiodétection dans ce secteur. Et si oui, nous ne connaissons pas leur niveau de compétence. L'un de vous deux devra rester dehors pour monter la garde pendant la transmission, et au moindre soupçon, vous devrez tout laisser tomber et filer. C'est compris ?

— Parfaitement, dit Rosie.

Paul hocha la tête, mais il se sentait inquiet car c'était lui qui devrait faire le guet et il n'avait pas oublié avec quelle facilité cet officier allemand l'avait surpris sur la plage, plus tôt dans la journée.

— Je serais plus tranquille si Marc ou PT vous accompagnait, ajouta Henderson. Deux paires d'yeux valent mieux qu'une.

Maxine secoua la tête.

— Ils sont sortis se promener avec Daniel, le fils de Luc.

— Tiens donc ? fit Henderson, méfiant. Qu'est-ce qu'ils mijotent ?

— Ils chassent les lapins avec un lance-pierres, expliqua Paul. Ils en ont rapporté deux cet après-midi et Daniel leur a montré comment les dépecer.

Maxine frémit.

— C'était affreux. J'ai failli tourner de l'œil en voyant le sang sur le sol de la grange.

Henderson ne put s'empêcher de rire.

— Si tu veux manger un animal, chérie, il faut le tuer.

Il redevint sérieux en regardant par la fenêtre.

— Je me demande comment ils font pour chasser des lapins dans le noir. On ne voit presque rien dehors.

— En plus, il va pleuvoir, dit Maxine. J'espère qu'ils auront assez de jugeote pour rentrer avant.

CHAPITRE QUINZE

Daniel était un solide garçon de seize ans. Ce n'était pas une lumière, mais PT et Marc le trouvaient très drôle et il en connaissait un rayon question chasse et pêche.

La plupart des habitants de la région n'étant pas autorisés à revenir s'installer dans cette zone militarisée, les trois garçons pouvaient explorer à leur guise des centaines de fermes abandonnées. Leurs anciens occupants étaient des gens pauvres ; néanmoins, Daniel affirmait s'être introduit par effraction dans les maisons pour dérober toutes sortes d'objets de valeur qu'ils n'avaient pas pu emporter lors de leur fuite.

Mais Daniel affirmait toutes sortes de choses, et les seules fermes dans lesquelles il conduisit Marc et PT ne contenaient, en guise de trésors, que des outils et des bouteilles de vin. Quand ils en avaient assez de chasser les lapins ou de jouer les cambrioleurs, ils lançaient des cailloux dans les fenêtres, et Daniel pestait car Marc visait bien mieux que lui.

PT, lui, découvrait avec plaisir la vie à la campagne. En revanche, il avait survécu seul pendant deux ans et il trouvait les fanfaronnades et les penchants destructeurs de Daniel trop enfantins à son goût. Marc n'avait pas de telles réserves. Ayant grandi dans l'atmosphère très stricte d'un orphelinat, la liberté lui apparaissait comme le bien le plus précieux.

Si sa conscience lui rappelait que des gens allaient rentrer chez eux un jour et découvrir leurs portes enfoncées, leurs fenêtres brisées et leurs bouteilles de vin fracassées contre les murs, il aimait néanmoins ce sentiment de puissance que lui procurait le fait de s'aventurer dans ces maisons vides et de faire tout ce qu'il voulait.

La nuit commençait à tomber quand le trio s'assit sur un muret, au cœur du village. L'herbe qui entourait la mare aux canards située au centre de la place leur arrivait jusqu'aux genoux ; deux commerces et le bureau de poste étaient condamnés par des planches. Outre le souffle du vent, les seuls bruits émanaient d'un petit groupe de soldats allemands très excités assis à la terrasse d'un café, de l'autre côté de la place.

Officiers subalternes pour la plupart, ils n'avaient pas plus d'une vingtaine d'années. Ils buvaient du vin, fumaient en parlant de politique ou d'art et se taquinaient sur leurs vies sentimentales respectives. Ils se réjouissaient d'avoir déniché cet établissement isolé qui servait de bons petits plats, loin de leurs camarades plus rustres qui préféraient ingurgiter des litres de bière avant de se bagarrer.

Les trois garçons avaient parcouru plus de dix kilomètres depuis qu'ils s'étaient retrouvés en fin d'après-midi ; résultat, ils avaient mal aux pieds et mouraient de faim. Si le village n'était qu'à deux cents mètres environ de la maison de Daniel, PT et Marc devaient encore marcher trois kilomètres pour regagner la ferme.

— Tu crois que ton père voudra bien nous ramener en voiture ? demanda Marc.

Daniel éclata de rire.

— Jamais de la vie, mon pote. Son réservoir est presque vide. À mon avis, la bagnole aura le temps de rouiller avant qu'il ne s'en serve de nouveau.

— Dans ce cas, on ferait bien d'y aller, dit PT en levant les yeux vers le ciel. On va se faire tremper et j'ai la dalle.

— Notre mère se met en colère quand on laisse le repas cramer dans le four, ajouta Marc.

Daniel, qui ne s'entendait pas avec son père, répugnait toujours à rentrer chez lui.

— Allez ! dit-il. Faites pas les fils à maman. Il est même pas huit heures.

— Nous, des fils à maman ? s'écria Marc. Tu tiens encore la main de la tienne pour traverser la rue.

PT sourit.

— Elle lui tient même la quéquette quand il fait pipi.

— Allez vous faire voir ! cracha Daniel en sautant du muret. Vous ne connaissez rien ! Vous êtes devenus tout verts quand j'ai vidé le lapin.

Marc protesta.

— Nous, au moins, on dégobille pas partout à cause de quelques verres de vin.

— Je vous ai dit que c'était pas de ma faute, gémit Daniel. Mon estomac ne supporte pas le vin.

PT l'imita, en prenant une petite voix :

— *Mon estomac ne supporte pas le vin.* Hou ! Hou ! Espèce de mauviette. Tu n'es qu'une grande gueule. Je t'écoute raconter des bobards depuis cet après-midi, je préfère rentrer pour me remplir la panse et me reposer les oreilles.

Daniel semblait vexé.

— Une grande gueule, moi ? Et vous, qu'est-ce que vous avez déjà fait d'extraordinaire ?

— Plus de trucs que toi, rétorqua Marc en emboîtant le pas à PT. Allez, salut !

— T'en as encore, des dollars américains ? demanda Daniel.

— Qu'est-ce que ça peut te foutre ?

— Vous voyez la bagnole décapotable des Boches, là-bas ? Celle qui est garée près du café.

— Ouais, et alors ? dit Marc.

— Je vous parie un billet de dix dollars que je pisse à l'intérieur.

Marc trouvait cette idée hilarante, mais PT n'aimait pas les ennuis et il était contre.

— Ne sois pas idiot. S'ils t'attrapent, ils vont te fracasser le crâne.

— Tu veux pas cracher dix dollars, c'est tout, répliqua Daniel. Car tu sais très bien que je le ferai.

— Tu es un imbécile. Je rentre chez moi.

— On voit qui c'est, la grande gueule ! Hé, tu sais quoi ? Garde ton fric, je le ferai quand même.

PT prit Marc par le bras tandis que Daniel s'élançait dans les herbes hautes et contournait la mare.

— Ce type est débile. Fichons le camp d'ici.

— Il va se dégonfler, dit Marc.

PT s'éloigna, mais malgré son instinct qui lui conseillait de filer, il avait envie de voir si Daniel allait le faire pour de bon. Alors, Marc et lui plongèrent derrière le muret et regardèrent par les interstices entre les pierres.

— La vache ! s'exclama Marc en voyant Daniel s'arrêter devant la voiture, sur le côté du café.

Il baissa son pantalon et expédia un puissant jet d'urine à l'intérieur de la voiture décapotable. Il commença par l'arrière avant de se déplacer légèrement pour viser le siège du conducteur et le volant, et il conclut en aspergeant le pare-brise.

— Ce type est dingue ! s'esclaffa Marc, pendant que Daniel remontait son pantalon et disparaissait au milieu des arbres, derrière la voiture.

— Viens, dit PT en tirant Marc par le bras. Les Boches ne seront pas contents quand ils vont s'en apercevoir.

.:.

Il y avait une forte présence militaire dans le Pas-de-Calais. Henderson avait appris que, non contents d'installer des barrages sur les routes, les Allemands envoyaient des patrouilles dans la campagne afin de débusquer les prisonniers évadés et les armes. Des affiches placardées dans tous les villages menaçaient de mort quiconque abritait l'un ou l'autre.

Il était impossible de cacher l'émetteur à l'intérieur de la maison. Henderson avait choisi de le dissimuler dans le grenier de la grange d'une ferme voisine inoccupée.

Il faisait nuit quand Rosie acheva une transmission de quatre minutes avec Londres et reçut l'accusé de réception de McAfferty. Après avoir recouvert l'émetteur d'une bâche et de paille, elle récupéra sa lampe à pétrole et descendit l'échelle en évitant soigneusement de poser le pied sur le quatrième barreau, brisé.

En l'entendant approcher, Paul se pencha à l'intérieur de la grange.

— C'est bon ? murmura-t-il.

— Oui.

Elle souleva la lourde échelle pour la déposer à un endroit bien précis, appuyée contre le mur.

C'était une des mesures de sécurité instaurées par Henderson. L'échelle était toujours placée à cet endroit, ainsi, ils sauraient si quelqu'un s'en était servi pour accéder au grenier. De même, deux râteaux étaient posés par terre, sur le seuil, prêts à assommer un intrus distrait. Un morceau d'ardoise coincé dans la porte leur indiquerait si elle avait été ouverte. Enfin, ils n'oubliaient jamais d'arroser le sol en terre à l'entrée, pour que la boue enregistre les empreintes de toute personne pénétrant dans la grange.

Paul coinça le petit bloc d'ardoise en bas de la porte, puis sauta par-dessus la terre mouillée, avant de l'aplatir avec une pelle.

Il faisait nuit noire dans cet endroit isolé au milieu des fermes abandonnées. Les seuls bruits étaient ceux de la nature. Après s'être débarrassé de la pelle, Paul suivit sa sœur dans les herbes hautes.

— J'ai réfléchi, dit-il avec gravité. Qu'est-ce qu'on va devenir si l'Allemagne envahit la Grande-Bretagne ? On n'aura nulle part où aller.

Rosie continua d'avancer ; elle cherchait une réponse appropriée.

— Je ne pense pas que les Allemands puissent battre la Grande-Bretagne. Les Britanniques sont beaucoup plus forts que les Français.

— Pfft, fit Paul. Il y a trois mois, ils disaient que la France était invincible, et regarde où on en est maintenant.

Rosie haussa les épaules.

— Qui peut encore prévoir ce qui va se passer ? dit-elle. Mais Henderson est un homme intelligent. Si la Grande-Bretagne est vaincue, il trouvera un moyen de nous conduire en Espagne ou ailleurs. Et qui sait ? Peut-être que la Grande-Bretagne et l'Allemagne signeront un traité de paix, et à Noël tout le monde aura oublié qu'il y a eu une guerre.

Paul aimait cette idée.

— La nuit, je n'arrête pas d'y penser, avoua-t-il. Je songe à tout ce qui pourrait être différent. Ça m'empêche de dormir pendant des heures.

— Oui, je comprends, dit Rosie. Ça m'arrive aussi, parfois. Mais je me dis qu'on a de la chance qu'Henderson soit là pour veiller sur nous.

— HALTE ! cria quelqu'un.

Des silhouettes surgirent dans les hautes herbes, de tous les côtés. Une voix hargneuse ordonna en allemand :

— Les mains en l'air !

Paul poussa un hurlement et se retourna pour fuir, mais il se cogna contre un corps dans le noir. Sans comprendre ce qui se passait, il se retrouva plaqué au sol.

— Ah, ah, je t'ai bien eu ! ricana Marc. *(Il tordit le nez de Paul avant de le lâcher.)* Je parie que tu as fait dans ton froc.

— Abruti, cracha Paul en se relevant. C'est pas drôle.

— Moi, j'ai trouvé ça très drôle, au contraire, dit Marc.

À quelques mètres de là, PT avait sauté sur Rosie. Comme celle-ci ne s'avouait pas vaincue aussi facilement, ils roulèrent dans l'herbe jusqu'à ce que PT parvienne à la chevaucher pour l'immobiliser. Quand ils se retrouvèrent face à face, elle relâcha ses muscles et esquissa un sourire.

— Vous nous avez joué un sale tour, dit-elle, mais son expression indiquait qu'elle trouvait ça rigolo.

Obéissant à une pulsion irrésistible, PT se pencha en avant pour l'embrasser sur la bouche. Paul et Marc n'étaient qu'à quelques mètres, mais l'obscurité et les herbes hautes les protégeaient des regards indiscrets. Savourant cet instant, PT s'arrêta à quelques millimètres de la bouche de Rosie et sa main remonta sur sa poitrine pour englober un sein.

Cependant, les garçons n'étaient pas les seuls à pouvoir jouer un sale tour. Dès que Rosie sentit que PT se relevait, elle lui décocha un coup de genou dans le bas-ventre.

— Crétin ! dit-elle alors que le garçon gémissait.

Elle lui balança un coup de poing dans l'œil avant de le repousser sur le côté.

— Tu ne connais rien à ce petit jeu, pauvre idiot !

Frapper une fille aurait été déplacé. De toute façon, la question ne se posait pas car, pendant que Rosie retournait vers la maison à grands pas, PT se tordait de douleur dans l'herbe en hurlant comme un chien blessé. Son œil droit ne voyait plus que des taches de lumière.

Marc lui tendit la main pour l'aider à se relever.

— Henderson a raison, déclara Paul avec un sourire triomphant. Ma sœur t'a tapé dans l'œil !

CHAPITRE SEIZE

Paul aimait marcher jusqu'à la plage chaque jour. Après avoir quitté la ferme, il traversait la route nationale, toujours très fréquentée, pour rejoindre le chemin de pierre bordé d'herbes sèches. On n'apercevait la mer qu'après avoir gravi une petite falaise. À cet instant, quatre kilomètres de côte sauvage s'offraient à votre regard.

La veille, à cause du temps orageux, les leçons de natation des soldats allemands avaient été annulées, mais aujourd'hui, le ciel était dégagé et le soleil faisait miroiter la surface de l'eau.

Une vive animation régnait sur la plage. Paul prit soin de rester caché derrière les rochers car il devinait que les officiers allemands n'étaient pas tous aussi sympathiques que celui dont il avait fait connaissance deux jours plus tôt.

De toute évidence, ce n'était pas une journée comme les autres. Les soldats étaient deux fois plus nombreux qu'à l'accoutumée, et il n'y avait parmi eux ni maigrichons ni obèses. Ils semblaient tous bâtis sur le même modèle : épaules larges, torses puissants, cheveux blonds. On aurait dit qu'ils avaient été choisis pour une séance photo.

Un chemin de planches descendait jusqu'à la mer. Plusieurs pièces d'artillerie étaient tirées par des chevaux nerveux car ils n'étaient pas habitués à poser les sabots sur cette surface instable, au milieu du bruit du ressac. Trois péniches flottaient au large. La plus grande était une embarcation autopropulsée, dont l'énorme cale servait à transporter du charbon. Les deux autres étaient reliées à un remorqueur hollandais qui ballottait sur les flots comme un marin ivre.

Paul agita la main en voyant l'officier avec qui il avait discuté se détacher de la masse des soldats pour marcher vers lui.

— Alors, tu es venu assister au spectacle ? lui lança-t-il d'un ton joyeux en le rejoignant au sommet de la petite falaise.

— Je n'ai jamais vu autant de monde.

L'officier lui tendit sa paire de jumelles.

— Regarde sur la jetée, là-bas. Le gros bonhomme en uniforme bleu ciel.

Pour Paul, c'était un grand moment, car son père avait toujours refusé de lui donner une pièce pour utiliser les télescopes quand ils montaient sur la tour Eiffel le dimanche.

— Ouah ! On voit tous les détails. Même les galons sur les uniformes. C'est qui, ces gens ?

— L'homme en uniforme bleu ciel est le Reichsmarschall Hermann Goering, commandant en chef de la Luftwaffe. Il est accompagné d'un ou deux amiraux et de trois généraux. Le type tout en noir est un Standartenfürher des SS.

Paul ne put réprimer un frisson en constatant que ce groupe de haut gradés était entouré de SS. On les voyait rarement dans la zone militarisée, mais il savait par expérience que les SS et les unités de police de la Gestapo étaient les Allemands les plus dangereux.

— Qu'est-ce qui se passe aujourd'hui ? demanda-t-il.

— Une petite démonstration, expliqua l'officier. Nous avons commencé à transformer les péniches en navires de débarquement en vue de l'invasion. Goering s'est installé au quartier général de la Luftwaffe à Beauvais pour coordonner les attaques aériennes sur la Grande-Bretagne, et les généraux ont décidé de lui offrir un spectacle.

Paul reprit les jumelles pour étudier les péniches qui dansaient au large.

— C'est une impression, ou bien elles n'ont pas l'air très stables ?

— Elles sont faites pour naviguer sur les rivières ou les fleuves. On nous a assuré qu'elles pouvaient naviguer en pleine mer, mais j'avoue que je n'aimerais pas traverser la Manche sur une de ces embarcations, surtout par une nuit d'orage.

Paul rendit les jumelles à l'officier et récupéra son carnet qu'il avait posé sur un rocher.

— J'ai fait votre dessin, monsieur.

L'Allemand fut enchanté du résultat. Paul avait déjà réalisé des portraits et il savait que les gens aimaient qu'on leur offre une image flatteuse d'eux-mêmes. La fille et l'épouse étaient reconnaissables, mais plus jolies, d'une certaine façon, que sur la photo.

— J'espère que ça vous plaît. Comme je suis parti d'une photo en noir et blanc, j'ai été obligé d'inventer les couleurs.

— C'est magnifique ! dit l'officier, aux anges.

Sa famille lui manquait, de toute évidence, et il paraissait véritablement ému.

— J'avais prévu de l'envoyer à ma femme, mais tu sais quoi ? Je crois que je vais le garder.

— Je vois que vous êtes très occupé aujourd'hui, dit Paul. Si vous voulez, vous me donnerez la confiture une autre fois.

— Non. Je veux ranger ce dessin dans ma voiture pour éviter qu'il s'abîme. Tu n'as qu'à m'accompagner.

La voiture de l'officier était garée au bord de la nationale, à environ cinq cents mètres. La démonstration avait provoqué un afflux de véhicules et des embouteillages qui donnaient lieu à des coups de klaxon rageurs et des jurons.

Alors qu'ils marchaient vers la route, trois énormes chars Panzer longèrent la plage de galets dans un vacarme d'enfer. Leurs chenilles projetaient des gerbes de cailloux et de terre, tandis que les pots d'échappement, semblables à des tuyaux de cheminée, crachaient des nuages de gas-oil.

– Vous avez déjà conduit un char ? demanda Paul.

– Non, grâce à Dieu. Par contre, j'ai déjà voyagé à l'intérieur, une ou deux fois, et je peux te dire que c'est horrible. Il fait chaud, ça sent mauvais et le lendemain matin, tu te réveilles avec un mal de tête épouvantable et des bleus partout.

La voiture de l'officier était une Renault portant des plaques d'immatriculation françaises, sans doute confisquée à un habitant du coin. Après avoir déposé le dessin de Paul à plat dans la boîte à gants, l'Allemand ouvrit le coffre et en sortit une grosse boîte en aluminium avec une petite étiquette marron. Il la tendit à Paul, qui crut que son bras allait se détacher sous le poids.

– On dirait un pot de peinture, commenta-t-il. Franchement, c'est un sacré coup de chance, car il ne nous reste qu'un tout petit fond de confiture dans un bocal et ma mère n'en trouve plus à l'épicerie du village. Merci !

– De rien. Dépêche-toi de le rapporter chez toi. Il vaut mieux qu'on ne te voie pas transporter une boîte de confiture allemande, surtout avec tous ces SS dans les parages.

Paul était déçu.

– Je voulais regarder les péniches.

– Cours jusqu'à ta maison et reviens, suggéra l'officier. Mais surtout, ne t'aventure pas sur la plage. À ta place, j'éviterais de m'approcher des haut gradés et de leurs gardes du corps.

Paul décida de traverser simplement la route pour cacher la confiture derrière un arbre, sur le chemin de la ferme. Quand cela fut fait, il retrouva son point d'observation habituel au milieu des rochers, tandis que les péniches vides approchaient de la plage.

∴

Alors que l'Oberst Ohlsen se tenait sur la jetée derrière Hermann Goering et une rangée de gardes SS, ses subalternes restés à Calais profitaient de son absence. Outre ses fonctions d'interprète personnel de l'Oberst, Henderson avait reçu pour mission d'enseigner les rudiments du français à six officiers supérieurs.

La salle de classe du quartier général de Calais était l'ancienne salle à manger de luxe d'un paquebot français. Sur les murs étaient accrochés des tableaux représentant des bateaux à vapeur, mais celui qui se trouvait au-dessus de la cheminée avait été remplacé par la croix gammée.

Henderson n'avait jamais enseigné les langues, mais plutôt que d'ennuyer ces officiers avec des exercices écrits, il leur faisait interpréter chacun leur tour des scènes de la vie quotidienne pour leur apprendre à commander à boire dans un café ou à parler avec une standardiste.

Quand il sentait que l'intérêt de ses élèves retombait, il leur racontait des blagues cochonnes ou bien il inventait des scénarios plus osés, du genre : que dire à un Français qui pointe son fusil sur vous parce qu'il vous a surpris au lit avec sa fille.

Cette technique portait ses fruits, mais en fait, elle cachait le véritable objectif d'Henderson, à savoir sympathiser avec le plus grand nombre possible d'officiers allemands.

— En ce moment, notre cher Oberst doit être sur la plage avec son petit maillot de bain rose, dit-il en allemand après avoir jeté un coup d'œil à sa montre et constaté qu'il était une heure moins le quart. *(Il passa au français.)* Je vous propose donc d'interrompre le cours pour une longue pause-déjeuner.

Il fallut une bonne poignée de secondes aux six officiers pour comprendre le sens de cette phrase et se lever de leurs bureaux.

Un jeune major sourit à Henderson.

— Si mes professeurs à l'école avaient été aussi amusants que vous, monsieur Boyer, je n'aurais pas fini dans cette saloperie d'armée !

Quelques-uns de ses camarades approuvèrent d'un petit ricanement.

— Vous voulez venir déjeuner avec nous ?

— J'ai une pile de documents à traduire. Une autre fois, peut-être.

Tandis que les bottes des officiers résonnaient sur l'escalier de marbre, Henderson rangea tous ses papiers dans une mallette et sortit par une porte latérale qui donnait sur une cuisine inutilisée. Il traversa ensuite un couloir recouvert d'un épais tapis et se retrouva dans l'antichambre du bureau de l'Oberst Ohlsen.

C'était là que se trouvait généralement l'Oberleutnant qui servait d'assistant à Ohlsen, mais lui aussi était parti déjeuner. Alors, Henderson ouvrit la porte à double battant et jeta un regard dans le bureau inoccupé. C'était une pièce cossue, décorée de maquettes de bateaux à vapeur, enfermées dans des vitrines, et dotée d'une salle de bains privée, derrière un énorme bureau en bois massif reposant sur des pieds en marbre.

Au mur, un portrait d'Hitler posait sur les visiteurs un regard chargé de reproches, et sur la cheminée, un vase contenait de petits drapeaux frappés du svastika, comme ceux qui ornaient les capots des voitures. Ils rappelaient à Henderson les étendards en papier qu'il plantait sur des châteaux de sable dans son enfance.

Depuis deux jours qu'il était devenu l'interprète personnel d'Ohlsen, Henderson avait participé à une demi-douzaine de réunions avec des élus locaux, des responsables des ports ou des chemins de fer et divers propriétaires de chantiers navals.

Toutes ces discussions lui fournissaient des informations sur le projet d'invasion de la Grande-Bretagne. Hélas, les réunions entre haut gradés se déroulaient entièrement en allemand ; il n'avait donc aucune raison d'y assister. Par conséquent, la seule façon pour lui de s'emparer des plans, c'était de les voler.

Au fond de la pièce se trouvait un immense meuble de rangement constitué d'une trentaine de minces tiroirs. Cette sorte de commode avait été conçue pour recevoir des cartes marines et des plans de bateaux appartenant à la compagnie maritime ; il servait maintenant à ranger des cartes qui indiquaient les positions allemandes et les schémas tactiques en vue de l'invasion.

Henderson retourna jeter un coup d'œil dans le couloir avant d'aller chercher un trousseau de clés dans un des tiroirs du bureau de l'Oberleutnant. De retour dans la pièce voisine, il se servit d'une toute petite clé pour déverrouiller le meuble à plans. Il retint son souffle en ouvrant lentement le premier tiroir.

Il avait déjà vu cette carte étalée sur le bureau d'Ohlsen, mais on lui avait ordonné de se tenir en retrait et d'aller régler un litige au sujet d'une réparation automobile effectuée dans un garage de la ville.

La carte avait été tracée par un dessinateur allemand sur une feuille de papier collée sur du lin. Les côtes anglaises, en haut, et les côtes françaises, en bas, étaient séparées par la Manche. Des centaines de marques et de symboles représentaient aussi bien les villes que les voies maritimes, les positions des divisions de chars allemands ou encore les défenses côtières anglaises.

Des modifications avaient été apportées. On avait utilisé du correcteur liquide pour écrire par-dessus. Ailleurs, des morceaux de la carte avaient été découpés au cutter et la partie manquante redessinée sur une nouvelle feuille. Par endroits, on avait répété la même opération plusieurs fois, transformant la carte en un fragile patchwork de morceaux de papier maintenus par du ruban adhésif.

Consulter cette carte dans le bureau ouvert, c'était prendre un risque insensé, c'est pourquoi Henderson l'emporta dans la salle de bains. Après avoir tiré le verrou, il étendit sur le sol une des épaisses serviettes de l'Oberst pour y étaler la carte.

Les détails étaient si nombreux, il y avait tellement d'indications, qu'il était difficile pour quiconque, à l'exception de la personne qui avait conçu ce plan, de faire la différence entre ce qui était réellement important et les notes ou les ratures ajoutées lors de conversations téléphoniques avec Berlin.

Malgré tout, en étudiant la carte dans son ensemble, Henderson parvint à la conclusion que l'ampleur du plan d'invasion avait été réduite par rapport au projet initial. Au départ, les Allemands avaient prévu d'utiliser 250 000 hommes, en provenance d'une douzaine de ports occupés entre Bruges et Cherbourg. Finalement, ils avaient ramené les troupes à 100 000 hommes, qui débarqueraient sur la côte sud de l'Angleterre, entre Portsmouth et Douvres, avec pour mission de marcher le plus vite possible sur Londres.

Le plan, qui consistait à tenter une invasion avec moins d'un cinquième des hommes qui avaient fait tomber la France, ne manquait pas d'audace. La réalité physique de cette carte sur laquelle les noms des villes anglaises avaient été rayés et remplacés par les noms des divisions allemandes, réveilla le sentiment patriotique d'Henderson et renforça sa détermination à faire tout ce qui était en son pouvoir pour déjouer cette opération.

Il commença par noter un grand nombre de détails, en sténo, avant de dessiner grossièrement les contours des principales zones d'atterrissage et les positions des troupes allemandes.

Évaluer les risques constitue le b.a.-ba du métier d'espion. Si vous en prenez trop, vous vous mettez en danger, mais si vous n'en prenez aucun, vous ne découvrez jamais rien. Henderson aurait pu consacrer toute la pause-déjeuner à recopier les détails de la carte, mais il connaissait personnellement des espions qui étaient morts parce qu'ils s'étaient attardés quelque part ou parce qu'ils étaient revenus chercher des feuilles de papier carbone jetées dans une corbeille. En outre, il savait que s'il était découvert, Maxine et les enfants seraient menacés, et cela l'incitait à se montrer encore plus prudent que s'il avait agi seul.

Quand il estima qu'il ne pouvait pas rester plus longtemps dans la salle de bains sans éveiller les soupçons, Henderson vérifia qu'il n'y avait personne dans le bureau et l'antichambre, puis il rangea le plan à sa place dans le long tiroir.

Au moment où il allait le refermer, il remarqua une mention griffonnée dans le coin inférieur droit de la carte : *S-Tag 16-9*. Il comprit qu'il venait de découvrir l'information la plus importante de toute sa carrière d'espion : les Allemands projetaient d'envahir la Grande-Bretagne le 16 septembre.

•:•

La proue de l'immense péniche qui servait à transporter du charbon avait été découpée et équipée d'une rampe. De son poste d'observation sur les rochers, Paul avait une vue parfaite sur les soldats d'élite qui, leur barda sur le dos, pataugeaient dans cinquante centimètres d'eau salée pour monter à bord. Ils étaient suivis de deux pièces d'artillerie tirées par des chevaux.

À terre comme sur la péniche, tout le monde semblait nerveux lorsque le premier char Panzer III se présenta. Les chenilles mordirent bruyamment sur la rampe glissante et la péniche piqua du nez quand ce monstre d'acier de vingt-deux tonnes commença à la gravir.

Au moment où le milieu du char franchit le haut de la rampe, il bascula tête la première et vint heurter la coque. Toute la péniche s'enfonça dans l'eau et une puissante vague s'abattit sur le rivage, incitant les soldats restés sur les galets à battre en retraite vers le haut de la plage.

Des cris retentirent. L'équipage de la péniche mit fin à la manœuvre car, sous le poids du char, la coque frôlait dangereusement le fond. Des ordres s'échappèrent du poste de timonerie où se tenait le capitaine, déconcerté.

Il mit en marche les deux moteurs Diesel et la péniche dériva. Hélas, piloter en pleine mer une embarcation destinée à transporter du charbon sur les fleuves et les rivières n'était pas une mince affaire. Déjà, des vagues ramenaient la péniche vers la plage, ce qui obligea le capitaine à pousser ses moteurs au maximum pour l'empêcher de s'échouer.

La confusion régnait tandis que la péniche s'éloignait lentement du rivage. D'abord, les haut gradés hurlèrent sur les derniers soldats, les poussant à s'enfoncer dans l'eau jusqu'à la taille avec leur lourd barda. Quatre d'entre eux parvinrent à la rampe de la péniche qui reculait toujours, mais les mariniers comprirent qu'elle allait couler si on ne relevait pas la rampe avant d'atteindre des eaux plus tumultueuses.

Ils actionnèrent alors le treuil et le dernier soldat monté à bord se retrouva déséquilibré. Entraîné dans le vide, il glissa tête la première le long de la rampe et faucha ses camarades telles des quilles de bowling. Ceux qui étaient dans l'eau furent projetés à la renverse par les remous lorsque la rampe de cinq mètres de large fut arrachée à la mer. Plusieurs hommes perdirent l'équilibre et, lestés par leur barda, se retrouvèrent cloués au fond de l'eau.

La péniche continuant à dériver, des soldats qui se trouvaient encore sur la plage se débarrassèrent précipitamment de leurs paquetages pour voler au secours de leurs camarades avant qu'ils ne se noient. Paul tourna la tête en direction de la jetée pour voir comment les haut gradés réagissaient face à ce chaos. Au même moment, il perçut un bourdonnement au-dessus de sa tête : rien d'inhabituel, cela faisait déjà plusieurs jours que la Royal Air Force et la Luftwaffe s'affrontaient au-dessus de la Manche.

Le Reichsmarschall Goering regardait la péniche, les poings serrés, visiblement fou de rage, avant de se tourner vers ses gardes du corps et de choisir d'en rire. Un général, flanqué d'Ohlsen et d'un autre Oberst, traversait la plage de galets comme un ouragan, en direction d'une poignée de subalternes nerveux, parmi lesquels figurait l'officier pour qui Paul avait fait le dessin.

Dans le ciel, le bruit s'amplifiait, mais sur terre, tout le monde avait d'autres préoccupations.

Si Paul ne parlait pas allemand, il avait appris à reconnaître quelques mots, principalement les injures. À présent, tous les soldats étaient ressortis de l'eau et la péniche semblait patauger au large. Apparemment, nul ne savait s'il fallait tenter de la faire revenir vers le rivage pour achever l'embarquement ou terminer la démonstration prévue en s'éloignant encore de quelques centaines de mètres afin de décharger les hommes et les armes dans un port naturel, de l'autre côté de la jetée.

Alors que chacun observait ses voisins sans oser prendre la parole, le vrombissement enfla de nouveau dans le ciel. Paul avait dessiné d'innombrables avions et, même si c'était la première fois qu'il en voyait un « en chair et en os », il reconnut immédiatement les quatre moteurs et le stabilisateur carré du bombardier britannique Halifax. Celui-ci était flanqué de deux chasseurs Hurricane.

Fils d'un Britannique, Paul éprouva instinctivement un sentiment de fierté, mais il avait vu tomber suffisamment de bombes allemandes pour savoir qu'elles ne choisissaient pas leur camp. Il jaillit entre les rochers et se précipita vers la route. En quelques secondes, les Allemands avaient eux aussi identifié la menace et quatre cents hommes, du simple deuxième classe au Reichsmarschall lui-même, coururent se mettre à l'abri.

À près de cinq cents kilomètres-heure, il ne fallut qu'une poignée de secondes à la silhouette lointaine du premier Hurricane pour se transformer en une bête menaçante qui mitraillait la plage en rase-mottes. Paul avait traversé la route et plongé derrière les arbres, près de sa grosse boîte de confiture. En levant la tête, il vit le deuxième Hurricane attaquer à son tour.

Il volait si bas que Paul aperçut les moustaches du pilote dans le cockpit et put distinguer les inscriptions sur le fuselage au moment où il frôlait les herbes hautes au sommet de la falaise. Quelques Allemands ouvrirent le feu avec leurs pistolets, tandis que d'autres fonçaient vers la route ou réclamaient des secours à cor et à cri.

Paul envisagea de s'enfoncer dans les bois, mais la peur le clouait au sol, tandis que le Halifax approchait. Des bombardiers, il en avait vu beaucoup au cours de son exode vers le sud, mais les appareils allemands étaient deux fois plus petits que le redoutable quadrimoteur britannique.

Le temps sembla se ralentir pendant qu'il regardait entre les arbres ; c'était comme si son corps flottait dans le vide, alors que l'avion continuait d'avancer. Il volait à moins de cent mètres du sol et les trappes de la soute à bombes étaient ouvertes. Un soldat passa en courant ; son pantalon imbibé d'eau de mer et sa grosse botte frôlèrent la cheville de Paul.

Lorsque le bombardier largua ses bombes, Paul imagina la mort. Il vit les visages de ses parents quand il ferma les yeux, mais il n'y eut aucune explosion, uniquement des cris en allemand et un frémissement de la brise marine. En rouvrant les yeux, il vit des milliers de brochures danser dans le soleil. Elles dégringolaient sur les falaises, la plage et la route, telle une pluie d'orage. Quelques-unes volèrent jusqu'aux arbres et Paul en attrapa une qui était venue atterrir dans les branches au-dessus de lui.

Sur la couverture bleu et rouge était dessiné un énorme bulldog. Vêtu d'un gilet aux couleurs de l'*Union*

Jack, il tenait Hitler dans sa gueule comme un os. Le titre était en allemand, mais en tournant les pages, Paul s'aperçut qu'il s'agissait d'une parodie de guide qui donnait aux Allemands des conseils pour envahir la Grande-Bretagne.

CHAPITRE DIX-SEPT

Paul s'entendait bien avec PT et Marc, mais Daniel était un vantard qui aimait en imposer aux autres, c'est pourquoi le jeune garçon préférait l'éviter. Aujourd'hui cependant, il avait décidé de faire une exception car il voulait que Marc lui traduise ce que disait la brochure. Il trouva assez aisément les trois grands, à quelques centaines de mètres de la maison, en train d'examiner un piège à lapin qu'ils avaient installé la veille.

La brochure avait été conçue par le ministère de la Propagande britannique, dans le but de démoraliser les troupes allemandes, et elle était intitulée : « Guide de l'invasion de la Grande-Bretagne ». La première partie était un guide de conversation en langue anglaise contenant des phrases utiles, comme : « Aidez-moi, je me noie ! » ou « Par pitié, arrêtez de me donner des coups de baïonnette, je me rends ! ».

Il y avait également une section histoires drôles, que Marc, assis dans l'herbe, lut à voix haute, en s'arrêtant régulièrement pour assurer la traduction.

— « Hitler a convoqué le grand rabbin de Berlin. Il voulait absolument traverser la Manche et il a menacé de détruire toutes les synagogues de la ville si le rabbin ne lui confiait pas le secret de Moïse pour séparer les eaux de la mer Rouge. Le rabbin lui a répondu que la baguette magique de Moïse était exposée au British Museum. »

Paul et PT s'esclaffèrent, mais Daniel demeura dubitatif.

— Je comprends pas.

— Hitler veut la baguette magique, expliqua Marc. Mais elle est au British Museum, *à Londres*. Là où il ne peut pas l'avoir, justement.

Daniel se gratta la tête.

— Mais si les Anglais ont cette baguette, pourquoi ils ne l'utilisent pas ?

— Bon sang, Daniel ! s'exclama PT en frappant le sol de désespoir. C'est une *blague* !

— Parfois, je suis sûr qu'il le fait exprès, ajouta Marc avec un grand sourire. Mais en fait, il est vraiment débile.

— Je suis plus intelligent que toi, rétorqua Daniel. Ma mère dit que j'ai le sens pratique, au lieu d'être doué pour les mots et les chiffres.

Paul ne put résister au plaisir de le taquiner.

— Et ta mère est totalement impartiale, évidemment…

Daniel se cabra.

— Je te conseille de fermer ta sale petite bouche, le gringalet, si tu veux pas que je te l'enfonce dans une bouse de vache.

Paul eut un mouvement de recul instinctif, mais il n'était pas trop inquiet, car il comptait sur Marc et PT pour le défendre. La tension retomba quelques secondes plus tard quand Marc découvrit la double page centrale de la brochure.

— Ouah ! Ça, c'est chouette !

PT et Daniel se penchèrent par-dessus son épaule. Paul, lui, avait déjà vu la photo des deux filles aux seins nus, accompagnée de cette légende adressée aux soldats allemands : « De quoi vous occuper pendant que d'autres hommes s'occupent de vos femmes et de vos filles restées au pays. »

— Vous êtes vraiment dégoûtants, dit Paul. Vous finirez en enfer, c'est sûr.

— Parfois, ça vaut le coup d'aller en enfer, répliqua PT. Tu disais qu'il y avait des milliers de brochures éparpillées sur la route ?

— Différentes ? demanda Marc, avant que Paul n'ait le temps de répondre. Avec d'autres photos de filles, je veux dire.

— Allons-y, on verra bien, suggéra Daniel.

Des bombardiers Halifax qui larguent des photos de filles aux seins nus, ça ne correspondait pas à l'idée que Paul se faisait de la RAF, mais en voyant la réaction de ses camarades, il comprenait que grâce aux pin-up, cette brochure attirerait dix fois plus l'attention. Après avoir envisagé de retourner à la ferme, il choisit finalement d'emboîter le pas aux trois autres.

Une heure s'était écoulée depuis le raid aérien et, sur la plage, tous les Allemands avaient disparu ; il n'y avait plus que de sinistres éclaboussures de sang sur les rochers de calcaire. Ordre avait été donné de ramasser toutes les brochures et il ne restait que des exemplaires détrempés qui s'étaient échoués après le départ des soldats. En revanche, les arbres, au-delà de la route, se révélèrent un bien meilleur terrain de chasse. Marc arracha une branche et s'en servit pour faire tomber des dizaines de brochures coincées dans le feuillage, comme on cueille des noix.

– Alors, on y va dans cette baraque ? demanda Daniel, une fois que les garçons se furent assurés qu'il n'existait pas différentes brochures. C'est pas la porte à côté, mais les gens qui vivaient là étaient pleins aux as. On va pouvoir embarquer des tonnes de trucs, croyez-moi.

Marc soupira.

– Tu nous as déjà dit ça, il y a trois jours, quand on s'est tapé plusieurs bornes pour aller dans l'autre maison.

– On s'est bien amusés à dégommer le vieux gramophone avec des cailloux, non ? De toute façon, qu'est-ce qu'on peut fairc d'autre ?

La plupart des plans de Daniel reposaient sur cette logique. Les garçons ne savaient pas comment tuer le temps, et même si les trésors promis n'étaient jamais au rendez-vous, ils n'avaient pas d'alternatives plus excitantes.

Marc se tourna vers Paul :

— Ça te dit ?

Paul fit la grimace. Il devinait que ça ne lui plairait pas, mais il était curieux de savoir ce que faisaient les trois grands quand ils disparaissaient presque toute la journée.

— J'imagine, dit-il prudemment.

Il leur fallut une heure pour atteindre la maison en flânant, s'arrêtant pour faire des ricochets sur un étang. Daniel se moqua de Paul parce qu'il n'y arrivait pas, et quand enfin ils parvinrent à destination, ce dernier regretta de ne pas être seul quelque part avec ses crayons.

La maison en question était deux fois plus grande que la villa rose où ils avaient vécu quelque temps, dans les environs de Bordeaux. Des champs de blé laissés à l'abandon l'entouraient, mais le grand jardin de devant semblait parfaitement entretenu.

— On dirait que l'herbe a été tondue *hier*, commenta Marc. Cette maison n'est pas vide, c'est sûr.

— Si, répondit Daniel. C'est le vieux gardien qui vit ici qui s'en occupe. Mais il a débarqué chez notre voisin hier soir, en titubant, et ils l'ont installé à l'arrière d'une charrette pour le conduire à l'hôpital de Calais, après le couvre-feu. Appendicite.

— On va cambrioler la maison d'un vieil homme pendant qu'il est à l'hôpital ? demanda Paul.

— C'est pas sa maison, minus, grogna Daniel. Lui, il est juste gardien. Les proprios ont foutu le camp dans leur belle villa de Saint-Raphaël avant l'invasion.

PT admit que cette demeure n'appartenait pas à la même catégorie que les fermes dans lesquelles Daniel les avait conduits jusqu'à présent, et son appétit de voleur l'emporta sur son désir d'éviter les ennuis.

— OK, les gars, dit-il, le sourire aux lèvres. Je vais montrer à la bande d'amateurs que vous êtes comment on fait pour vérifier si la maison qu'on veut cambrioler est occupée ou pas.

Les garçons regardèrent PT marcher jusqu'à la grille et faire tinter la grosse cloche en cuivre installée au-dessus. Il attendit trente secondes, puis recommença. Comme personne ne réagissait, il fit signe aux autres de le rejoindre.

— Et si quelqu'un avait ouvert ? demanda Marc.

— J'aurais inventé un baratin quelconque. *(Il s'assura que Daniel ne pouvait pas l'entendre, alors qu'il pénétrait dans le jardin.)* On leur demande s'ils n'ont pas besoin de quelqu'un pour des travaux de jardinage, ou bien on choisit un nom au hasard et on fait comme si on s'était trompé d'adresse. Quand mon père préparait un coup, il enfilait un costard et se faisait passer pour un vendeur d'encyclopédies. Les gens savent que les représentants sont des gens roublards et ils n'étaient pas surpris, même s'ils l'avaient vu fureter autour d'une maison ou coller son nez aux carreaux.

Pendant ce temps, Daniel s'était arrêté devant un gros pot de fleurs.

— Je pourrais le balancer par la fenêtre, fastoche.

PT examina la façade de la maison.

— Tu nous as dit que le gardien s'était rendu au village à cause d'une crise d'appendicite. Ça m'étonnerait qu'il ait pris le temps de tout fermer.

En effet, deux fenêtres du rez-de-chaussée, sur le côté, étaient ouvertes. Mais c'est Marc qui décrocha le jackpot en actionnant la poignée de la porte de derrière.

— Bien joué ! lança PT en suivant Marc dans une vaste cuisine. À partir de maintenant, il faut faire gaffe car, si le gardien revient, il préviendra les gendarmes. Et ils relèveront les empreintes. Comme on n'a pas de gants, abaissez vos manches de chemise sur vos mains ou utilisez un torchon avant de toucher quoi que ce soit.

Paul ne put s'empêcher de penser que c'était idiot : qui aurait l'idée de relever les empreintes ? Mais il n'avait aucune autorité sur les grands, et il savait que s'il protestait, il passerait pour un dégonflé. Alors, il prit un napperon sur la table qui se trouvait dans le couloir et l'enroula autour de sa main avant de pénétrer dans le salon.

Daniel brisa le silence en faisant tomber délibérément une paire de chevaux en porcelaine qui ornaient le dessus de la cheminée. Il les piétina rageusement avec le talon de sa chaussure.

— Je vous emmerde, monsieur Lecoq !

— C'est qui ce monsieur Lecoq ? demanda Marc.

— Le proprio. Mon père le déteste. Il a construit cette baraque avec l'argent qu'il a volé à mon grand-père dans le temps. Je vais pisser partout !

Marc ne put s'empêcher de rire.

— Tu es un vrai chat de gouttière, ma parole ! Pourquoi faut-il que tu pisses sur tout ?

Daniel était trop occupé à renverser une table et à en détruire les pieds pour répondre. Paul suivit PT au premier étage.

— Tu es sûr que c'est bien de faire ça ? demanda-t-il, nerveux.

— Je sens l'odeur du fric, dit PT en s'arrêtant devant une table pour soulever entre ses mains enveloppées d'un torchon une statuette de momie dorée. Soupèse-moi ça, dit-il en la tendant à Paul.

— La vache !

— C'est de l'or massif, mon gars. Un truc égyptien vieux de trois ou cinq mille ans sûrement. Ça doit valoir plus de deux mille dollars dans une vente aux enchères à New York. Si on laissait ce gros crétin se défouler en bas, pendant qu'on s'en met plein les poches, toi et moi ?

Paul continuait à éprouver un certain malaise, mais il était heureux de voir que PT lui accordait sa confiance, surtout après le coup qu'il lui avait flanqué sur le crâne, à Bordeaux.

— Et tu sais quoi ? ajouta PT avec un sourire. Daniel n'a pas du tout écouté ce que je lui ai dit au sujet des empreintes. Si jamais ça tourne mal, on pourra lui faire porter le chapeau.

Paul n'appréciait guère Daniel, mais la cruauté de PT lui fit froid dans le dos.

— Je croyais que c'était ton copain, dit-il.

PT haussa les épaules.

— Dans ce monde, il y a des gens que j'aime et des gens que je n'aime pas. Mais personne n'est mon copain. C'est comme ça que j'ai réussi à survivre seul depuis le jour où les flics ont assassiné mon père.

C'était une horrible mentalité, mais Paul devinait combien cela avait été dur pour PT de débarquer en France à l'âge de treize ans, sans connaître personne. Une telle expérience ne pouvait que vous briser ou vous endurcir.

— Belle petite bibliothèque, commenta PT avant de disparaître dans une des chambres.

Le balcon qui surplombait le hall d'entrée accueillait huit rangées d'étagères encastrées, remplies de beaux ouvrages reliés. Paul adorait lire, mais tous ses livres étaient restés à Paris.

— Tu crois que je peux en prendre quelques-uns ? cria-t-il.

La réponse de PT lui parvint étouffée car il avait la tête à l'intérieur d'une penderie.

— Tu serais un piètre cambrioleur si tu ne te servais pas.

En bas, Daniel renversa quelque chose et poussa un cri de douleur.

Marc sortit du salon, plié en deux par un fou rire.

— Tu aurais dû voir ça, Paul. Une grande colonne en marbre, en plein sur le pied de ce crétin !

— Ta gueule ! brailla Daniel.

Paul passa en revue les rangées de livres. N'ayant pas de sac, il ne pouvait emporter que ce qui tenait dans ses bras. Il commença par choisir trois romans d'aventure, mais son excitation redoubla quand il découvrit une série de volumes sur les grands peintres. Hélas, ils étaient si volumineux qu'il dut se résoudre à n'en choisir qu'un, sur Picasso. L'ouvrage était présenté dans un coffret en cuir, dont il se servit comme d'un plateau pour empiler d'autres livres d'art, plus petits, avant de terminer par quelques romans.

Le temps qu'il fasse son choix, PT avait inspecté les quatre chambres et il réapparut en tenant un grand torchon dans lequel il avait emballé trois belles montres, soixante-dix francs en pièces et billets, deux paires de boutons de manchette en diamants et la momie en or.

— Imagine un peu le fric que doivent avoir ces gens, dit-il. Ça, ce sont juste les trucs qu'ils n'ont pas emportés.

Paul le suivit en bas. Daniel était occupé à briser des assiettes dans la cuisine, pendant que Marc, qui venait de découvrir sous l'escalier un sac renfermant des vêtements d'enfants, se choisissait une nouvelle chemise, un pantalon et une paire de chaussures quasiment neuves.

— Les miennes sont trop grosses, expliqua-t-il.

Il trouva dans un placard un panier en osier qu'il lança à Paul.

— Chouette ! dit celui-ci. Je vais aller chercher d'autres livres.

Mais PT le retint par le bras, alors qu'il repartait déjà vers l'escalier.

— On est restés suffisamment longtemps. Surtout avec ce gros lard qui fait du boucan... Daniel, on se tire !

Ce dernier s'esclaffa en voyant Paul avec son panier de livres.

— Des bouquins ! ricana-t-il. Une vraie gonzesse.

Marc secoua la tête, consterné.

— Ce n'est pas parce que tu ne sais pas lire...

— Et après ? rétorqua Daniel, sur la défensive. On trouve toujours quelqu'un pour lire à voix haute, non ?

Marc avait lancé ça comme une boutade. Il se pétrifia.

— Tu veux dire que tu ne sais *vraiment* pas lire ?

PT éclata de rire.

— Je savais que tu étais abruti, mais à ce point-là !

— Allez tous vous faire voir ! Je peux vous démolir le portrait quand je veux !

Paul vit que Daniel était vexé. Il leva les yeux vers lui et dit :

— Ce n'est pas difficile de lire. Je pourrais t'apprendre.

En échange de sa compassion, Paul eut droit à un coup de coude dans le dos.

— Qu'est-ce que j'en ai à foutre ? s'écria Daniel. Je te jure que si ton frangin et ton cousin étaient pas là, je t'emmènerais dehors avec tes bouquins et je te tordrais ton sale petit cou de poulet !

— Hé ! intervint PT. Je t'interdis de parler à Paul sur ce ton. Il voulait être gentil avec toi. C'est à nous qu'il faut t'en prendre.

— C'est pareil.

Daniel poussa un soupir en s'apercevant qu'il était le seul à quitter la maison les mains vides.

— Attendez, les gars ! Il y a du pinard dans la cuisine. Si on en fauchait quelques bouteilles pour se bourrer la gueule ?

Marc, qui était déjà sorti dans le patio derrière la maison, se retourna et lança :

— Je croyais que ton estomac ne supportait pas le vin.

Daniel était sur ses gardes depuis qu'il avait avoué ne pas savoir lire.

— C'est rien, ça. Quand j'étais petit, je suis tombé malade et ma mère m'a fait boire du vin coupé avec de l'eau au dîner. Ça m'a dégoûté. Mais maintenant, j'ai seize ans.

— Dépêche-toi d'aller chercher quelques bouteilles, alors, dit PT. Et un tire-bouchon ! Toi, Marc, essuie tes empreintes sur la poignée de la porte.

CHAPITRE DIX-HUIT

Paul commençait à en avoir assez. Les livres pesaient lourd et il n'aimait pas le goût du vin, aussi décida-t-il de rapporter son butin à la ferme. Conformément aux instructions de PT, il cacha le tout dans un appentis derrière l'étable. Mais, incapable de résister, il prit le gros ouvrage sur Picasso et se faufila dans la chambre qu'il partageait avec Rosie au grenier.

Il ouvrit le vasistas afin que la lumière du soleil éclaire les reproductions des tableaux. En entendant sa sœur gravir l'échelle, il s'empressa de glisser le livre sous ses couvertures. Pas assez vite.

— Où as-tu trouvé ça ? demanda-t-elle.

— Nulle part.

Paul comprit immédiatement que c'était la réponse la plus bête qu'il pouvait donner. La plus accablante également.

Rosie lui arracha le livre des mains.

— Ça doit coûter cher, commenta-t-elle. Pourquoi

est-ce que je ne suis jamais invitée à participer à leurs expéditions de pillage ?

— Parce que tu es une fille, je suppose.

— Maxine a dit que tu devais descendre et te laver les mains pour le dîner. Henderson est rentré plus tôt que d'habitude ; il s'est fait déposer en voiture.

Pendant que Paul se savonnait les mains, transformant le savon en mousse grise, Henderson, assis à la table de la cuisine avec Maxine, découpait le lapin. La jeune femme était en colère à cause des garçons.

— Ça commence à m'énerver. Ils passent leur temps par monts et par vaux à faire je ne sais quoi. Marc est censé nourrir et traire les vaches, mais hier soir, il s'est empressé de le faire juste avant de se coucher. Ce matin, j'ai distribué des tâches à chacun, mais ils font tout n'importe comment.

— Moi, j'ai fait ce que j'avais à faire, se défendit Paul en fermant le robinet, avant d'essuyer ses mains sur sa chemise. J'ai nettoyé et peint les deux cagibis.

— Toi, je ne te reproche rien, dit Maxine en tendant à Paul un bol de soupe de légumes et une assiette contenant du lapin. Je parlais surtout de PT et de Marc.

Henderson était de bonne humeur et ne voulait pas que Maxine la lui gâche.

— Allons, ce sont juste des garçons qui se conduisent comme tous les garçons de leur âge. Laisse-les tranquilles.

Maxine déposa son bol devant lui, si brutalement qu'un peu de soupe se renversa sur la table.

— Ça ne me gêne pas de participer aux travaux, Charles. Mais ces deux-là me traitent comme leur domestique. Et si tu voyais leurs têtes quand je leur demande un tout petit service…

— Très bien, dit Henderson, un peu agacé. Quand ils rentreront, je leur parlerai entre quatre yeux. Je leur demanderai de te respecter et d'accomplir correctement les tâches qu'on leur confie. Si ça ne suffit pas, je flanquerai une bonne raclée à chacun.

Maxine secoua la tête.

— La violence ne règle pas *tous* les problèmes, Charles.

Henderson haussa les épaules.

— Soit. Je ne leur filerai pas de raclée. Mais sur des gamins de cet âge, les paroles n'ont pas beaucoup d'effet. Alors, ne t'attends pas à des miracles.

— Excellent, ce lapin, dit Paul en mordant à pleines dents dans une cuisse. Les herbes donnent un bon goût.

— Merci, dit Maxine avec un sourire. C'est du romarin. Ça pousse comme du chiendent dans le jardin derrière la maison.

Le garçon se tourna vers l'Anglais.

— Vous avez vu la brochure qu'ils ont larguée au-dessus de la plage ?

— Oui, dit Henderson et il éclata de rire. L'Oberst Ohlsen était dans tous ses états quand il est revenu de la démonstration sur la plage. Il s'est fait enguirlander dans le bureau du général, une heure durant. Pendant ce temps, les brochures circulaient au quartier général.

— Comment ont réagi les Allemands ? demanda Rosie.

— La plupart ont trouvé ça très drôle, apparemment. Ce qui les inquiète, c'est que l'opération de largage a eu lieu au moment de la visite de Goering. Ils pensent que les services de renseignement britanniques ont peut-être été informés par un espion.

L'inquiétude apparut sur le visage de Maxine.

— Tu crois que ça pourrait te poser un problème ?

— Pas directement, répondit Henderson. Les nazis sont très pointilleux sur le chapitre de la sécurité et l'Oberst lui-même n'avait pas été averti de la présence de Goering. Le général ne lui a annoncé la nouvelle que ce matin, dans la voiture. Par contre, cela risque de faire monter la tension d'un cran et de rendre tout le monde un peu plus méfiant désormais.

— Et pour la collecte des informations ? demanda Rosie. Je sais que notre fenêtre de transmission n'est qu'à vingt-trois heures, mais je pourrais commencer à coder le message après le dîner.

— J'ai fouillé dans les tiroirs du meuble à plans pendant qu'ils étaient tous partis déjeuner, expliqua Henderson avec un sourire satisfait. L'invasion doit avoir lieu le 16 septembre. J'ai pu examiner la carte pendant dix minutes. Nous ne pourrons pas transmettre toutes les informations en une seule fois, il faudra les répartir sur deux ou trois soirs. Nous commencerons par les plus importantes, évidemment.

Maxine demanda :

— As-tu repéré des signes indiquant qu'ils essayaient de détecter les radiotransmissions ?

L'Anglais secoua la tête.

— Non. Mais l'Abwehr – le renseignement militaire – et la Gestapo ne travaillent pas dans le même bâtiment que nous. Peut-être ont-ils des équipes spécialisées dans la chasse aux espions. Ou alors, ils n'ont rien du tout. Impossible de le savoir. Le mieux, c'est de réduire au maximum la durée des transmissions et de changer de lieu d'émission de temps en temps.

•:•

— On va te raccompagner chez toi, dit Marc à Daniel, qui essayait de reprendre son souffle, appuyé contre une clôture.

Il venait de vomir et il tremblait comme une feuille.

— Non, soupira-t-il. Si ma mère apprend que j'ai été malade en buvant du vin, elle va devenir dingue.

PT, de son côté, avait bu une bouteille entière et il le regrettait. Après cette longue marche, il était déshydraté et la migraine qui lui vrillait le crâne avait annihilé l'agréable sensation d'ivresse.

— Pourquoi tu bois du vin si tu sais que ça te rend malade ? demanda-t-il.

— Je sais pas, répondit Daniel. Je croyais que c'était peut-être passé avec l'âge.

Il était un peu plus de dix-neuf heures. Ils suivaient un chemin proche du village et PT n'avait guère envie de rentrer à pied. Marc, lui, n'avait presque pas bu. Daniel lui tapait sur le système et il avait hâte de se mettre à table.

— J'ai faim, déclara-t-il. Je suis vanné et je dois encore m'occuper des vaches. Mais je ne veux pas te laisser seul ici, Daniel. On va te conduire jusqu'à la place du village. Là, quelqu'un pourra t'aider si jamais ça empire.

L'adolescent secoua lentement la tête.

— Laissez-moi. Tout le monde me connaît au village ; ils iront chercher mon père.

PT s'adressa à Marc.

— On a proposé de l'aider, il veut pas. On n'est pas des bonnes d'enfants. Rentrons à la ferme, le dîner nous attend.

Marc hésitait.

— Il est vraiment mal en point, PT. Imagine qu'il tourne de l'œil ? Sa mère va se faire un sang d'encre.

Daniel se pencha en avant pour vomir à nouveau, mais ce n'était plus que de la bile.

— Et puis merde, dit-il. Ramenez-moi. De toute façon, j'ai plus rien à dégobiller. Je dirai à ma mère que j'ai bouffé un truc qu'est pas passé.

PT se plaça à côté de Daniel et le laissa passer son gros bras autour de son cou.

— En route.

L'adolescent se mit à avancer, péniblement, et Marc vint le soutenir de l'autre côté.

— Purée, pourquoi tu es si gros ?

Ils atteignirent le fossé d'écoulement à l'extrémité du champ et commencèrent à gravir le chemin de gravier qui menait à la place du village. Un camion arrivait derrière eux. PT jeta un coup d'œil par-dessus son épaule.

— Les Boches.

— Évidemment, dit Marc. Personne d'autre n'a d'essence.

Quand le camion se rapprocha, PT et Marc entraînèrent Daniel vers le bas-côté. Il était rare de voir un véhicule sur ce chemin qui constituait un détour par rapport à la route. Mais les garçons ne s'en étonnèrent pas, jusqu'à ce que le camion les dépasse à toute allure, en les aspergeant de terre.

— Saloperies de nazis, cracha Marc en frottant ses cheveux pleins de poussière grise.

Sa colère se transforma en inquiétude quand le chauffeur pila net dans un crissement, provoquant l'arrêt brutal du camion à une vingtaine de mètres devant eux. Le hayon arrière bascula et trois jeunes soldats jaillirent de sous un auvent de toile, fusil à la main. Marc reconnut leur chef, un type aux épaules larges, avec des petites lunettes rondes. C'était lui qui parlait le plus fort parmi la bande qui passait ses soirées sur la terrasse du bar du village.

Marc et PT envisagèrent de détaler, mais Daniel était un poids mort et ils n'avaient aucune chance de prendre de vitesse les balles allemandes.

– Pisser dans voiture à nous ? s'écria le costaud dans un mauvais français, en levant la crosse de son fusil.

Le coup atteignit Marc dans la poitrine. Il bascula à la renverse et Daniel, déséquilibré, lui tomba dessus.

– Pisser dans voiture à nous ? répéta l'Allemand.

Le deuxième coup de crosse atteignit Daniel dans les côtes. PT fit demi-tour pour filer, mais les deux autres soldats avaient pris de l'élan et ils le rattrapèrent en quelques foulées. L'un d'eux le saisit par les bras, pendant que son compagnon lui décochait un direct dans le ventre. Quand PT se plia en deux, celui qui l'immobilisait le poussa violemment vers l'avant et sa tête vint heurter un tronc d'arbre. Comme si ça ne suffisait pas, ils lui fauchèrent les jambes pour qu'il s'étale de tout son long sur les racines qui sortaient de terre.

Pendant que l'Allemand aux lunettes rondes continuait à s'acharner sur Daniel à coups de bottes et de crosse de fusil, le chauffeur obligea Marc à se relever et le gifla de toutes ses forces avant de lui tordre les mains dans le dos.

– Saleté de Français ! rugit-il en obligeant Marc à se retourner et en l'entraînant brutalement, jusqu'à ce qu'il vienne percuter le côté du camion. J'avais emprunté cette voiture au major. Sais-tu combien de temps il a fallu pour tout nettoyer ?

— Je ne sais pas de quoi vous parlez, répondit Marc en allemand.

— Je vais te rafraîchir la mémoire ! dit l'Allemand, avant de cogner la tête de Marc contre le garde-boue. Le major Ghunsonn nous a collé un rapport à cause de vous. Ensuite, il nous a ordonné de retrouver les gamins qui ont pissé dans sa voiture.

— Il y a un tas de gamins par ici, mentit Marc.

Un frisson glacé le parcourut lorsqu'il constata que Daniel ne bougeait plus sur le chemin.

— On n'a vu que vous, répliqua le chauffeur. J'ai aperçu un garçon qui faisait le tour du bar, mais ce n'était pas toi, hein ? Il était plus grand.

— Je vous jure que je sais pas ! gémit Marc.

Les larmes ruisselaient sur son visage, tandis que l'Allemand continuait à lui tordre le bras, à tel point qu'il craignait que son épaule ne se déboîte.

— Il y a une prison à Calais, reprit l'Allemand d'un ton hargneux. Vingt types entassés dans une cellule faite pour six, et tu seras le plus petit. Tu ne tiendras pas deux jours... Par contre, si tu me dis qui a fait le coup, je te laisse partir.

Marc essayait de se concentrer, mais il ne désirait qu'une seule chose : que la douleur cesse.

— C'est Daniel, dit-il entre deux sanglots. Le gros qui est couché sur la route.

— Je m'en doutais, dit l'Allemand et il lâcha Marc.

Ce dernier laissa échapper un soupir, mais son soulagement fut de courte durée en sentant des menottes se refermer brutalement sur ses poignets.

— Grimpe dans le camion.

— Vous aviez promis de me laisser partir.

L'Allemand sourit.

— J'ai menti. Le sabotage de biens allemands est un délit grave. Tu es dans de sales draps, mon garçon.

Marc eut du mal à monter à l'arrière du camion avec les mains attachées dans le dos, mais il était plus chanceux que ses deux camarades. Il fallut traîner PT comme un sac ; sa tête pendait dans le vide et il avait le visage en sang.

Daniel semblait plus amoché encore. Il était presque évanoui, ses vêtements étaient déchirés et son corps couvert de traces de coups laissées par les bottes et la crosse du fusil. Les Allemands se mirent à deux pour le soulever. Ils l'appuyèrent contre l'arrière du camion pour qu'il tienne debout. Marc vit le chauffeur se saisir d'une corde et faire un nœud coulant qu'il passa ensuite autour du cou de Daniel.

— C'est la fin du voyage pour toi, gros lard, déclara un des soldats, le plus costaud.

— Par pitié, sanglota Daniel. Ne me tuez pas.

Couchés sur le plancher du camion, Marc et PT échangèrent un regard désespéré.

— Il n'y a plus qu'à trouver une belle branche bien solide, dit l'Allemand avec un large sourire, en testant la solidité du nœud.

Sur ce, il agrippa Daniel par sa ceinture et le hissa à bord du camion.

CHAPITRE DIX-NEUF

– Ils vont manger froid, une fois de plus, pesta Maxine, pendant que Paul l'aidait à faire la vaisselle. Et Luc Boyer a bien précisé qu'il fallait traire régulièrement les vaches si on voulait qu'elles produisent une bonne quantité de lait.

– J'ai dit que je leur parlerai, répondit Henderson, d'un ton où perçait un certain agacement. Laisse-moi me concentrer sur le codage du message.

Il était assis à la table de la cuisine avec Rosie, devant une carte du Nord de la France et un calepin.

Si Henderson avait été envoyé en France pour une longue mission d'espionnage dès le départ, il aurait été accompagné d'un opérateur radio professionnel capable de transmettre et de recevoir des messages en morse entre quarante et soixante mots par minute. Henderson et Rosie peinaient à transmettre plus de vingt mots dans le même laps de temps. La durée maximum de transmission étant de dix minutes, ils devaient donc se limiter à des messages d'environ deux cents mots chaque soir.

Tandis que l'Anglais relisait les notes qu'il avait prises pendant le déjeuner dans la salle de bains du bureau de l'Oberst Ohlsen, pour les classer par ordre d'importance, Rosie les condensait. Par exemple, les cent vingt-quatre caractères de la phrase : *J'ai consulté la carte de l'invasion allemande au quartier général. Les informations suivantes peuvent donc être considérées comme officielles*, se trouvaient réduits à quarante et un caractères : VU CARTE INV. AU QG. CONS. INF. SUIV. COMME OFFI.

Quand Rosie craignait que le message comprimé soit incompréhensible, elle demandait à Maxine ou à Paul de le déchiffrer. S'ils n'y parvenaient pas, elle le modifiait.

– Je pense qu'il est possible d'envoyer la plupart des informations capitales dans deux messages de dix minutes, dit Henderson en mâchonnant le bout de son crayon.

Rosie leva les yeux du calepin qu'elle utilisait pour crypter le message. La phrase clé provenait d'un court chapitre de *La Petite Dorrit*, le roman de Charles Dickens : « La réclamation de Mr Merdles ». Henderson la connaissait par cœur et au bout de quelques semaines, Rosie se sentait capable de la réciter elle aussi.

Maxine tendit à Paul un grand saladier rempli d'épluchures de pommes de terre et de bouts de carottes.

— Apporte ça aux poules et regarde s'il y a des œufs, lui dit-elle. Tu ferais bien de te dépêcher si tu veux écouter les infos.

Henderson jeta un coup d'œil à sa montre et constata qu'il était presque vingt heures, en effet. Tandis que Paul sortait dans le crépuscule, Rosie se rendit dans le salon pour faire chauffer le poste de radio qu'ils avaient apporté de la grande maison rose près de Bordeaux.

Paul fut accueilli par une brise fraîche. Il ne voulait pas énerver davantage Maxine en se plaignant, mais c'était PT qui devait s'occuper des poules normalement. Alors qu'il traversait le pré d'un pas vif, Lottie la chèvre, attirée par l'odeur des légumes, vint fourrer sa tête dans le saladier.

— Ouste ! ordonna Paul, mais la chèvre fit la sourde oreille.

Pour se débarrasser d'elle, il lança au loin une poignée de pelures.

Les poules, qui savaient que leur repas approchait, se précipitèrent vers le grillage de leur cage, mais Paul se figea soudain car deux véhicules gravissaient le chemin. Les fermes environnantes étant toutes inoccupées, c'était la première fois qu'ils voyaient une voiture par ici depuis leur installation dans cette maison. Il lâcha son saladier et repartit en courant.

— Des voitures ! s'écria-t-il, essoufflé, en faisant irruption dans la cuisine. Je crois qu'elles viennent par ici.

— Merde, merde, merde, dit Henderson.

Il s'empressa de replier la carte et de rassembler tout le matériel d'encodage.

— Rosie, reviens ici !

— J'ai entendu ! cria-t-elle du salon. Je déplace le curseur de la radio qui était sur la fréquence de la *BBC* !

Écouter une radio étrangère faisait partie de la longue liste d'infractions que l'armée allemande jugeait passibles de la peine de mort.

— Ils vont peut-être fouiller partout ! s'exclama Henderson en fourrant furieusement la carte et les documents dans sa mallette. Emporte tout ça au dehors. Et fais attention qu'ils ne te voient pas.

Alors que Rosie filait par la porte de derrière avec la mallette de l'Anglais, Maxine sortit dans la cour pour accueillir les deux véhicules qui remontaient l'allée. Le premier était une luxueuse berline Citroën, conduite par Luc Boyer, à côté de qui était assise Viviane, son épouse. Deux Allemands se trouvaient à bord du *Kübelwagen* qui suivait.

Luc baissa sa vitre en s'arrêtant devant le perron. Maxine remarqua que sa femme pleurait.

— Que s'est-il passé ? s'enquit-elle, pendant qu'Henderson demeurait en retrait, à l'intérieur.

Il avait établi un plan d'urgence en cas de perquisition et il conservait un revolver de l'armée allemande, chargé, sous une dalle derrière la maison. Si ça tournait mal, il irait le récupérer en douce et il liquiderait les deux soldats par surprise.

— Il s'agit de vos garçons, sanglota Viviane. Ils sont à Calais avec Daniel. On a conduit les Allemands jusqu'ici parce qu'ils ne connaissaient pas le chemin.

Henderson sortit à son tour, d'un pas décidé, quand il aperçut le passager qui descendait de la voiture allemande. Il appartenait à la police militaire et Henderson lui avait servi d'interprète au cours de plusieurs réunions, avant d'être affecté au service de l'Oberst Ohlsen.

— Que se passe-t-il, monsieur? demanda-t-il en allemand.

Le policier désigna la banquette arrière de son véhicule.

— Suivez-nous, avec votre femme. Vous devez vous rendre immédiatement à Calais pour vous entretenir avec le major Ghunsonn.

Resté à l'intérieur de la ferme, Paul regarda ses parents de substitution monter à bord du *Kübelwagen* découvert. Henderson essaya d'entamer une conversation avec l'officier de la police militaire, mais à en juger par la raideur de son maintien, celui-ci n'était pas d'humeur à bavarder.

Lottie la chèvre poussa un bêlement de protestation, avant de décamper lorsque les deux voitures effectuèrent un large demi-tour dans l'herbe. Quand les faisceaux des phares disparurent, Paul se laissa tomber sur une chaise, les nerfs à vif.

Quelques secondes plus tard, la porte de derrière s'ouvrit en grinçant et Rosie réapparut.

— Qu'est-ce que ça veut dire ? demanda-t-elle.

— Peut-être qu'ils ont découvert l'émetteur, suggéra son frère.

— Ça m'étonnerait. S'ils pensaient que nous sommes des espions, ils auraient embarqué tout le monde et retourné la maison de fond en comble pour trouver des preuves.

— Luc et Viviane étaient là, eux aussi. Et dans la journée...

Paul n'acheva pas sa phrase, mais Rosie le foudroya du regard.

— Quoi, dans la journée ? Parle !

— On a cambriolé une maison. Une très belle demeure avec plein de jolies choses à l'intérieur. Peut-être que les Allemands l'ont su.

Rosie ne pouvait contenir sa colère.

— Je sais que Marc et PT passent leur temps à faire des bêtises avec cet abruti de Daniel. Mais comment as-tu pu te laisser entraîner dans cette histoire ?

— Au départ, je voulais les suivre, c'est tout. Je n'avais pas envie de rester dans mon coin pour une fois.

— C'est vraiment n'importe quoi, soupira-t-elle. Cambrioler une maison ! Alors qu'on ne manque de rien. Comme si on avait besoin d'attirer l'attention.

— Qu'est-ce qu'on va faire maintenant ? demanda Paul, inquiet. Si Maxine et Henderson ne reviennent pas ? Tu as vu toutes ces affiches que les Allemands placardent partout, comme quoi ils fusilleront tous ceux qui commettent le moindre délit ?

Paul eut un mouvement de recul car Rosie avait pris son air mauvais, comme quand elle s'apprêtait à lui taper dessus.

— Les garçons ! s'emporta-t-elle. Vous êtes vraiment des abrutis, tous les trois !

— Alors, qu'est-ce qu'on fait ? insista Paul.

— Henderson a un tas d'informations à transmettre. J'ai commencé à coder le message.

— Tu veux émettre quand même ?

Rosie hocha la tête.

— Parfaitement. Et si Henderson ne revient pas, on veillera jusqu'à deux heures pour recevoir la réponse. Je vais retourner chercher la mallette. Tu m'aideras à faire le tri dans ses notes pour sélectionner les informations les plus importantes.

•:•

PT, Marc et Daniel étaient assis contre le mur d'une chambre d'hôtel nue. Ôtez les meubles, renforcez les serrures des portes, soudez des barreaux aux fenêtres et n'importe quel hôtel se transforme en prison. Un seau posé sur le sol faisait office de toilettes ; il en émanait une odeur écœurante car Daniel avait vomi dedans. Une ampoule nue éclairait tant bien que mal les murs et un plancher maculé de sang. Au bout du couloir, une femme livrée aux mains de la police militaire poussait des cris à vous faire dresser les cheveux sur la tête.

Des trois garçons, Marc était le moins mal en point, assurément, mais il aurait presque souhaité alterner entre les moments de conscience et d'inconscience comme PT ou être hypnotisé par la peur comme Daniel, qui avait toujours le nœud coulant autour du cou. Tandis que les cris de la femme transperçaient les murs, Marc regardait fixement les taches de sang séché sur le sol. Jamais la mort ne lui avait semblé si proche.

Il essayait de ne pas penser, mais la sinistre réalité s'imposait. *Qui avait saigné dans cette pièce ? Des hommes ou des femmes ? Des enfants aussi jeunes que lui ? Quelle faute avaient-ils commise ? Avaient-ils demandé grâce ? Avaient-ils reçu une balle dans la tête ou bien leur mort avait-elle été plus lente, plus douloureuse ? C'était tellement idiot de se retrouver dans cet enfer à cause d'une idée stupide de Daniel !*

— Passe-moi le seau, lui dit celui-ci.

Marc se leva. Le seau avait été vidé, mais pas nettoyé, depuis la dernière fois qu'il avait servi, et il y avait encore des traînées d'excréments sur les bords. Il le poussa du bout de sa chaussure pour le faire glisser sur le plancher. Ne pouvant supporter de voir ni de sentir Daniel vomir une fois de plus, il s'éloigna le plus possible, mais il ne put que se coller contre la porte et regarder par le trou de la serrure.

Le couloir était resté tel qu'autrefois, du temps où cette maison abritait un hôtel : éclairage tamisé et tapis sur le plancher.

— Je ne sais rien ! Je ne sais rien ! hurla un homme. Tuez-moi maintenant !

Marc fut parcouru d'un frisson, tandis que dans son dos, Daniel gémissait. Une seconde plus tard, la porte s'ouvrit à la volée et Marc se trouva projeté à l'intérieur de la chambre. Le major Ghunsonn fit son entrée, accompagné de la brute à lunettes rondes qui avait tabassé Daniel sur le chemin.

— Eh bien, dit le major en allemand, avec un sourire, penché au-dessus de Daniel. Voilà donc le sale petit cafard qui a pissé dans ma voiture ?

Il se mit à parler en français pour que Daniel le comprenne.

— Je pense qu'il s'agit d'un espion. Vous ne croyez pas, sergent ?

— Sans aucun doute, major.

— Et tu sais ce qu'on fait aux espions, sale cafard ? demanda Ghunsonn en mimant un pistolet avec ses doigts. *Bang !*

— Je vous en supplie, sanglota l'adolescent. Je suis désolé.

Ignorant ces supplications, le major s'adressa à son subalterne, en allemand :

— Inscrivez ce gros sac à merde sur la liste des fusillés de demain.

— Très bien, répondit le sergent avec une joie évidente. Et les deux autres ?

— Demandez à la police de les placer en cellule quelques jours. Puis renvoyez-les chez eux avec quelques bosses supplémentaires. Pour bien montrer à ces péquenauds français ce qui arrive à ceux qui osent endommager notre matériel.

Juste avant que les deux hommes ne ressortent, Marc prit la parole en allemand :

— Pardonnez-moi, major, dit-il d'une toute petite voix.

Le garçon de douze ans se mit à trembler comme une feuille lorsque les Allemands se retournèrent brutalement.

— Tu as quelque chose à dire, toi ?

— Les parents de Daniel sont riches. Peut-être qu'ils pourraient rembourser les dégâts.

La gifle qui expédia Marc à terre claqua dans la chambre vide.

— Et toi ? rugit le major. Tes parents sont riches ? Peut-être que tu pourrais prendre la place de ton camarade ? Je suis un officier du Reich ! Comment oses-tu essayer de me soudoyer !

∴

Trois étages plus bas, assise dans une salle d'interrogatoire, Viviane Boyer pleurait toutes les larmes de son corps, tandis qu'une interprète lui expliquait que son fils avait avoué avoir uriné dans la voiture d'un officier allemand. Le major Ghunsonn avait ordonné qu'il soit fusillé le lendemain à midi.

— Ce n'est qu'un enfant ! gémit-elle. Il ne savait pas ce qu'il faisait.

Maxine était debout derrière Viviane.

— Et mes deux garçons ? demanda-t-elle.

L'interprète lui annonça que Marc et PT seraient libérés dans quelques jours. Tandis que Luc Boyer étreignait sa femme éplorée, Henderson quitta la pièce, à la recherche d'un téléphone.

— Ils n'ont pas droit à un procès ? demanda Luc.

— Les crimes sont du ressort de la police française, expliqua l'interprète. Les délits visant les forces allemandes sont punis de manière expéditive. Ni avocats ni tribunaux.

Au bout d'un long couloir, Henderson finit par dénicher un téléphone mural, non loin de ce qui était autrefois la réception de l'hôtel. Il décrocha et demanda à l'opératrice de le mettre en communication avec le quartier général où il travaillait.

Le soir, le personnel du Q.G. était réduit au minimum. Résultat, il attendit plusieurs minutes qu'un soldat réponde et il dut parlementer longuement ensuite pour que celui-ci consente à lui donner le numéro des quartiers de l'Oberst Ohlsen. Coup de chance, celui-ci se trouvait dans sa suite, dans un hôtel situé à l'autre bout de la ville.

— Herr Oberst, je sais que je prends une terrible liberté en vous appelant à cette heure, dit Henderson d'un ton contrit, mais mon fils aîné et deux de mes neveux ont fait une grosse bêtise et maintenant, ils se retrouvent enfermés au siège de la police militaire.

— Je vois, dit l'Oberst, sur ses gardes. Quelle est donc cette « grosse bêtise » ?

— Ils ont uriné à l'intérieur d'un *Kübelwagen*. C'est mal, je sais. Mais les garçons de cet âge font souvent ce genre de choses.

Le ton d'Ohlsen devint plus jovial.

— S'agirait-il du véhicule du major Ghunsonn, par hasard ?

— Sans doute. Ce n'est pas tous les jours que quelqu'un urine dans l'un de vos *Kübelwagens*.

— En effet. Ghunsonn est un crétin imbu de lui-même. Jamais il n'aurait obtenu ce grade s'il n'avait pas épousé la fille d'un général qui a le bras long. Je vais appeler l'officier de garde.

— C'est formidable, Herr Oberst ! s'exclama Henderson, submergé par le soulagement et un authentique sentiment de reconnaissance. Je vous dois une fière chandelle et je peux vous assurer que ces gamins vont recevoir une correction mémorable en rentrant à la maison.

— Très bien. Maintenant, raccrochez que je puisse passer ce coup de fil. Restez près du téléphone, je vous préviendrai s'il y a un problème.

.:.

L'interprète quitta la salle d'interrogatoire, laissant Luc et Viviane en pleurs. Maxine, qui savait qu'un sort moins tragique attendait Marc et PT, se sentait très mal à l'aise. Malgré tout, le choc fut terrible quand Viviane se tourna vers elle.

— Mon Daniel n'a jamais eu d'ennuis avant de fréquenter vos deux garçons ! cracha-t-elle.

Sachant que c'était la douleur qui la faisait parler ainsi, Maxine ignora cette pique.

— Essayons de rester calmes, d'accord ?

— Oh, facile à dire pour vous ! Vous allez récupérer vos enfants dans quelques jours, mais mon fils, lui, sera mort.

— Je suis navrée, sincèrement, dit Maxine. Je sais combien c'est horrible. J'aimerais pouvoir faire quelque chose.

— Ce sont vos deux garçons qui ont entraîné Daniel dans cette histoire. Comme le premier soir où vous avez débarqué à la maison. Immédiatement, vos deux petits voyous l'ont poussé à boire du vin en cachette et il a été malade toute la nuit.

Maxine sentait monter la colère, mais elle s'obligea à rester calme.

— Je crois que vous êtes injuste.

Cette remarque innocente fit perdre toute retenue à Viviane. Échappant à l'étreinte de son mari, elle sauta à la gorge de Maxine.

— Prostituée ! hurla-t-elle.

Maxine la plaqua contre le mur.

Viviane était plus lourde, mais Maxine était deux fois plus jeune. Malgré la pitié que lui inspirait cette femme, elle ne pouvait pas rester sans réagir. Sa main jaillit et ses longs ongles lacérèrent la joue de son assaillante.

— Chienne ! cria Viviane, alors que son mari tentait de séparer les deux femmes. Tes sales gosses ont tué mon Daniel. C'est comme s'ils l'avaient assassiné.

— Du calme, dit Luc en tirant sa femme à l'écart.

Cette dernière se retourna aussitôt contre lui.

— Tu prends sa défense, espèce de salopard ? gémit-elle en martelant sa poitrine de coups de poing.

Maxine comprit que la meilleure chose à faire était de quitter la pièce, mais au moment où elle allait sortir, Henderson entra. Elle reçut la porte en plein visage et recula en titubant, à portée de main de Viviane qui l'agrippa par les cheveux.

Henderson se jeta dans la mêlée à son tour, tandis que la mère de Daniel enroulait les longs cheveux de Maxine autour de son poing pour la tirer de toutes ses forces.

Celle-ci hurla si fort que personne n'entendit Henderson qui criait :

— J'ai tout arrangé !

∴

Marc tressaillit quand la porte s'ouvrit et qu'un Unteroffizier[9] entra dans la chambre. Il avait des cheveux poil de carotte, mais après trois heures de passage à tabac, Marc jugeait les gens d'abord en fonction de la grosseur de leurs poings et de leurs bottes.

— Tu peux marcher ? lui demanda l'Unteroffizier.

— Oui, dit Marc en allemand. Mais les deux autres n'iront pas bien loin. Où on va, d'ailleurs ?

— Dehors, répondit le soldat en s'approchant de PT pour l'aider à se lever. Vos parents attendent dans le hall, je crois.

Marc était fou de joie, toutefois il ne laissa rien paraître, au cas où il s'agirait d'un piège.

— Je croyais... commença-t-il, mais l'Allemand lui coupa la parole.

— Les ordres de remise en liberté viennent d'arriver.

PT pouvait marcher, tant bien que mal. En revanche, le soldat dut faire appel à un collègue pour qu'il l'aide à porter Daniel dans le couloir, jusqu'à un ascenseur. Les deux Allemands le poussèrent dans la cabine et quand elle arriva au rez-de-chaussée, Luc et Henderson se précipitèrent.

Au même moment, le major Ghunsonn sortait d'un bureau. En assistant à cette scène, il devint fou de rage.

---

9. Grade équivalant à caporal.

— Qui êtes-vous ? éructa-t-il. Qui a autorisé cette remise en liberté ? Où diable est passé le sergent ?

Une fois Daniel remis debout, soutenu par ses parents, Henderson s'empressa de donner son bras à PT, pendant que Maxine étreignait brièvement Marc. Mais alors qu'ils atteignaient la porte de l'ancien hôtel, deux hommes armés, envoyés par Ghunsonn, leur barrèrent le passage.

— J'exige qu'on m'explique ce qui se passe, dit le major, tandis qu'un officier visiblement inquiet lui tendait trois ordres de remise en liberté. L'Oberst Ohlsen ! De quoi se mêle-t-il, cet abruti chauve comme une boule de billard ?

Il se précipita vers Henderson et montra Marc du doigt.

— Votre fils dit que vous êtes riches. Combien avez-vous payé Ohlsen ?

Henderson répondit en allemand, de la manière la plus courtoise.

— Major, c'est une accusation extrêmement grave que vous portez envers un officier supérieur, en public qui plus est. Si vous vous estimez lésé, je vous suggère de formuler vos griefs par écrit et de les adresser au général Schultz.

Ghunsonn était devenu cramoisi. Il observa Henderson pendant plusieurs secondes, avant de se tourner vers les deux soldats qui bloquaient la sortie.

— Qu'ils fichent le camp de mon quartier général !

Luc inspira à fond et s'adressa à Ghunsonn.

— J'ai laissé les clés de mon véhicule au voiturier. Si vous voulez bien…

Le major vit là l'occasion de se venger. Il agita les ordres de remise en liberté sous le nez du père de Daniel.

— J'ai là des documents concernant trois garçons. Il n'est pas question d'un véhicule. D'ailleurs, je crois bien que celui-ci a été réquisitionné par les forces d'occupation. Maintenant, allez-vous-en avant que je ne vous fasse arrêter, tous autant que vous êtes, pour vagabondage sur la voie publique !

Marc fut heureux de respirer l'air frais quand ils débouchèrent sur le perron de l'hôtel.

Luc Boyer, qui aidait son fils à descendre l'escalier, se tourna vers Henderson et dit :

— Apparemment, vous avez énormément d'influence. Vous ne pouvez pas faire quelque chose pour ma voiture ?

Henderson lui adressa un sourire crispé.

— Je viens de sauver votre fils. Je ne veux pas pousser le bouchon trop loin.

Viviane, le visage sanglant, lacéré par des griffures, lança un regard noir à l'Anglais, tandis que Marc scrutait la rue déserte. Tous les lampadaires étaient éteints et les fenêtres des maisons noircies pour éviter les raids aériens.

— Comment on va faire pour rentrer ? demanda-t-il. PT et Daniel peuvent à peine marcher. La ferme est à treize kilomètres et on n'a pas d'autorisation pour être dehors après le couvre-feu.

— Je vais trouver une solution, soupira Henderson, qui sentait peser le poids de PT sur son dos. Comme toujours, non ?

CHAPITRE VINGT

Henderson entra dans le bureau de l'Oberst Ohlsen en brandissant une des meilleures bouteilles de vin provenant de la cave de Luc Boyer.

— Avec mes remerciements et ceux de toute la famille Boyer, dit-il. En outre, j'aimerais vous témoigner ma reconnaissance en vous invitant à déjeuner.

— Vous avez une sale tête ce matin, fit remarquer Ohlsen en basculant son fauteuil pour mieux examiner l'étiquette de la bouteille.

— J'ai dû venir jusqu'ici en pleine nuit et quasiment supplier le personnel de garde de me délivrer des autorisations pour circuler après le couvre-feu, expliqua Henderson. Mon neveu Daniel a reçu une sérieuse correction, c'est pourquoi mon frère Luc et sa femme sont restés à Calais chez des amis. Le temps que je parcoure les treize kilomètres à pied avec mes garçons pour rentrer chez nous, il était presque deux heures du matin.

Évidemment, Henderson se garda bien d'ajouter

qu'il avait dû veiller une heure de plus pour écouter la réponse à son message, envoyée de Londres par McAfferty. Ensuite, il avait dû revenir de la grange. Résultat, il s'était couché moins de deux heures avant de se lever pour aller travailler.

— J'accepte avec plaisir cette bouteille de vin, dit Ohlsen. Hélas, je dois décliner votre invitation à déjeuner afin d'éviter les ragots. Le major Ghunsonn a débarqué à mon hôtel comme un fou furieux, en m'accusant d'accepter des pots-de-vin. Pour le calmer, j'ai dû lui rappeler son rang et menacer de le traduire en cour martiale pour insubordination. Mais il a des relations et il est du genre rancunier, alors je pense que vous *et* vos garçons feriez mieux de vous tenir à l'écart de la police militaire à partir de maintenant.

Henderson acquiesça.

— Marc et PT sont prévenus : si jamais ils mettent un pied en dehors de la ferme, ils recevront la plus grosse raclée de leur vie.

— Figurez-vous que ma femme se plaint quand je corrige mes fils trop sévèrement, dit Ohlsen en montrant sur son bureau la photo de deux enfants qui respiraient la santé. Mais les garçons ont besoin de discipline. À vrai dire, je m'inquiète de ce qu'ils peuvent faire pendant que je suis ici.

— Les corrections ne m'ont jamais fait de mal, confirma Henderson. Mon père gardait une canne dans un porte-parapluies près de la porte d'entrée. Il lui suffisait de jeter un coup d'œil en direction du vestibule pour qu'aussitôt, je perde toute envie de faire des bêtises.

L'Oberst rit. Puis il retrouva son sérieux.

— Au cours de ma conversation avec Ghunsonn, j'ai appris que le plus jeune de vos fils parlait allemand et qu'il avait eu le culot d'essayer de le soudoyer.

— Il doit s'agir de Marc. J'ai essayé d'apprendre les langues à mes trois fils, mais apparemment, il est le seul à avoir des dispositions.

— Est-il capable d'entretenir une conversation ?

— Plus ou moins, répondit Henderson en restant sur ses gardes car il ne savait pas où menait cette discussion. Il ne parle pas encore couramment, mais il se débrouille.

— Vous ne pouvez pas imaginer tout ce que j'entends depuis que cette démonstration de débarquement a lamentablement échoué hier. Goering a raconté à tout le monde, à Berlin, que notre plan d'invasion était un désastre et le général m'a bien fait comprendre que ma carrière allait connaître une fin brutale si les choses ne rentraient pas dans l'ordre. Un de nos plus gros problèmes reste le manque d'interprètes. Alors, je n'ai pas pu m'empêcher de penser à votre fils.

— Il n'a que douze ans. Je pense qu'il aurait du mal à fournir le travail intense qu'on attend de nous ici. Sans parler des horaires. Je dois faire treize kilomètres à vélo, aller et retour. Et certains soirs, je ne finis pas avant dix-neuf heures.

— Oui, je sais qu'il est encore jeune, dit Ohlsen. Mais je pensais lui confier une tâche bien précise. Nous avons un architecte naval nommé Kuefer. C'est lui qui est chargé de la transformation des péniches, mais il perd un temps précieux à essayer de communiquer avec les ouvriers sur les chantiers. Ce problème de langage crée un bouchon. Malheureusement, je n'ai pas suffisamment de personnel pour lui donner quelqu'un à plein temps. Votre fils pourrait faire l'affaire.

Henderson comprit immédiatement tous les bénéfices qu'il pouvait tirer de cette fonction, sur le plan de la collecte des renseignements, mais il ne savait pas si Marc serait à la hauteur de la tâche.

— Vous pourriez peut-être le prendre à l'essai, suggéra-t-il. Malheureusement, je n'ai qu'un seul vélo. Et comme les Français n'ont pas le droit d'acheter de l'essence, je ne peux pas utiliser notre voiture.

— Je vous procurerai des papiers et des bons d'essence, dit Ohlsen. Marc sera payé au tarif en vigueur pour un interprète. Comme nous n'avons pas d'autre garçon parmi le personnel, il sera payé comme une femme, je suppose.

— Parfait, dit Henderson d'un ton enjoué. Ça l'empêchera de faire des bêtises pendant ce temps-là, et peut-être même que ça lui sera profitable.

∴

Maxine repassa une chemise et un pantalon pour Marc, avant de lui couper les cheveux, sans lésiner, et de lui faire prendre un bain à peine tiède. Henderson le réveilla à six heures le lendemain matin et lui fit enfiler les belles chaussures qu'il avait volées deux jours plus tôt. Sur ce, il lui donna un cours, aussitôt oublié, sur la façon de nouer une cravate.

La veille au soir, Henderson était revenu à la maison avec un bidon d'essence. Il livra un bref combat avec le moteur de la Jaguar de Maxine pour le faire démarrer, puis ils traversèrent la campagne déserte en frôlant les cent dix kilomètres à l'heure, capote baissée.

Après un court arrêt à un poste de contrôle, dans la périphérie de Calais, la Jaguar provoqua une certaine agitation lorsque Henderson se gara dans la cour pavée derrière le quartier général.

Deux gardes sortirent pour la regarder de plus près et un petit homme, qui s'avéra être l'architecte naval Kuefer, descendit d'une limousine Mercedes pour caresser la carrosserie.

— Magnifique, susurra-t-il. On dit que l'esthétique fait tout. Voilà la preuve.

La Jaguar SS100 était un engin magnifique, en effet, réputée pour être la première voiture de série capable de dépasser les cent cinquante kilomètres à l'heure. Pourtant, à cet instant, Henderson l'aurait volontiers échangée contre une Citroën cabossée. Les Jaguar appartenaient à la panoplie des châtelains et des séducteurs (des séductrices dans le cas de Maxine) et celle-ci détonnait affreusement avec son prétendu statut de modeste fermier.

Henderson craignait également qu'un officier jaloux n'essaye de la réquisitionner et Maxine l'avait prévenu : elle ne partagerait plus son lit si jamais il arrivait malheur à son bien le plus cher.

— Sois sage, écoute bien ce qu'on te dit et fais ce qu'on te demande, recommanda-t-il à Marc en l'embrassant sur les joues. Je crois que je ferais bien d'aller garer la Jaguar un peu plus loin.

Le Kommodore Kuefer était un homme frêle à l'aspect efféminé. Malgré la douceur du temps, il portait un manteau en cuir par-dessus son uniforme d'officier de marine. Marc ne put réprimer un grognement en s'asseyant à l'arrière de la Mercedes, à côté de lui.

— Tu es beaucoup trop jeune pour gémir comme ça, dit Kuefer en riant.

— J'ai eu la malchance de voir d'un peu trop près la crosse d'un fusil et des bottes allemandes, expliqua le garçon tout en adressant un petit signe de la main à Henderson, alors que la voiture démarrait. Où on va ?

— À Dunkerque, pour commencer. C'est à une quarantaine de kilomètres. Ensuite, on ira déjeuner. Et on retournera à mon bureau. Avec un peu de chance, à la fin de la journée, tu auras eu un aperçu complet de ma tâche.

Dunkerque avait été la dernière poche de résistance des forces alliées dans le Nord de la France. Plus de trois cent mille soldats, des Britanniques principalement, s'étaient enfuis en traversant la Manche sur une période de quinze jours, pendant qu'un million et demi de Français, Hollandais et Belges étaient contraints de se rendre.

Plus de deux semaines de pilonnages et de bombardements intenses n'avaient laissé que des ruines. Sur une population de cinquante mille personnes avant guerre, il n'en restait qu'une poignée. En revanche, des lieux publics comme les stades accueillaient des gens affamés et des prisonniers presque livrés à eux-mêmes.

– Ces individus constituent notre réserve de main-d'œuvre, expliqua Kuefer, au moment où les roues de la Mercedes tressautaient sur une fissure dans la chaussée, large comme une cuisse d'homme. C'est un vrai troupeau. Quand on leur jette quelques miches de pain, on croirait assister à l'heure du repas au zoo. Il faut les décrasser au jet et les nourrir pendant deux ou trois jours avant qu'ils soient bons à quoi que ce soit.

Marc dévisagea Kuefer, alors qu'il prononçait ces paroles, pour essayer de déceler s'il éprouvait de la pitié ou du mépris envers ces prisonniers. Il ne vit qu'une sorte de torpeur qu'il connaissait bien. À force de songer à toute cette souffrance, vous étiez saisi par l'engourdissement. Apparemment, ce phénomène s'appliquait aussi bien à un Kommodore de la marine qu'à un réfugié de douze ans.

— Il existe des camps similaires près de Calais, fit remarquer Marc. Moins grands. Je suis surpris qu'il n'y ait pas plus de prisonniers qui tentent de s'enfuir.

— Les plus téméraires se sont échappés il y a trois mois, expliqua Kuefer. Les autres sont trop faibles désormais. Il faudra les libérer avant l'hiver, sinon ils mourront de froid.

Les Allemands, craignant les maladies, avaient réquisitionné des prisonniers pour ramasser et faire brûler des dizaines de milliers de corps, mais aucun effort n'avait été entrepris pour reconstruire la ville fantôme, sauf autour des docks du gigantesque port artificiel de Dunkerque, qui s'enfonçaient dans la campagne.

Kuefer ordonna à son chauffeur de s'arrêter à l'entrée d'une vaste cale sèche.

— Descends, dit-il à Marc. Cela te donnera une bonne idée du travail à accomplir.

Le Kommodore l'entraîna à travers une étendue d'herbe brûlée au bout de laquelle un grillage protégeait un quai en béton. Celui-ci mesurait plus de cinquante mètres de large sur vingt-cinq de profondeur, et d'énormes portes en métal, tout au bout, empêchaient l'eau de s'y engouffrer. Plus d'une douzaine de péniches étaient alignées au fond.

— En temps de paix, cette cale sèche sert à repeindre les coques des gros navires, expliqua Kuefer.

Marc se pencha au-dessus du grillage pour apercevoir, au pied des parois de béton, les flaques d'eau et la vase qui recouvraient le sol. Plus de cent prisonniers et ouvriers spécialisés travaillaient là. Des chalumeaux crachaient des étincelles d'un côté, pendant qu'une autre équipe utilisait des leviers en bois pour faire basculer une petite péniche sur le flanc, afin d'inspecter le fond plat de la coque.

— Il faut bien faire attention, prévint l'architecte en montrant les échelles en fer rouillées accrochées aux parois tous les vingt mètres. Les semelles des chaussures ramassent la vase et l'huile sur les quais et ce mélange se retrouve sur les barreaux. Quand il pleut par là-dessus, ça devient glissant comme une savonnette. En moins de deux mois, on a perdu trois soudeurs victimes de chutes.

— Combien d'ouvriers avez-vous perdus en tout ? demanda Marc.

Kuefer haussa les épaules.

— Personne ne les compte. Pour les soudeurs, je suis au courant parce qu'on en manque. Quand on perd un manœuvre ou un peintre, ils vont chercher un remplaçant dans les camps. Par contre, quand un bon soudeur disparaît, ça ralentit tout.

— Combien vous faut-il de péniches pour l'invasion ?

— Le maximum. On réquisitionne toutes les embarcations à moteur qui nous tombent sous la main dans le Nord de la France, en Hollande, en Belgique et même quelques-unes en Allemagne. Au départ, l'armée avait réclamé un minimum de dix mille péniches, mais on pourra s'estimer heureux si on en rassemble sept mille. Dont un bon tiers qui n'est pas en état d'affronter la haute mer. Viens, je vais te montrer les bureaux.

Après un trajet de deux minutes, la Mercedes s'arrêta devant un des rares bâtiments du port qui possédaient encore quatre murs et un toit presque intact. Toutes les fenêtres étaient condamnées par des planches et l'électricité était produite par deux groupes électrogènes installés sur des semi-remorques à plateau.

— Ah, content de vous voir, Kommodore, dit un homme barbu en français. Onze nouvelles péniches sont arrivées de Belgique hier.

Kuefer montra Marc.

— J'ai un interprète maintenant. Il est jeune, mais l'Oberst Ohlsen me l'a recommandé. Marc, je te présente Louis, mon ingénieur en chef. Avant toute chose, je veux montrer à Marc ce que l'on fait. Voici le point de départ, dit-il en entraînant le garçon vers une grande table à dessin sur laquelle étaient représentés, partiellement, les contours d'une péniche servant à transporter du charbon.

— Combien en a-t-on de ce modèle ?

Marc mit un moment à comprendre qu'il était censé traduire la question. Après avoir interrogé Louis, il fournit la réponse à Kuefer en allemand.

— Il dit qu'il y a six péniches identiques. Cinq sont dans un état correct, la sixième a été victime d'une collision en venant ici et elle semble flotter grâce à l'opération du Saint-Esprit.

Le Kommodore sourit.

— Il est préférable d'avoir des péniches identiques, expliqua-t-il, cela réduit le travail de conception et d'aménagement.

Kuefer se dirigea vers une rangée de pupitres d'écoliers.

— Voici un projet achevé, accompagné comme souvent d'un rapport technique rédigé par un expert. En temps normal, un architecte comme moi examinerait la péniche, étudierait ces plans pendant plusieurs jours, émettrait quelques suggestions et superviserait l'exécution des plans pour l'opération de remise à neuf. Hélas, compte tenu du contexte, nous ne pouvons pas nous offrir ce luxe. Avec des milliers de péniches à transformer, je dois prendre des décisions rapides, en me fiant à mon instinct et à mon expérience, afin que les réparations et les modifications soient effectuées le plus vite possible.

— Et si vous vous trompez, le bateau coule ? demanda Marc.

Kuefer sourit.

— Espérons que non. Mais avec seulement quatre architectes pour transformer des milliers de péniches en l'espace de quelques mois, des problèmes ne sont pas à exclure.

Il se pencha au-dessus du schéma.

— Dans l'immédiat, reprit-il, je dois transformer cette péniche, qui semble avoir été conçue pour transporter du bois sur les fleuves, en une embarcation capable de voguer sur la mer avec à son bord du matériel lourd, comme des chars ou des pièces d'artillerie.

Tandis que Kuefer sortait divers crayons et stylos des poches de son manteau en cuir, l'ingénieur barbu étendit une feuille de papier-calque sur le dessin et la fixa sur les côtés à l'aide de grosses pinces.

— Bien, fit le Kommodore. Voici venu le moment des décisions. Nous avons là une péniche de grande taille avec une coque métallique. Capable de naviguer, par conséquent. Certes, en cas de vent puissant, elle risque de chavirer, mais on n'y peut rien. En revanche, le plancher est en bois ; cela signifie que n'importe quel véhicule à chenilles, ou même un camion, risque de le traverser. Dans un monde idéal, on étendrait une couche d'aluminium sur l'ensemble du pont, mais tout l'aluminium est réservé en priorité à l'industrie aéronautique.

Kuefer marqua une pause, comme s'il réfléchissait.

— Il ne me reste donc que deux options. La première consiste à étaler une fine épaisseur de goudron… Quelle quantité de goudron nous reste-t-il ?

Marc ouvrit la bouche pour traduire la question, mais Louis avait compris et le garçon n'eut qu'à traduire la réponse de l'ingénieur.

— Il dit qu'on a de quoi colmater des coques en bois et rafistoler des ponts. Mais il faudra attendre des semaines avant d'avoir assez de goudron pour recouvrir les planchers des onze péniches.

— Je m'en doutais, murmura Kuefer. Conclusion, je vais devoir utiliser du béton. C'est deux fois plus lourd et ça met une semaine à sécher, mais nous n'avons rien d'autre.

Pendant qu'il parlait, ses mains ne cessaient de tracer des traits ou de jeter des commentaires sur la feuille de papier-calque. Il dessinait des croix là où des points d'ancrage devaient être coulés dans le béton. Ils accueilleraient des chaînes destinées à immobiliser les véhicules et les cargaisons, ou bien des cordages auxquels les soldats pourraient se tenir.

— Pour finir, la rampe ! annonça-t-il d'un ton théâtral. Idéalement, il faudrait découper l'avant de chaque péniche. On installerait ensuite une rampe basculante qui permettrait aux chars et aux troupes de débarquer directement sur une plage. Hélas, nous n'avons pas les matériaux nécessaires, ni les treuils électriques, ni même les soudeurs dont on aurait besoin. Alors, à la place, voici ce que je vais faire.

Kuefer se servit d'une règle pour tracer deux rampes articulées au milieu. Une des extrémités était soudée au plancher du bateau, tandis que la partie mobile se déployait à l'avant de la péniche pour que les soldats ou les véhicules puissent descendre rapidement.

— Et voilà ! dit-il fièrement en signant son dessin et en adressant un sourire à Marc. Une péniche belge servant à transporter du bois, transformée de main de maître en navire de débarquement.

Louis parla à l'oreille de Marc, qui traduisit à l'attention de Kuefer :

— Il dit que l'armée a refusé un grand nombre de péniches jugées trop instables et que quatre centimètres de béton sur toute la surface du pont, ça risque de faire trop lourd. Il suggère de bétonner uniquement les côtés, là où passeront les chenilles et les pneus, et de laisser le centre en bois.

— Évidemment ! s'exclama Kuefer. C'est ce que je voulais faire. À quoi bon couler du béton sur tout le pont ?

Marc eut l'impression que ce n'était pas l'idée du Kommodore au départ, mais il ne voulait pas qu'un simple ingénieur lui fasse remarquer qu'il avait tort.

— Demande-lui de me montrer la péniche suivante, ordonna-t-il avec aigreur. Il faut se dépêcher. La seule chose à manger par ici, ce sont les rations de l'armée. Je veux être de retour à Calais à temps pour avoir une bonne table chez *Heuringhem*.

CHAPITRE VINGT ET UN

Cela faisait maintenant une semaine que Marc travaillait pour Kuefer, et il ne supportait plus son patron. Quand le Kommodore était de bonne humeur, il prenait le temps de lui expliquer le fonctionnement des choses, il évoquait son enfance et parlait avec nostalgie de ses anciennes fonctions qui consistaient à dessiner des tourelles sur les croiseurs et les cuirassés. Désormais, il subissait une énorme pression de la part de Berlin pour transformer ces milliers de péniches en navires de guerre, avec du matériel insuffisant et une main-d'œuvre sous-qualifiée, et la plupart du temps, il était d'humeur massacrante ou complètement déprimé.

Évidemment, Kuefer travaillait tard le soir et les week-ends, et son jeune interprète devait être disponible à tout instant. Il n'était pas rare que Marc s'endorme sur le trajet du retour, et une fois, il passa même la nuit sur un canapé dans la suite d'hôtel du Kommodore car celui-ci exigeait qu'ils partent à cinq heures du matin afin d'assister à une réunion à Paris.

Généralement, ils voyageaient d'un port à l'autre pour superviser les travaux d'aménagement des péniches, sur une bande côtière de trois cents kilomètres qui partait du Havre à l'ouest et s'étendait vers l'est, jusqu'à Ostende en Belgique.

Ce qui horripilait le plus Marc, c'était que Kuefer et son chauffeur allemand, Schroder, réservaient des tables dans les meilleurs restaurants, alors que lui devait se débrouiller comme il pouvait pour se nourrir. Pendant que les deux Allemands s'offraient une entrée, un plat et un dessert, accompagnés de vin et de cigares, Marc errait dans une ville inconnue avec un misérable sandwich qu'il avait apporté de chez lui, ou bien abandonné sur un quai ou encore dans le bureau de l'ingénieur, obligé de manger ce qu'on donnait aux prisonniers.

Dans chaque port régnait une atmosphère particulière. Les immenses cales sèches de Dunkerque étaient aussi sinistres que la soupe insipide servie aux ouvriers pour le déjeuner. Au Havre, personne n'adressait la parole à Marc, de crainte qu'il n'aille cafter à son patron. À Calais, c'était mieux car Henderson avait réussi à lui obtenir un laissez-passer pour manger au quartier général avec les Allemands. Mais en ce mercredi pluvieux, Marc se trouvait à Boulogne.

Vingt petits chantiers bordaient un large canal au-delà du port. Il y avait également quelques cales sèches pour accueillir les gros navires, mais la majeure partie du travail s'effectuait sur des rampes de béton inclinées. Si les prisonniers chargés de tout le travail non qualifié obéissaient aux ordres des Allemands, ces chantiers restaient aux mains d'entreprises familiales qui les géraient depuis des décennies.

D'ailleurs, la plupart de ces propriétaires gagnaient fort bien leur vie avec ces travaux de reconversion et ils traitaient convenablement leur main-d'œuvre gratuite en lui offrant de véritables repas et des conditions de travail correctes.

Marc était assis sur une bitte d'amarrage au bord du canal. Les cantinières du chantier semblaient s'être prises d'affection pour lui et son assiette croulait sous les petits pains, les légumes grillés et une énorme tranche de porc. Il mangeait avec ses doigts tout noirs de crasse et de suie, après une matinée passée à sillonner les chantiers.

Même si les conditions de travail et de vie étaient meilleures à Boulogne que dans d'autres ports, il existait toujours entre les prisonniers une hiérarchie qui déterminait qui faisait quoi et qui s'asseyait à côté de qui à l'heure du déjeuner.

Au sommet, on trouvait les ouvriers qualifiés. Les Allemands avaient passé des annonces pour recruter des soudeurs, des électriciens, des riveurs et des menuisiers, et ces hommes libres touchaient de gros salaires. Venait ensuite le groupe le plus important, constitué de prisonniers de guerre français.

Ces hommes évoluaient aux côtés des artisans ; ils étaient chargés de transporter du bois ou du matériel, effectuaient diverses réparations ou bien des travaux de peinture. Ils travaillaient douze heures par jour, mais c'étaient tous des volontaires qui préféraient trimer plutôt que de mourir d'ennui ou de faim dans les camps.

En bas de l'échelle, il y avait les Polonais et les Africains. Les nazis détestaient tous les Polonais en général, mais dans cette région, les prisonniers polonais étaient particulièrement haïs car considérés comme des fanatiques qui s'étaient portés volontaires pour combattre auprès des Anglais et des Français quand leur armée s'était rendue.

Par ailleurs, l'armée française avait recruté plus d'un million de combattants dans les colonies du Maghreb et d'Afrique subsaharienne. D'après les théories racistes d'Hitler, les gens à la peau foncée ne valaient pas mieux que des animaux. Et alors que les soldats français étaient traités conformément au texte de la Convention de Genève, les Africains, qualifiés de sous-hommes, subissaient des brutalités. Dans certains endroits, des soldats africains qui s'étaient rendus avaient été enfermés dans des enclos et abattus à la mitraillette par les SS.

Sur les quais, les Africains et les Polonais héritaient des tâches les plus dures, comme hisser les péniches sur les rampes, gratter les bernacles qui s'accrochaient aux coques des bateaux et nettoyer des pièces de moteur dans l'atelier.

Quand la demi-heure consacrée au déjeuner était terminée, le contremaître en chef faisait sonner une cloche et plus de six cents hommes reprenaient le travail sur les divers chantiers. Marc, lui, n'avait rien à faire jusqu'à ce que Kuefer revienne du restaurant, alors il aida les cantinières à empiler les assiettes et les gobelets émaillés. En guise de récompense, il eut droit à une grosse part de flan aux fruits, réservé normalement aux contremaîtres.

Pendant qu'il se régalait, assis sur le quai le plus proche, Marc observait six Africains qui avaient entrepris de hisser une petite péniche sur une rampe.

Tout d'abord, quatre hommes traversèrent une passerelle qui conduisait à la berge opposée et saisirent les cordes qu'on leur lançait de l'arrière de la péniche. Ils tirèrent de toutes leurs forces jusqu'à ce que l'avant de l'embarcation se trouve dans l'alignement du quai. Tandis qu'ils s'empressaient de traverser la passerelle en sens inverse, leurs collègues remontèrent sur le quai et s'emparèrent d'une grosse chaîne d'acier qu'ils enroulèrent autour d'une poulie munie d'un frein à main, avant de la fixer à un treuil électrique installé sous un abri au sommet de la rampe.

La phase suivante de l'opération était la plus délicate. La coque en bois de la péniche serait déchiquetée si on la traînait sur le béton, c'est pourquoi deux hommes se précipitèrent devant pour placer un rouleau, en bois lui aussi, sous la proue. À mesure que l'embarcation progressait, ils ajoutaient d'autres rouleaux sous la coque.

Quand un tiers de la péniche fut sorti de l'eau, des étais triangulaires furent glissés sous les rouleaux de bois, puis redressés afin d'empêcher le bateau de basculer sur le côté. Visiblement, les six Africains avaient fait cela des dizaines de fois et Marc s'émerveillait devant la coordination de leurs corps puissants pour manipuler les cordes, les rouleaux et les étais, pendant que le treuil électrique hissait lentement la péniche dans la pente.

Hélas, au moment où la poupe sortait de l'eau, un puissant grincement métallique retentit à l'intérieur du cabanon abritant le moteur principal du treuil. Marc lança un coup d'œil par-dessus son épaule. Il entendit un grand bruit de ferraille et vit la chaîne brisée racler le béton.

— Elle fout le camp ! s'écria l'ouvrier chargé d'actionner le treuil.

Il appuya de tout son poids sur le levier, mais la poulie n'était pas conçue pour supporter seule le poids de la péniche et la chaîne trépidante s'arracha de la mâchoire de frein. Comprenant que l'extrémité de la chaîne risquait de fendre l'air en jaillissant de la poulie, l'ouvrier fit un bond en arrière, tandis que la péniche commençait à glisser vers le bas du quai.

Marc remarqua lui aussi la tension de la chaîne qui s'enroulait furieusement autour de la poulie et il craignit qu'elle ne vole dans sa direction au moment où elle se libérerait.

— Attention ! hurla le contremaître.

Marc jeta sa tarte ramollie et plongea derrière la cabane du treuil, tandis que les hommes qui accompagnaient la progression de la péniche abandonnaient leurs postes, imités par l'équipe qui travaillait sur un autre bateau à proximité.

Tout le monde s'attendait à ce que l'extrémité de la chaîne se libère après avoir fait le tour de la poulie, mais le maillon brisé se coinça dans le système de frein. Conséquence, la péniche fut brutalement stoppée dans sa descente, à mi-pente.

Apparemment, la chaîne semblait décidée à rester bloquée dans la roue dentée et le contremaître avança prudemment pour l'examiner, comme s'il s'agissait d'un serpent endormi.

Malgré le fracas des chantiers voisins et les cris, Marc, debout sur le côté du quai, au milieu des prisonniers en sueur, entendait battre son cœur. Au moment où le contremaître s'agenouilla devant le treuil, il se produisit un craquement sec.

L'extrémité tordue de la chaîne resta coincée, mais le poids de la péniche avait arraché le frein à main et la poulie du sol en béton. Et lorsque la péniche se mit à glisser sur les rouleaux de bois, à reculons, la chaîne traversa le quai tel un fouet qui claque, entraînant la poulie avec elle.

Celle-ci, catapultée à plusieurs mètres du sol, alla transpercer la coque de l'embarcation sur le chantier voisin. La force du mouvement suffit à renverser la péniche, qui vint heurter le fond du canal, avant de basculer sur le flanc.

La coque déchiquetée commença à se remplir d'eau. Pour couronner le tout, une vague provoquée par les remous gravit la rampe, emportant avec elle les pots de peinture et les chalumeaux.

— Quelqu'un est blessé ? cria un contremaître.

Tout le monde avait pu évacuer la zone à temps, mais le treuil était hors d'usage et la péniche couchée sur le côté bloquait le canal. Quant à l'embarcation voisine, elle avait un énorme trou dans la coque.

Marc observa le contremaître et le propriétaire du chantier qui inspectaient les restes du treuil, avant d'en arriver à la conclusion que l'Algérien nommé Houari, chargé de manier le frein, n'avait pas contrôlé la vitesse de déroulement, ce qui avait provoqué la rupture de la chaîne.

Houari, un garçon de vingt ans puissamment bâti, exerçait officieusement les fonctions de contremaître parmi les travailleurs africains.

— On a hissé des bateaux trois fois plus lourds ! s'écria-t-il, hors de lui. Je fais bien mon travail. C'est votre matériel qui est trop vieux !

Des contremaîtres des chantiers voisins étaient venus voir ce qui se passait. Certains proposèrent d'envoyer leurs hommes pour aider à dégager la péniche qui bloquait le canal ; d'autres vinrent se plaindre qu'ils avaient perdu de la peinture et des outils à cause de la vague. Les six Allemands chargés de surveiller les prisonniers avaient accouru eux aussi, et c'est cette mêlée qui accueillit Kuefer à son retour de déjeuner.

— Où est mon interprète ? beugla-t-il. Viens ici et explique-moi ce qui se passe !

Marc se fraya un passage au milieu des adultes. Le Kommodore avait les yeux qui lui sortaient de la tête.

— Traduis-moi ce qu'ils disent.

Marc lui expliqua que le contremaître reprochait à Houari d'avoir laissé la chaîne se dérouler trop rapidement, mais Houari réfutait cette accusation et rejetait la faute sur le système de frein du treuil électrique qu'il jugeait vétuste.

— Comment régler le problème ? demanda Kuefer.

Le contremaître répondit et Marc traduisit.

— Il dit qu'il ne peut pas faire entrer ou sortir un seul bateau de ce chantier tant que le treuil n'est pas réparé. La péniche qui bloque le canal doit être renflouée, puis dégagée avec un remorqueur venant de Calais.

— Impossible ! brailla Kuefer. J'exige que ce canal soit dégagé aujourd'hui ! Et je veux que des hommes plongent dans ce canal pour récupérer tout le matériel que nous avons perdu. Prenez des chevaux, des cordes et autant de prisonniers qu'il faudra, et sortez-moi cette péniche de l'eau ! Et s'ils doivent tracter les bateaux à la main jusqu'à ce que le treuil soit réparé, eh bien, ils le feront !

Marc avait pris l'habitude d'utiliser un calepin pour noter les logorrhées du Kommodore, mais il l'avait laissé à l'arrière de la voiture. Il espérait qu'il pourrait traduire correctement et intégralement toutes ses instructions.

Houari s'approcha de Marc.

— Dis à ton patron qu'on ne peut pas envoyer des hommes dans le canal. Des pots entiers de peinture au plomb se sont déversés dans l'eau, en plus de l'huile, du goudron et Dieu sait quoi encore. Quiconque plonge là-dedans risque de devenir aveugle.

Marc répéta ces paroles à Kuefer, qui explosa.

— C'est lui qui va devenir aveugle ! rugit-il en pointant le doigt sur Houari. Soldats, obligez ce sale moricaud et ses amis bons à rien à plonger dans le canal pour récupérer les outils et le matériel. S'ils protestent, abattez-les.

Marc crut que le colosse algérien allait l'étrangler quand il traduisit les instructions à Houari, mais celui-ci l'écarta d'un geste.

— J'emmerde ton canal ! J'emmerde tes péniches ! cria-t-il en sortant de sa poche de pantalon un tournevis avec lequel il visa le cou de Kuefer.

Mais il manqua sa cible. La tige du tournevis s'enfonça sous la mâchoire de l'Allemand et lui transperça la langue. Marc se jeta en arrière, tandis que les soldats maîtrisaient Houari et que la bouche de Kuefer se remplissait de sang.

— Merde à Hitler ! cria l'Algérien, alors que les soldats le plaquaient au sol.

L'un d'eux lui écrasa le visage sous sa botte. Un autre dégaina son arme et lui tira une balle en plein cœur.

CINQUIÈME PARTIE

20 août 1940 - 10 septembre 1940

Hermann Goering, commandant en chef de la Luftwaffe, a baptisé le 13 août « Adlertag », le Jour de l'Aigle. Celui-ci marque le début d'une vaste offensive aérienne destinée à détruire la Royal Air Force et à nettoyer le ciel en vue de la colossale invasion de la Grande-Bretagne, un mois plus tard.

Après deux années de succès militaires, les Allemands sont sûrs d'eux. Du 15 au 17 août se déroulent les combats aériens les plus acharnés entre la Luftwaffe et la RAF. Les deux camps perdent de nombreux hommes, mais la victoire attendue par les nazis n'est pas au rendez-vous : pour chaque avion britannique abattu, deux avions allemands sont détruits.

Le 20 août, le Premier ministre britannique Winston Churchill fait un discours devant la Chambre des communes :

« La gratitude de chaque foyer de notre île se porte vers ces aviateurs britanniques qui changent le cours de la guerre. Jamais, dans l'histoire des conflits humains, un si grand nombre d'hommes n'ont dû autant à un si petit nombre. »

CHAPITRE VINGT-DEUX

20 AOÛT, MUSÉUM D'HISTOIRE NATURELLE,
LONDRES, GRANDE-BRETAGNE

D'un seul trait de plume, un ministre avait fait d'Eileen McAfferty, simple assistante dans une obscure unité de renseignement, une des femmes les plus importantes de la Royal Navy. Néanmoins, vêtue de cet uniforme, elle avait l'impression de se livrer à une imposture et ne pouvait s'empêcher de sourire intérieurement chaque fois que quelqu'un lui adressait un salut militaire dans la rue.

— Alors, comment trouvez-vous ces chaussures ? demanda d'un ton joyeux Eric Mews, vice-ministre du département de l'Économie de guerre.

— Très confortables, répondit McAfferty en s'asseyant devant une longue table de réunion totalement vide.

— Vous connaissez le vice-maréchal de l'armée de l'air Mr Paxton, n'est-ce pas ?

Elle hocha la tête avant que le robuste officier de la RAF ne prenne la parole.

— Eh bien, ma chère, vous trouvez vos marques ?

— Les machines à écrire et les meubles de classement pour les nouveaux bureaux sont arrivés la semaine dernière, répondit McAfferty. Le seul problème, c'est que je reçois sans cesse des lettres de l'Amirauté m'informant que je dois suivre une formation de deux semaines destinée aux officiers féminins de la Navy, pour leur enseigner les règles de l'étiquette et du décorum. Franchement, je ne sais pas quand je vais pouvoir trouver le temps.

— Après la guerre, sans doute, dit Paxton en riant.

— Comment se débrouille Henderson ? demanda Mews, plus sérieusement.

— Bien, je pense. À cause des créneaux de transmission limités et des risques de détection, nos échanges demeurent très prosaïques.

— Oui, bien sûr, dit le vice-ministre en prenant sa pipe. En tout cas, ses informations sont excellentes. Elles confirment tout ce que nous entendons dire par ailleurs, et au moment où je vous parle, on peut affirmer que le plan d'invasion des Allemands n'a plus aucun secret pour nous.

— Les renseignements fournis par Henderson à propos du Jour de l'Aigle ont apporté une aide considérable à la RAF, ajouta Paxton. Pour notre part, nous déplorons qu'il ne soit pas actuellement en poste à Beauvais : il pourrait tenter de percer à jour la stratégie de la Luftwaffe basée dans cette ville, mais grâce à lui nous avons su que l'attaque était imminente et nous avons pu prendre nos dispositions.

— Maintenant, il est temps d'agir, déclara Mews en allumant sa pipe. Nous avons intercepté une importante quantité de messages entre militaires allemands. Tous les membres de leur état-major semblent d'accord sur trois points. Premier point : Hitler est farouchement décidé à lancer l'invasion de notre pays le 16 septembre. Deuxième et troisième points : les deux facteurs déterminants pour assurer le succès de l'opération sont le contrôle des airs au-dessus de la Manche et la création d'une importante flotte de péniches.

McAfferty acquiesça.

— Je suis sûre que monsieur le vice-maréchal en sait plus que moi sur le combat aérien. Quant à la flotte de péniches, Henderson obtient régulièrement des informations par le biais d'un interprète qui travaille pour leur architecte naval en chef. Apparemment, l'armée allemande aimerait posséder plus d'embarcations. Elle estime en avoir suffisamment, malgré tout, pour pouvoir passer à l'action à la mi-septembre.

— Ce que nous devons empêcher coûte que coûte, déclara Mews.

Paxton expliqua :

— D'ici début septembre, les Allemands devront commencer à transférer leurs péniches dans les ports, le long des côtes, en vue de l'invasion.

— Le Nord de la France accueille une douzaine de bases de chasseurs allemands, ce n'est donc pas l'endroit idéal pour effectuer un bombardement, précisa le vice-ministre. Toute mission de jour serait suicidaire. Une mission nocturne ne sera pas non plus une partie de plaisir.

— Nous avons prévu un raid de trois cent cinquante bombardiers le 9 septembre, reprit Paxton. Dans un peu plus de deux semaines, donc. Ce que j'attends d'Henderson, ce sont des informations précises sur l'emplacement des péniches et l'installation de balises de navigation.

McAfferty ne comprenait pas.

— Des balises ?

— Tout ce qui peut aider nos pilotes à localiser de nuit les zones à bombarder. Un grand navire, par exemple, un bâtiment, un coude sur le fleuve. N'importe quel point de repère susceptible d'être aperçu par un pilote de bombardier volant dans l'obscurité à plus de trois cents kilomètres-heure. De bonnes balises peuvent améliorer de dix à soixante pour cent, voire soixante-dix, l'efficacité d'un bombardement.

— La réussite de ce raid constitue dorénavant la priorité numéro un d'Henderson, ajouta Mews, pendant que McAfferty prenait des notes.

∴

Désormais, les Allemands s'entraînaient chaque jour sur la plage située à proximité de la ferme. L'exercice qui avait échoué si lamentablement devant Goering un mois plus tôt était répété jusqu'à cinq fois par jour, avec quatre cents soldats et huit péniches en même temps.

Une fois transformées sur les chantiers de Boulogne et de Calais, ces embarcations étaient conduites dans le port naturel de l'autre côté de la jetée, puis testées par un équipage spécialement affecté à cette tâche pour voir si elles pouvaient résister à la haute mer.

Une autre partie de la plage était réservée aux épreuves de natation. Les soldats qui ne parvenaient pas à effectuer l'aller et retour jusqu'à une bouée installée à vingt mètres du rivage étaient confiés à des maîtres nageurs taillés comme des armoires à glace. Leur méthode d'enseignement consistait principalement à hurler au visage de ces hommes, avant de les balancer depuis un bateau, n'hésitant pas à les frapper à coups de rame s'ils tentaient de se raccrocher aux cordes sur les côtés.

Paul était fasciné de voir de quelle façon l'armée transformait les hommes en simples rouages au service d'une machine. Un soldat perdit une jambe en tombant devant un char en mouvement, plusieurs autres moururent quand une péniche chavira ; les malheureux qui ne savaient pas nager furent projetés vers le rivage, avant qu'une vague ne les entraîne de nouveau vers le large. Malgré tout, les Allemands persévéraient. Et ils progressaient.

Les soldats nageaient de mieux en mieux, ceux qui pilotaient les péniches apprenaient à dompter les courants, et les conducteurs de char devenaient experts pour gravir les passerelles. Par beau temps, il leur suffisait de vingt minutes pour monter la cargaison à bord de huit embarcations, les conduire derrière la jetée, puis les décharger sur une autre portion du rivage. Chaque groupe de soldats répétait l'opération quatre fois de suite, après quoi, de nouvelles péniches et de nouvelles troupes prenaient leur place.

La passion de Paul pour le dessin avait été dévorée par l'appât du gain. Tous les officiers et les instructeurs de la plage s'étaient habitués à sa présence ; l'un d'eux lui avait même offert un authentique casque SS noir. Celui-ci était censé lui servir de protection en cas de raid aérien, mais Paul l'aimait tellement qu'il le gardait sur la tête en permanence, sauf quand il faisait vraiment très chaud.

Les Allemands touchaient une partie de leur solde en francs, mais les boutiques étaient rares et elles avaient peu de choses à vendre. Alors, Paul faisait des dessins à partir de photos d'épouses, de petites amies, de filles et de chats ; il effectua même, une fois, une caricature d'un officier supérieur. Il ne pouvait pas emporter les photos pour travailler à la ferme car la plupart des soldats ne restaient qu'une seule journée sur cette plage ; aussi avait-il adopté un nouveau style, plus simple, au crayon à papier.

Chaque dessin lui prenait moins d'un quart d'heure et Paul découvrit que les soldats n'hésitaient pas à payer vingt-cinq francs (ou l'équivalent en confiture ou en chocolat) s'il utilisait les grandes feuilles de dessin industriel que Marc volait sur les quais et lui revendait deux francs pièce.

À ce tarif, c'était certainement le papier le plus cher de France, mais Paul s'en fichait car, les jours fastes, il pouvait vendre une douzaine de portraits. Il gagnait plus en une semaine qu'un ouvrier français en un mois. Quand il n'était pas occupé à dessiner, il fantasmait sur toutes les choses qu'il achèterait lorsqu'il y aurait de nouveau des marchandises dans les boutiques.

En fonction du courant, les Allemands terminaient leur entraînement entre quatorze et dix-huit heures. Aujourd'hui, ils avaient fini tôt et, après avoir vendu ses derniers dessins de la journée à trois soldats trempés, Paul récupéra son panier d'osier et regagna la ferme sous un ciel morne.

En un mois, la ferme avait subi des transformations notables. C'était l'époque des récoltes pour de nombreuses cultures. Les Allemands redoutaient la famine lors du prochain hiver, c'est pourquoi certains propriétaires et leurs familles avaient été autorisés à revenir dans la région. Parallèlement, des prisonniers de guerre pouvaient désormais quitter leur camp chaque jour pour travailler dans les champs.

Henderson avait fait jouer ses nombreuses relations au quartier général pour obtenir l'aide d'un fermier et de deux ouvriers agricoles, ainsi qu'un permis pour acheter du gas-oil destiné à la camionnette. Maintenant qu'Henderson, Marc et Paul gagnaient de l'argent, sans oublier Maxine qui vendait les œufs de leurs poules, ils étaient devenus une « famille » prospère.

La maison avait été réparée et peinte ; ils avaient acheté trois vaches supplémentaires à Luc Boyer et entrepris de cultiver plusieurs champs environnants laissés à l'abandon.

– Salut, Eugène ! lança gaiement Paul en apercevant le jeune prisonnier adossé à une cabane en ruine.

Eugène était un garçon de dix-huit ans originaire de Lyon, au physique ingrat, mais généralement de bonne humeur.

– Ah, voilà le petit collabo ! répondit-il.

Il sourit à Paul qui marchait vers lui.

– Chocolat ? proposa celui-ci en voyant Eugène reluquer le contenu de son panier. Prends-en aussi pour tes camarades du camp. Je ne pourrai jamais tout manger.

Le jeune prisonnier le remercia d'un mouvement de tête. Il prit trois tablettes et déchira immédiatement l'emballage de l'une d'elles pour la fourrer dans sa bouche.

– Combien tu as empoché aujourd'hui ? demanda-t-il.

— Cent cinquante francs, dit Paul. Chaque fois que je peux, je réclame de la nourriture ou des trucs dans ce genre. On a largement de quoi se nourrir à la ferme pour le moment, mais je crains une pénurie cet hiver. Alors, je demande aux Allemands de m'apporter des conserves, du café, etc. Et dans quelques mois, je pourrai revendre tout ça à prix d'or.

— Un vrai capitaliste en herbe, commenta Eugène.

— C'est quoi, un capitaliste ?

— Un sale porc cupide comme toi, qui ne pense qu'à gagner du fric en profitant de la faim des autres.

— Hé, je viens de te *donner* trois tablettes de chocolat ! Cela prouve que je ne suis pas aussi cupide que tu le dis.

— Je sais bien. Je plaisante. Tu as un bon fonds, finalement. Je crois qu'on t'épargnera quand aura lieu la révolution communiste.

— Merci. Tu as l'air fatigué. Tout va bien ? s'inquiéta Paul.

— Le poids des rêves brisés, soupira Eugène en essuyant la sueur sur son front. Je me demande si je rentrerai chez moi un jour. J'aime mieux travailler ici que de rester entassé dans ce camp, mais ma famille possède une ferme, elle aussi. Au début de la guerre, tout le monde disait qu'on serait de retour au bout de quelques semaines. Ensuite, c'est devenu : « Ils devront renvoyer tous les prisonniers chez eux avant l'arrivée du froid. » Et maintenant, ils commencent à en expédier en Allemagne. La semaine dernière, six cents hommes sont partis participer aux récoltes là-bas. En rentrant au camp hier soir, j'ai appris que deux autres trains avaient emmené des prisonniers à Schwarzheide pour travailler dans une usine chimique.

— Merde, alors, dit Paul. Ça signifie qu'ils n'ont pas l'intention de vous relâcher.

— C'est aussi ce que je pense, répondit Eugène, d'un ton amer. Je suis un esclave et j'ai la désagréable impression que les Allemands ne sont pas disposés à me libérer avant longtemps.

— C'est dur, en effet. Mais les choses changent, tu sais. Même si la situation s'est aggravée cette année, qui te dit que la roue ne va pas tourner, tôt ou tard ?

Le jeune homme parvint à esquisser un sourire.

— Tu es un capitaliste doublé d'un optimiste. Si je n'avais pas été blessé au genou à l'époque, je me serais évadé au tout début, avant que les Boches aient le temps d'organiser des patrouilles. Maintenant, c'est plus difficile, mais je suis sûr que je pourrais rejoindre le Sud si j'essayais vraiment.

∴

Après cinq semaines passées dans la zone militarisée, Henderson avait les traits tirés. Il travaillait soixante heures par semaine au quartier général, en redoutant à chaque instant d'être pris la main dans le sac alors qu'il récoltait des informations. Et quand il rentrait le soir, il devait encore coder les messages et régler les divers problèmes quotidiens.

Dans le meilleur des cas, il parvenait à dormir cinq heures, avant de se lever pour parcourir trois kilomètres à pied dans l'obscurité jusqu'à l'endroit où était caché l'émetteur et, après avoir envoyé son message, il devait attendre celui de McAfferty, puis le décoder. Une fois recouché, il parvenait rarement à se rendormir, alors il restait éveillé, à regarder la poitrine de Maxine se soulever et retomber sous la couverture. Dans ces moments-là, tout l'inquiétait, qu'il s'agisse d'une réunion prévue le lendemain matin, du sort des enfants qui l'entouraient ou de choses plus générales comme la politique ou l'évolution de la guerre.

Parfois, il se sentait pris au piège. Mais le dernier message de McAfferty l'avait conduit à prendre une décision. Ce soir-là, dès que les prisonniers eurent regagné leur camp pour la nuit, Henderson convoqua une réunion « de famille » autour de la table de la cuisine.

— Le moment est venu de préparer notre départ, annonça-t-il d'un ton dramatique qui fit converger tous les regards dans sa direction.

Tout le monde pensait la même chose, mais ce fut Maxine qui posa la question à voix haute :

— Pourquoi est-ce que les services de renseignement britanniques te demanderaient de partir, alors que tu occupes une position idéale au quartier général ?

— C'est moi qui ai pris cette décision. Je suis sûr que les gens de Londres aimeraient que je continue à servir d'interprète à Ohlsen jusqu'à ce que, inévitablement, je commette une petite erreur et que j'éveille les soupçons. Mais je ne me suis pas porté volontaire pour une mission suicide. Je vais annoncer à McAfferty que nous partirons avant le 16 septembre.

— Et s'ils t'ordonnent de rester ? demanda Maxine.

— Dans ce cas, je serai traduit en cour martiale pour avoir désobéi aux ordres. Mais le plus important, c'est que vous serez tous en sécurité.

PT semblait ravi.

— Comment on va se tirer d'ici ?

— C'est compliqué. La nuit dernière, j'ai reçu deux informations importantes de McAfferty. La première, c'était la confirmation que le gouvernement de la France libre[10] voulait parachuter deux espions et du matériel dans notre secteur. J'ai accepté d'accueillir ces hommes et de leur fournir les papiers dont ils auront besoin pour arriver jusqu'à Paris.

« Ensuite, McAfferty m'a appris que la RAF prévoyait d'effectuer un bombardement massif sur les côtes le 9 septembre. Ils veulent des renseignements sur les endroits où sont concentrées les péniches. Mais j'ai décidé de faire une contre-proposition à McAfferty.

---

10. Alors que les Allemands reconnaissaient le régime fantoche de Vichy, dirigé par le maréchal Pétain, le gouvernement de la France libre, installé à Londres, affirmait être le gouvernement légitime de la France.

« Si nous pouvons convaincre ces deux espions français de nous apporter des explosifs, et si nous parvenons à les placer dans des endroits appropriés, sur les quais par exemple, nous pourrons allumer des incendies. Si les flammes sont suffisamment importantes, elles serviront de balises pour permettre aux pilotes de la RAF d'atteindre plus facilement leurs cibles.

– Ça m'a l'air d'être un bon plan, chef, dit Marc. Après un coup pareil, les Boches seront sur le sentier de la guerre, et on sera obligés de fuir, c'est ça ?

– Exactement. Mais ce ne sera pas facile, je le répète, car nous devrons voler une des péniches pour filer, au moment même où les bombardiers tenteront de les envoyer par le fond.

PT ne semblait pas du tout emballé.

– Je croyais que vous ne vous étiez pas porté volontaire pour une mission suicide.

– Pour l'instant, ce n'est qu'une idée, répondit Henderson. Je ne dis pas que je vais forcément la mettre à exécution. Toutefois, j'aimerais bien qu'on réfléchisse tous ensemble pour voir si c'est possible. Le succès d'un raid aérien visant la flotte de péniches empêcherait les Allemands de lancer une invasion avant l'hiver.

Après un court instant de silence, Rosie prit la parole :

– Au moindre incident, les Allemands renforceront les mesures de sécurité. Ça signifie que vous devrez attaquer simultanément tous les sites à bombarder, et ensuite nous retrouver quelque part pour fuir.

— On s'enfuira tous du même endroit, ou est-ce qu'on traversera la Manche sur des embarcations séparées ? demanda Paul.

— On pourrait peut-être utiliser des retardateurs ou un truc comme ça, ajouta Marc.

L'Anglais secoua la tête.

— Il est possible de fabriquer des détonateurs à retardement, mais ils manquent de précision, et il y a toujours le risque que les bombes soient découvertes trop tôt. Non, pour que ça fonctionne à coup sûr, il faudrait des hommes sur place, afin de provoquer des explosions à un moment précis.

— Quels hommes ? demanda Maxine. Tu ne penses tout de même pas faire appel aux enfants ?

— C'est peut-être l'unique solution, avoua Henderson, timidement. C'est beaucoup demander, je sais, surtout à une personne de cet âge, mais l'enjeu est colossal et rares sont les gens à qui je peux faire confiance. Nous pourrons sans doute utiliser les deux espions français et essayer de recruter quelques prisonniers.

— Eugène brûle d'envie de s'évader, souligna Paul. Même si je pense qu'il préférerait retourner dans la ferme familiale plutôt que de traverser la Manche pour se réfugier en Grande-Bretagne.

— C'est pas un communiste ? demanda Rosie. Il parle sans cesse de la prise du pouvoir par les travailleurs.

— Je me contrefiche de ses opinions politiques, du moment qu'il déteste les nazis, dit Henderson. La prochaine fois que je le verrai, je le sonderai.

Marc prit la parole :

— Vous vous souvenez de cet Algérien qui a été abattu à Boulogne, à l'époque où j'ai commencé à travailler pour Kuefer ? Si vous cherchez des gens qui détestent les nazis, c'est à eux qu'il faut s'adresser.

— Encore faut-il pouvoir leur faire confiance, dit Maxine. Eugène est un garçon que l'on connaît depuis plusieurs semaines, et je sais qu'on peut avoir confiance en lui. Recruter des individus qu'on ne connaît pas, uniquement parce qu'ils détestent les nazis, c'est prendre un risque énorme.

— Je les connais, moi, dit Marc. Après le meurtre de Houari, les Allemands se sont montrés encore plus cruels avec ses compatriotes. Ils n'ont même plus le droit de manger comme les autres ouvriers. Franchement, j'ai de la peine pour eux. Beaucoup de prisonniers français continuent à croire qu'ils seront libérés un jour ou l'autre, mais les Nord-Africains savent que les Allemands ne les laisseront jamais partir. J'ai joué aux dés avec eux deux ou trois fois et je leur ai apporté de la confiture et des pêches au sirop en douce car ils meurent de faim.

Paul se leva d'un bond, outré.

— *Ma* confiture et *mes* pêches ?

— Je n'ai pas vu ton nom écrit dessus, répliqua Marc avec un sourire en coin. De toute façon, Eugène dit que la propriété, c'est le vol.

— Je l'emmerde, ce communiste ! *(Paul pointa un doigt accusateur sur Marc.)* Tu me dois des pêches au sirop.

Maxine se leva elle aussi, pour gifler Paul.

— Surveille ton langage ! Comment oses-tu parler de cette façon à ma table ?

— Du calme ! ordonna Henderson, alors que Paul se rasseyait et enfouissait son visage en feu dans ses bras. Approcher Eugène pour lui offrir la possibilité de traverser la Manche avec nous, c'est sans doute une bonne idée. Concernant les Africains, je dois réfléchir et voir comment on peut les aborder.

L'Anglais se tourna vers Rosie.

— Combien de temps avant le créneau de transmission ?

— Environ une heure.

— OK. Fin de la réunion. Rosie, va chercher le calepin pour commencer à coder le message. J'ai une proposition et une longue liste de questions à envoyer à McAfferty.

CHAPITRE VINGT-TROIS

7 SEPTEMBRE

Parmi toutes les personnes qui vivaient à la ferme, Henderson et PT étaient celles qui entretenaient les relations les plus délicates. Il était une heure du matin et tous les deux, vêtus de leurs tenues les plus sombres, traversaient une zone boisée. Chacun tenait la poignée en cuir d'un gros sac de toile tendu entre eux.

— Tu es sûr que tu veux participer à cette opération ? chuchota Henderson, le souffle coupé.

— Je suis là, non ? répondit PT. Et j'ai fait tout ce que vous m'avez demandé.

— Certes, mais il faut que ce soit un choix de ta part. Il me reste un jeu de papiers d'identité et je peux t'obtenir un laissez-passer au quartier général si tu souhaites retourner à Bordeaux.

— Je n'ai pas peur.

— Je ne t'accuse pas de couardise. Je dis juste que depuis deux semaines, tu ne manques jamais une occasion de me faire comprendre que tu n'aimes pas mon plan.

PT soupira, tandis qu'Henderson s'accroupissait pour faire passer le sac à travers un trou dans une haie. Après un grand nombre de branches brisées et autant d'égratignures, le duo parvint à rejoindre un chemin de terre.

— Vous m'avez donné la possibilité de foutre le camp avant qu'on quitte Bordeaux, reprit PT. Franchement, j'aimerais mieux qu'on grimpe sur une péniche et qu'on traverse la Manche en douce, au lieu de se lancer dans des plans insensés, des histoires de balises, d'explosions et d'espions français venus du ciel. Mais vous avez joué franc-jeu avec moi. Je savais ce qui m'attendait quand j'ai accepté de vous accompagner dans le Nord.

— Ce raid aérien pourrait faire échouer le plan d'invasion des Allemands, expliqua Henderson, alors qu'ils traversaient le chemin pour s'enfoncer à nouveau au milieu des arbres. Tu nous as parlé de ces Polonais que tu avais rencontrés sur des bateaux et qui t'avaient raconté de quelle manière les nazis les avaient traités. Tu peux donc comprendre qu'il est important que j'essaye de sauver mon pays.

— C'est vous qui ne comprenez pas, rétorqua PT. Depuis ma naissance, je suis plongé dans ce monde aventureux. Quand j'avais trois ans, mon père me faisait passer à travers des fenêtres brisées et m'ordonnait d'aller ouvrir la porte de l'intérieur afin qu'il puisse cambrioler des maisons. J'ai passé trois mois à creuser un tunnel sous une banque de Wall Street. Mon père disait qu'on allait réaliser le plus grand braquage du siècle. On aurait des belles voitures, des maisons immenses, et tout ce qu'on pouvait désirer. Mais comment ça s'est terminé ? Mon père, mon grand frère et deux policiers sont morts. Résultat, je me suis retrouvé en cavale, j'ai dû parcourir la moitié du globe. Je n'ai pas revu mon petit frère depuis deux ans et je n'avais aucun ami digne de ce nom jusqu'à ce que Maxine m'invite dans cette grande maison rose avec vous tous.

— Alors, pourquoi as-tu essayé de voler mon or et de filer ? demanda Henderson. Tu t'entendais bien avec Maxine et les autres, pourtant. Jamais je n'aurais imaginé que tu veuilles ficher le camp, à ce moment-là.

— Je crois que quand on a vu sa famille détruite, on a peur de trop s'attacher aux gens. Par bien des côtés, vous me rappelez mon père. Quand vous avez commencé à parler d'aller dans le Nord pour espionner les préparatifs de l'invasion, et quand vous avez pondu votre plan pour faciliter la destruction des péniches, vous aviez exactement le même air espiègle que mon père lorsqu'il préparait un cambriolage.

— Je crois que j'ai toujours été un aventurier, moi aussi, avoua Henderson, au moment où ils débouchaient dans un vaste pré. Je préfère avoir une existence brève mais utile, plutôt qu'une longue vie qui ne sert à rien.

PT s'arrêta.

— Sans vouloir vous vexer, monsieur Henderson. Après ce qui est arrivé à ma famille, mon but à moi dans la vie, c'est de m'acheter une petite ferme ou un commerce, de mener une vie paisible et de mourir tranquillement dans mon lit à soixante-quinze ans. J'accepte de vous aider parce que je hais les nazis et que j'ai envie de quitter la France, mais franchement, je n'ai aucun penchant pour les plans insensés.

Henderson lui donna une tape amicale sur l'épaule.

— Merci pour ta franchise.

— Pas de quoi, répondit le garçon, alors qu'ils déposaient le sac dans l'herbe haute avec un bruit sourd. Par contre, si jamais il arrive malheur à Paul, à Marc ou à Rosie, ne comptez pas sur moi pour vous pardonner.

— Ça ne me plaît pas d'utiliser ces gamins, avoua l'Anglais. Mais tu as vu ce qui s'est passé quand les Allemands ont envahi ce pays. Combien d'enfants comme Paul, Rosie et Marc, justement, mourront si trois divisions de Panzer font route vers Londres en détruisant tout sur leur passage ?

PT ne répondit pas. Il sortit une petite lampe électrique de sa poche pour examiner la carte dessinée par Paul.

— C'est là, déclara-t-il. On est dans les temps ?

Henderson jeta un coup d'œil à sa montre.

— Une heure huit. Cela nous laisse sept minutes pour tout installer.

Henderson ouvrit la fermeture Éclair du sac pour en sortir trois installations identiques. Chacune se composait d'une paire de phares de voiture fixés à l'intérieur d'un cageot de légumes. Ils étaient reliés par du fil électrique à deux batteries de voiture. L'ensemble était contrôlé par un unique interrupteur.

L'unité principale resta près des batteries. PT et Henderson prirent chacun un cageot et le transportèrent une vingtaine de mètres plus loin, soit la longueur du fil. Quand ils eurent regagné leur point de départ, PT actionna brièvement l'interrupteur pour s'assurer que les six lampes fonctionnaient.

— Trois minutes, annonça l'Anglais en renversant la tête pour contempler les étoiles. Au moins, le ciel est dégagé.

Ils tendirent l'oreille pour guetter le bruit d'un avion mais, alors que la grande aiguille de la montre d'Henderson avait dépassé le quart, ils n'entendaient toujours rien. Il ne leur restait plus qu'à allumer les phares et à espérer.

— Je m'occupe des lumières, déclara Henderson. Toi, va prendre des nouvelles des deux autres.

Le plus difficile avait été de trouver un endroit propice à l'atterrissage des deux espions français. Les critères principaux étaient une zone dégagée, évidemment, et un point de vue élevé à proximité. Tandis que les phares s'allumaient dans son dos, PT marcha vers un abri en tôle rouillé au sommet d'une petite colline. Marc était là, tapi dans les buissons, avec une paire de jumelles autour du cou.

— Alors ? demanda PT.

— Deux camions allemands sont passés sur la route, là-bas, il y a une vingtaine de minutes, dit Marc. Mais aucun signe de notre avion.

— Et Rosie ?

— Elle fait le guet de l'autre côté de la colline. Si elle voit venir quelque chose, elle nous préviendra.

PT était vanné après avoir porté les phares et les batteries pendant cinq kilomètres, à travers bois et champs. Il prit la gourde d'eau de Marc et but à grandes gorgées, pendant que les minutes s'écoulaient.

— Où il est, ce foutu avion ? soupira-t-il, les yeux fixés sur les étoiles.

— Chut ! fit Marc en se redressant tout à coup pour pointer ses jumelles vers le ciel.

PT perçut le grondement des hélices. En bas, dans le pré, Henderson l'avait entendu lui aussi. Aussitôt, il exécuta le signal convenu en actionnant l'interrupteur : trois petits coups brefs, puis cinq secondes d'éclairage. Il recommença plusieurs fois.

Le vrombissement s'amplifia au cours des trente secondes qui suivirent, mais Marc et PT sursautèrent malgré tout lorsque le Whitley bimoteur passa au-dessus de leurs têtes, faisant trembler les feuilles des arbres et vibrer les plaques de tôle de la cabane derrière eux.

Depuis le début de la guerre, la technologie en matière d'aéroplanes avait fait des progrès faramineux. Ce bombardier de taille moyenne, déjà vieux de cinq ans, manquait de vitesse et de maniabilité. En outre, n'étant pas escorté par des avions de combat, il était une proie facile pour les redoutables chasseurs allemands. Sa seule défense consistait à voler en rase-mottes, dans le noir. Cette technique exigeait un pilote chevronné, mais elle rendait le Whitley quasiment indétectable.

Henderson regarda la trappe s'ouvrir sous l'appareil au moment où celui-ci frôlait le sommet de la colline, à presque deux cent cinquante kilomètres-heure. Un énorme colis tomba du ventre du bombardier et s'écrasa dans un champ quelques secondes plus tard.

Après avoir allumé et éteint les lumières quatre fois rapidement, pour indiquer que le largage était réussi, il ramassa le grand sac de toile et courut vers le champ voisin, là où était tombé le colis.

– C'est le signal, dit Marc.

Pendant que PT dévalait la pente pour aider Henderson, Marc, rejoint par Rosie, regardait avec les jumelles le Whitley mettre les gaz et remonter presque à la verticale. Si l'on pouvait lâcher des pains de plastic ou des armes directement dans un champ, les choses plus fragiles, comme des émetteurs, des détonateurs ou des êtres humains, devaient être larguées par parachute, lequel nécessitait une altitude beaucoup plus élevée pour avoir le temps de s'ouvrir.

Après avoir grimpé à plus de trois cents mètres, le bombardier décrivit un large cercle. Une fois que l'appareil se retrouva face à lui, PT ralluma les lampes. Marc et Rosie, à qui on avait confié le rôle d'observateurs, virent les parachutes se déployer dans le ciel et ils accompagnèrent du regard leur lente descente jusqu'au sol.

— Je surveille celui de gauche, annonça Marc.

Dans ses jumelles, le clair de lune se reflétait sur le dôme d'un parachute blanc.

— Entendu, dit Rosie, qui avait momentanément perdu de vue le deuxième parachute.

Elle abaissa ses jumelles et constata que le vent le déviait sérieusement de sa course.

— Il dérive vers la gauche du champ, dit-elle, la gorge serrée. C'est plein d'arbres par là, il va se retrouver enchevêtré dans les branches.

Elle descendit la pente à toutes jambes, en levant régulièrement les yeux pour suivre la trajectoire du parachute. Une fois certain que le premier parachute allait se poser à l'endroit prévu, Marc s'élança à la suite de Rosie.

Alors qu'ils arrivaient au pied de la colline, le bombardier, passé sur l'autre versant, replongeait en rase-mottes pour rentrer au bercail.

PT éteignit les lumières, tandis que Marc et Rosie se frayaient un passage à travers les broussailles. Il faisait nuit noire sous les arbres et, n'ayant de lampe ni l'un ni l'autre, ils étaient obligés d'avancer à tâtons, jusqu'à ce qu'ils entendent un fracas parmi les branchages, à moins de vingt mètres de là, suivi d'un râle à vous glacer le sang.

— Mauvais, commenta Marc en fonçant dans la direction du bruit.

La lune éclairait des lambeaux de soie blanche accrochés aux branches, mais on n'entendait plus rien, hormis les feuilles qui craquaient sous leurs pieds.

— Hé oh ! lança Rosie en mettant ses mains en porte-voix. Hé oh !

Levant la tête, Marc ne vit pas le parachutiste ; en revanche, il distingua la forme caractéristique d'un gros sac à dos coincé dans la fourche d'un arbre.

— Hé, mon gars, dit-il timidement en tirant sur les sangles du parachute.

Les feuilles bruissèrent, des branches se brisèrent, puis le gros sac bascula dans le vide, entraînant tout le reste. Marc eut le réflexe de se jeter en arrière pour éviter d'être assommé, mais le paquetage était suffisamment lourd pour l'expédier au tapis en tombant sur sa jambe.

— Ouille ! gémit-il en sentant des racines lui rentrer dans le dos.

Rosie s'approcha ; elle s'attendait à découvrir un homme emberlificoté dans les sangles et la toile.

— Ça va ? demanda-t-elle.

— Oui, je crois, répondit Marc. Mais où il est passé ?

Tandis qu'il se relevait, Rosie aperçut le faisceau d'une lampe à travers les arbres, derrière eux.

PT apparut.

— On a repéré un camion de Boches, annonça-t-il. Ils viennent par ici, on dirait. C'est peut-être une patrouille de routine, mais ils ont pu apercevoir les parachutes dans le ciel. Quoi qu'il en soit, Henderson a décampé avec l'autre gars et le matériel. Il veut qu'on file en passant derrière la colline pour ne pas être sur la trajectoire des Allemands.

— Il faut d'abord qu'on retrouve notre parachutiste, dit Rosie d'une voix angoissée.

PT braqua alors sa lampe vers la cime des arbres et résolut ce mystère.

Rosie plaqua sa main sur ses yeux et s'empressa de détourner le regard. Le parachutiste avait atterri au sommet des arbres et sans doute était-il resté conscient assez longtemps pour détacher son parachute et son paquetage, mais en essayant de descendre, il avait dû glisser. Sa gorge s'était empalée sur une branche brisée. Il pendait dans le vide, retenu par la mâchoire, comme un manteau accroché à une patère.

Marc grimaça.

— Quelle horreur.

PT éteignit la lampe, avant de se retourner vers la route pour constater que le camion allemand les avait dépassés. Ses feux arrière gravissaient la colline.

— Il faut tout faire disparaître pour éviter que les Allemands ne le découvrent au lever du jour, déclara-t-il sans se départir de son calme. S'ils savent que des espions ont été largués dans le secteur, ils renforceront les mesures de sécurité, ce qui n'arrangera pas nos affaires.

— Comment tu comptes le récupérer ? demanda Marc.

— Je vais tirer dessus.

— Il est accroché, dit Rosie. Tu vas lui arracher la moitié du visage.

— S'il le faut, je le ferai. Ensuite, on l'enroulera dans le parachute, on le débarrassera de son arme et de tout son barda, et on le balancera dans l'enclos à cochons au bout du champ.

.:.

Le parachutiste rescapé était un petit homme rondelet nommé Bernard Prost, qui portait des lunettes rectangulaires. Assis à la table de la cuisine, il tremblait comme une feuille au-dessus d'une tasse de café. Tout le monde était encore debout malgré l'heure tardive, à l'exception de Paul qui avait attrapé froid et qui dormait au grenier.

PT, planté devant l'évier, nettoyait le sang sur sa chemise. Pendant que Maxine réconfortait Marc et Rosie, ébranlés par la mort violente du deuxième parachutiste et le choc qui avait suivi, quand il avait fallu cacher le corps défiguré.

— C'est foutu, se lamenta Bernard. Il fallait deux personnes pour réussir à pénétrer dans le…

Henderson l'arrêta d'un geste.

— Souvenez-vous de votre formation, dit-il d'un ton sec. Vous ne devez parler à personne de votre mission. Imaginez que l'un de nous soit capturé et interrogé. Où sont vos photos ?

— Dans la petite valise.

Henderson n'avait aucune confiance dans cet homme trop nerveux.

— Je sais que la mort de votre équipier vous a fichu un coup, dit-il en ouvrant la valise. Mais ça fait partie du métier d'espion. Il faut être fort… Nom de Dieu ! C'est quoi, *ça* ?

Henderson brandit une tablette de chocolat.

— J'ai cru comprendre que la nourriture était rare, presque partout, expliqua Bernard. Le chocolat possède un fort pouvoir énergétique.

— Oui, mais c'est du chocolat *anglais* ! s'exclama Henderson. Au premier contrôle, les Allemands vous feront ouvrir votre valise et ils vous arrêteront sur-le-champ. Et ça ! Regardez un peu !

Il brandit une chemise qui portait une étiquette *Marks & Spencer* à l'intérieur du col.

— Le MI5 ne vous a donc rien appris ? Je vous conseille de faire le tri dans vos affaires, mon vieux, et d'enlever tout ce qui fait plus ou moins anglais.

— Je n'ai jamais rencontré quelqu'un du MI5, expliqua Bernard. Je n'ai reçu aucune formation, à vrai dire. Je crois savoir que les Britanniques construisent un centre destiné à entraîner les espions, mais il ne sera pas prêt avant plusieurs mois.

— C'est désespérant…

Henderson continuait à fouiller dans la valise en pestant, jusqu'à ce qu'il trouve les photos d'identité dont il avait besoin pour achever les faux papiers de Bernard.

Pendant qu'il découpait une photo aux dimensions appropriées, Maxine s'approcha de Bernard et lui demanda :

— Une femme pourrait-elle remplacer votre équipier pour cette mission ?

— Euh, oui, sans doute.

Maxine sourit.

— J'ai toujours adoré Paris.

Henderson intervint :

— Ne sois pas ridicule, voyons. Tu vas rentrer en Grande-Bretagne avec moi et les enfants.

— Tu crois que je m'entendrai bien avec ta femme ? répliqua-t-elle d'un ton sarcastique.

Henderson pivota brusquement sur sa chaise.

— Je t'ai déjà expliqué que ma femme avait certains problèmes. Notre mariage n'a absolument rien de conventionnel.

— Tu vas demander le divorce, alors ?

En voyant le petit sourire en coin de Bernard, Henderson eut envie de lui écraser son poing sur la figure.

— Écoute, Maxine… je ne peux pas t'autoriser à faire ça.

Elle ricana.

— *M'autoriser* ? Tu n'es pas en position de m'autoriser ou de m'interdire quoi que ce soit, Charles

Henderson. La question est réglée. Si le raid aérien est un succès, j'irai à Paris pour aider Bernard.

— Mais... bafouilla Henderson.

Chose rarissime, il était devenu écarlate.

Rosie abandonna le coin de la pièce où elle se tenait avec Marc pour se planter devant l'Anglais.

— Pardon d'interrompre votre scène de ménage, mais il est trois heures et demie. Nous devons envoyer un message à McAfferty pour lui expliquer comment s'est déroulé le largage.

Bernard se leva.

— Je vais vous aider.

— Ce ne sera pas nécessaire, dit Henderson, tout en vérifiant que la petite photo était bien collée sur la carte d'identité du Français.

— Vous devriez me laisser faire, insista celui-ci. Je suis capable de transmettre en moyenne cinquante-deux mots par minute.

CHAPITRE VINGT-QUATRE

9 SEPTEMBRE, 5 HEURES 57. LA FERME

Rosie, Maxine et Bernard se tenaient autour de la table de la cuisine, en chemise de nuit et en pyjama. PT, Paul, Marc et Henderson étaient habillés, prêts à partir avec la camionnette.

– Bon, dit l'Anglais. Le grand jour est enfin arrivé. Vous avez tous bien dormi ?

Il y eut quelques ricanements nerveux. Henderson esquissa un sourire.

– Moi non plus, avoua-t-il. Vous connaissez tous votre mission et vous savez à quel point elle est importante. PT, tu te rends à Dunkerque, en passant par Calais. Marc, lui, s'occupe de Boulogne. Paul et moi, on se charge de Calais. Pour finir, Maxine et Bernard placeront des balises incendiaires respectivemcnt à Dieppe et au Havre. Je ne suis pas doué pour les grands discours, mais je vous demande de garder votre calme quoi qu'il arrive et de vérifier que vous avez bien tout votre matériel avant de quitter la ferme.

« J'ai réglé ma montre sur la *BBC* en me levant. Il est maintenant cinq heures cinquante-huit. Vous avez tous une montre de gousset ou une montre-bracelet. Assurez-vous qu'elles sont bien remontées et à l'heure exacte. Les raids de la RAF sur les cinq ports débuteront à vingt heures quarante. Toutes les balises doivent être enflammées trois minutes avant, afin que les bombardiers repèrent leurs cibles au moment de l'approche finale.

« Tout le monde, à l'exception de Maxine et Bernard, devra être revenu ici avant vingt-deux heures. Si vous loupez le bateau, il y a des vivres, des cartes maritimes et des pièces d'identité vierges cachées ici, à la ferme, et dans deux endroits proches. Tout le long de la côte, vous trouverez de petites embarcations. Ce que je vous conseille, c'est d'attendre que la mer soit calme pour tenter de traverser la Manche. La Grande-Bretagne est une grande île, pas de problème de navigation par conséquent, vous ne risquez pas de la louper. Mais faites attention à ne pas heurter une mine en débarquant.

Comme personne ne disait rien, il enchaîna :

— Marc et moi devons aller travailler. Paul et PT viennent avec nous. C'est donc le moment de dire au revoir à Maxine pour ceux qui le souhaitent.

Les trois garçons étreignirent Maxine chacun leur tour. Elle ne put retenir ses larmes.

— Vous êtes tous très courageux, sanglota-t-elle. Je ne pourrais pas être plus fière de vous si vous étiez mes fils.

— N'oubliez pas de déposer mon matériel quand vous passerez à Boulogne, lui rappela Marc.

La jeune femme hocha la tête.

— Entre les deux arbres, après l'élevage de canards, avant le croisement. La dalle de pierre avec des initiales gravées dessus.

— Vous ne pouvez pas la louper.

Paul était le plus jeune, et aussi le plus triste. Il serra à nouveau Maxine dans ses bras, tandis qu'Henderson sortait pour faire chauffer le moteur de la camionnette. C'était un véhicule de plus de dix ans et, généralement, il avait besoin de plusieurs tours de manivelle le matin avant d'accepter de démarrer.

— Merci pour tous ces délicieux repas, dit Paul en essayant de masquer ses larmes derrière un sourire.

— Paul, c'était un plaisir de t'avoir avec nous. Merci à toi. Je t'écrirai en Angleterre dès que je pourrai.

Maxine s'était remise à pleurer.

— Allez, les gars, on y va ! lança Henderson sur le seuil.

Après avoir souhaité bonne chance à Rosie et à Bernard, les trois garçons sortirent au trot et s'assirent sur le matériel entassé à l'arrière de la vieille camionnette.

Maxine regarda Henderson.

— Tu boudes toujours, ou bien ai-je droit à un baiser ? demanda-t-elle.

La journée de dimanche entre les parachutages et le raid aérien aurait dû être consacrée à la détente et aux préparatifs, mais Henderson ne digérait pas la décision de Maxine de rester en France, et la tension qui régnait entre eux avait gâché l'ambiance générale.

Il parvint à sourire malgré tout et l'attira contre lui pour un baiser fougueux.

— Si seulement je t'avais rencontrée avant ma femme, soupira-t-il.

Maxine n'était pas dupe.

— On a passé de bons moments ensemble, dit-elle en souriant courageusement. Mais maintenant, c'est fini car tu vas rentrer chez toi et retrouver ton épouse. Ou alors tu vas te faire tuer.

Henderson échangea une brève poignée de main avec Bernard, puis il s'installa au volant de la camionnette. Maxine avait raison en disant qu'il ne quitterait jamais sa femme, et d'une certaine façon, le fait qu'elle ait décidé de rester en France lui évitait une rupture délicate. Mais il l'aimait énormément et il avait le cœur gros en s'éloignant. Dans le rétroviseur, il la vit rentrer dans la ferme et il jeta un dernier regard à la Jaguar avant de s'engager sur la route.

Il s'était habitué à conduire la puissante voiture de sport, et dans cette camionnette qui pétaradait sur la chaussée déserte, il avait l'impression de voir les haies passer au ralenti. Arrivé au point de contrôle à la périphérie de Calais, il dut se garer sur le bas-côté.

— On a renoncé au luxe, aujourd'hui ? demanda le soldat.

Henderson montra l'arrière du véhicule.

— Mon fils cadet a rendez-vous chez le médecin. Il n'y avait pas assez de place dans la Jaguar.

Cinq minutes plus tard, ils pénétraient sur la place pavée derrière le quartier général de l'armée. Henderson serra la main de Marc à travers le panneau derrière sa tête.

— Sois prudent, dit-il, troublé par le contact de la main frêle du garçon dans la sienne. Je sais que je te demande beaucoup. Souviens-toi qu'il n'y a aucune honte à échouer. Mais débrouille-toi pour être sur le bateau ce soir, à dix heures.

Comme toujours, le Kommodore Kuefer et son chauffeur Schroder attendaient près de leur Mercedes en fumant. L'architecte naval était resté trois jours à l'hôpital après avoir été poignardé par Houari et il avait conservé une large cicatrice violacée sous le menton.

— Désolé pour le retard de Marc, dit Henderson. Cette vieille camionnette ne roule pas très vite.

Sauf quand il pleuvait, Kuefer et Henderson échangeaient toujours quelques mots en allemand. L'Anglais voulait s'assurer qu'aucune modification de dernière minute ne viendrait bouleverser le programme de Marc.

— Boulogne aujourd'hui ? demanda-t-il.

— J'ai d'abord une réunion ici, à Calais. Puis direction Boulogne, oui, confirma Kuefer. Si un jour vous passez par là, allez donc manger *Chez Gérard*, c'est excellent !

L'architecte fit claquer ses lèvres pour renforcer son propos, pendant que Marc montait dans la Mercedes. L'Allemand n'avait jamais vu les deux autres garçons. Henderson présenta Paul comme son fils cadet et PT comme son neveu ; tous les deux serrèrent poliment la main de Kuefer.

Marc garda les yeux fixés sur l'arrière du crâne de Schroder tandis qu'ils quittaient la place pavée ; il sentait son estomac se nouer en pensant que si le plan se déroulait comme prévu, ces deux Allemands n'avaient plus que quelques heures à vivre.

∴

6 heures 44. Calais

Henderson se comportait en employé modèle et ne manquait jamais une occasion de faire plaisir à l'Oberst Ohlsen. Pour cela, il avait établi un programme. Chaque matin, il passait entre dix et quinze minutes à flirter avec le personnel féminin du quartier général, histoire de glaner les derniers ragots. Ensuite, il se rendait dans la salle des transmissions pour récupérer tous les messages radio ou les télégrammes reçus dans la nuit ;

voilà pourquoi, très souvent il était informé de ce qui se passait à Berlin avant même l'Oberst.

Quand celui-ci arrivait, un peu après sept heures, en compagnie de son assistant, Henderson l'attendait avec du café frais, les journaux allemands et les messages urgents. À moins qu'Ohlsen ne soit exceptionnellement occupé, il invitait Henderson à boire le café. L'humeur de l'Oberst et ses réflexions impromptues renfermaient autant d'informations précieuses que les communications officielles.

En ce lundi matin, Henderson versa une fiole de cristaux toxiques dans le sucrier. Il ignorait ce qu'elle contenait exactement ; il savait juste qu'il s'agissait d'une substance préparée par un chimiste de Londres et apportée par le parachutiste qui s'était tué lors de son saut.

— Comment s'est passée cette journée de congé ? demanda gaiement Ohlsen en pénétrant dans le bureau, suivi de son assistant.

— Un jour de congé est toujours un moment de bonheur, répondit Henderson sur le même ton, en débarrassant les Allemands de leurs manteaux pour les accrocher dans l'antichambre. Quand il revint, l'assistant d'Ohlsen était en train de verser le café dans trois tasses.

— Vous ne prenez pas de sucre, n'est-ce pas, Boyer ?

— Quatre cuillerées pour moi, dit Ohlsen.

Pendant qu'Henderson faisait non de la tête.

⁘

12 heures 15. Boulogne

Marc bâilla au moment où la Mercedes s'arrêtait en face de *Chez Gérard*, un restaurant de poissons renommé.

— Tu n'as pas l'air dans ton assiette, Marc, fit remarquer Kuefer.

— Je suis fatigué.

Le garçon vérifia qu'aucune voiture n'arrivait avant d'ouvrir sa portière.

— Cela devrait se calmer dans une semaine ou deux, quand nous n'aurons plus de péniches à transformer, dit Kuefer. Je pourrai enfin recommencer à dessiner des tourelles, au lieu de passer mon temps à modifier des embarcations pourries. Et j'ai entendu dire que l'administration avait l'intention de rouvrir les écoles, une fois les récoltes terminées.

— Et moi, ajouta Schroder, je ne serai plus obligé de sillonner ces foutues routes défoncées. J'aurai sans doute le plaisir de me battre dans la campagne anglaise.

En jetant un coup d'œil de l'autre côté de la rue, Marc remarqua que la foule habituelle du midi commençait à envahir le restaurant : officiers allemands et riches Français. Depuis qu'il travaillait pour Kuefer, pas une seule fois il n'avait été invité à déjeuner et cela lui restait en travers de la gorge.

— Si tu vois Louis, dis-lui que je serai là vers deux heures et demie.

— Bien, dit Marc, et il s'éloigna.

Le maître d'hôtel de *Chez Gérard* sortit sous la marquise crasseuse du restaurant.

— Ravi de vous voir, Kommodore Kuefer ! Votre table dans le jardin vous attend.

Dès que son patron eut disparu, Marc pressa le pas. À force d'errer dans les rues pendant les longues pauses déjeuner de Kuefer, il avait fini par bien connaître Boulogne.

Dès qu'il eut tourné au coin, il se mit à courir. Comme dans tous les ports du Pas-de-Calais, la présence allemande se faisait lourdement sentir, mais tout le monde savait qu'il était l'interprète de l'architecte et on lui fichait la paix. Après avoir frôlé deux soldats à la mine dépitée, il s'engouffra dans une ruelle. Sans ralentir l'allure, il se baissa pour passer sous du linge en train de sécher sur une corde et se fit houspiller lorsqu'il percuta un vieil homme caché par un drap jauni.

Au bout de la ruelle, il passa en courant devant des cages métalliques sales, remplies de canards, puis enjamba une clôture pour se retrouver dans le jardinet, envahi par les mauvaises herbes, d'une maison bombardée. Deux vieux chênes et une grande haie se dressaient entre lui et un convoi de camions allemands qui roulaient sur la route principale, en direction de l'est.

Comme convenu, Maxine avait déposé un sac de toile entre les arbres. Marc s'accroupit et l'ouvrit pour vérifier le contenu : des bombes au phosphore, des détonateurs, des mèches, des cordes de piano et deux pistolets. Il vit une feuille de papier rose dépasser de la poche avant du sac. Il sourit en lisant ce qui y était écrit :

Je t'ai gardé la dernière part ! Bonne chance. M.

Marc sortit du fond de la poche un morceau de bread pudding détrempé. La cuisine de Maxine était un mélange de plats anglais et français, et ce gâteau était devenu le préféré de Marc. Il consulta la montre de gousset que lui avait confiée Henderson pour vérifier qu'il avait encore un peu de temps et il avala goulûment le dessert.

Les dernières bouchées avaient un goût amer, cependant. Reverrait-il Maxine un jour, mangerait-il encore son délicieux bread pudding ?

Quand il ne resta plus une seule miette, il lécha le sucre collé au papier sulfurisé. Il s'aperçut alors que Maxine avait été pour lui la personne qui se rapprochait le plus d'une mère. Au lieu de jeter la feuille rose, il la plia en quatre et la glissa dans la poche de son pantalon.

Lesté par le sac de matériel, Marc emprunta un itinéraire différent pour revenir sur les quais. Plutôt que de courir le risque d'être fouillé en pénétrant dans le périmètre de sécurité du port, il s'arrêta devant la Mercedes de Kuefer, ouvrit le coffre et déposa le sac tout au fond, sous des cartes roulées, des parapluies et des manteaux en cuir.

Aux abords des quais, les routes étaient bloquées par des grilles et des guérites, mais le soldat allemand posté à cet endroit avait l'habitude de voir passer Marc ; il jeta à peine un coup d'œil à ses papiers.

— Où est ton patron ? demanda-t-il.

— En train de s'empiffrer *Chez Gérard*.

Si Marc ne parlait pas encore l'allemand couramment, son vocabulaire s'était étoffé depuis qu'il travaillait pour Kuefer.

— Ah, les officiers, dit le garde en prononçant ce mot comme s'il s'agissait d'une injure, avec un petit geste éloquent, pendant que Marc se baissait pour passer sous la barrière.

— Ne m'en parlez pas, dit-il avec un sourire.

Le port se composait de deux immenses bassins rectangulaires, séparés par une presqu'île naturelle. Le soleil brillait, et tandis que le garçon longeait les quais, plus de deux cents embarcations se balançaient sur la surface scintillante de l'eau, amarrées côte à côte par rangées de dix ou quinze.

Il y avait aussi bien d'énormes barges de plus de cent mètres de long, servant au transport du charbon et transformées pour accueillir des chars, que d'étroites péniches conçues pour naviguer sur les eaux calmes des canaux hollandais. Toutes avaient reçu une fine couche de peinture grise et des numéros avaient été peints au pochoir sur la coque.

Tout au bout du quai, là où le port s'ouvrait sur la mer, Marc constata qu'il y avait moins de péniches que les jours précédents. Cela confirmait les informations recueillies par Henderson, selon lesquelles les Allemands commençaient à déployer les embarcations le long des plages en vue de l'invasion qui devait avoir lieu dans une semaine très exactement.

Derrière les bassins jumeaux s'étendait un large canal d'un kilomètre de long, bordé de petits chantiers où les travaux de transformation se poursuivaient. Les ouvriers étaient répartis en deux équipes pour le déjeuner. Marc se glissa vers deux Africains faisant partie d'un groupe de prisonniers de couleur, qui s'amusaient à lancer des dés contre la coque renversée d'un chalutier.

— Keïta, Farès, dit-il à voix basse. Tout est prêt.

Keïta était un homme noir au physique terrifiant qui travaillait toujours torse nu, par tous les temps. Farès était un Marocain à la peau claire, mince, dont l'accent évoquait davantage un aristocrate français qu'un Nord-Africain.

— Tu as le matériel, Pêche ? demanda-t-il, alors que Keïta et lui s'éloignaient du bateau et de la partie de dés.

Le surnom de Marc lui venait des fruits au sirop qu'il leur avait apportés.

— Tout est dans le coffre de la Mercedes. Vous avez entendu le message à la *BBC* ?

Marc avait sympathisé avec ces deux hommes depuis le jour où les Allemands avaient assassiné Houari, mais des pêches au sirop ne suffisaient pas à les convaincre qu'un gamin de douze ans leur offrait une véritable chance de s'évader. C'est pourquoi Henderson avait fait en sorte que la *BBC* diffuse un message à leur attention parmi toutes les annonces qui succédaient aux informations du soir.

– Pas facile d'écouter une radio dans un camp de prisonniers, répondit Farès, avec un sourire. Mais on s'est débrouillés. *Pêche salue bien les amis de Houari*.

– Alors, vous me croyez maintenant ?

– On te croit, dit Farès.

Et il l'étreignit chaleureusement.

– Les Allemands nous traitent de sauvages, dit Keïta d'une voix forte. Jamais ils ne nous relâcheront. Alors, autant mourir en essayant de s'échapper, hein ?

Ses paroles parvinrent aux oreilles de deux de ses congénères. Farès entraîna son compagnon à l'écart et le foudroya du regard.

– Pêche nous a dit que c'était un petit bateau, grommela-t-il. On ne peut pas emmener les autres.

– Rien ne nous empêche de prendre quelques gars avec nous, répondit Keïta. Ils se débrouilleront pour trouver un autre bateau.

– Sans plan d'évasion, ils se feront massacrer, dit Farès. Les Français nous détestent autant que les Allemands. Tu crois qu'ils iront loin ?

– Les gars comptent sur toi. Tu es un peu leur chef.

Marc savait qu'il devait intervenir, mais le fait de devoir commander des adultes le mettait mal à l'aise.

— Que ce soit bien clair, dit-il d'un ton déterminé. Soit vous m'aidez à exécuter le plan *exactement* comme prévu et vous aurez une chance de vous évader. Soit je m'en vais, et vous continuerez à servir d'esclaves jusqu'à ce que les nazis vous tuent ou vous laissent mourir de faim. Décidez-vous maintenant.

Sur ce, Marc se dirigea vers les baraquements des ingénieurs. Il éprouva un immense soulagement lorsque les deux Africains lui emboîtèrent le pas.

— J'aime bien Pêche quand il se met en colère, commenta Farès, et Keïta s'esclaffa.

Marc s'arrêta devant une des tables en bois où déjeunaient les contremaîtres français.

— Kuefer a besoin de deux hommes, expliqua-t-il. Je prends ceux-là.

Un des contremaîtres, perplexe, passa une main sale dans ses cheveux.

— Qu'est-ce qu'il veut en faire ?

Marc haussa les épaules.

— Allez lui demander. Vous croyez qu'il me dit tout ?

— Tu es sûr que tu veux prendre des Africains ? Il ne préfère pas quelqu'un qui soit capable de faire ce qu'on lui demande ?

Les autres contremaîtres éclatèrent de rire, et Marc fit semblant de se fâcher.

— Si vous n'êtes pas d'accord, voyez ça avec Kuefer. Mais il est d'humeur massacrante aujourd'hui, alors je vous le déconseille.

Le contremaître agita la main en direction des bureaux, en souriant.

— Qui suis-je pour contredire les ordres de nos puissants occupants ?

— Abruti, murmura Marc en entraînant Keïta et Farès entre deux baraquements de construction récente.

Derrière, des dizaines de fûts de goudron vides étaient entreposés dans une cour.

— Prenez-en un chacun, dit Marc.

À l'autre bout de la cour, un entrepôt partiellement détruit par un incendie abritait les ingénieurs en attendant que soient achevés les bâtiments étanches.

— Entrez là et ne faites pas de bruit, dit-il en remettant aux deux hommes des cordes de piano. Tenez-vous prêts à leur sauter dessus dès qu'ils franchissent la porte.

CHAPITRE VINGT-CINQ

13 heures 12. Calais

Henderson passa une bonne partie de la matinée à servir d'interprète au cours d'une réunion entre officiers allemands et responsables des chemins de fer français. Ces derniers étaient devenus maîtres dans l'art de donner le change ; ils faisaient semblant de collaborer tout en soulevant de subtiles objections et en affirmant que toutes les exigences de l'occupant, ou presque, étaient irréalisables.

Il avait eu du mal à ne pas éclater de rire quand un responsable avait déclaré aux Allemands, de but en blanc, que la meilleure façon de transporter le carburant, les vivres et le matériel dont ils avaient besoin pour l'invasion, ce serait de libérer les milliers de cheminots et d'ingénieurs français prisonniers dans les camps de travail, puis d'attendre six mois que les réparations soient achevées. Mais le mieux, avait-il ajouté, aurait été de ne pas bombarder autant de ponts et de voies ferrées, pour commencer.

Une fois la réunion terminée, Henderson traversa la place pavée pour regagner le bureau de l'Oberst Ohlsen avec un paquet de documents sous le bras. Il feignit l'étonnement quand une des assistantes françaises de l'Oberst l'intercepta en chemin.

— Ils étaient verts tous les deux, expliqua-t-elle. L'Oberleutnant est parti prendre l'air, mais l'Oberst a été emmené en ambulance. Si vous aviez entendu les bruits qui s'échappaient de la salle de bains... Même si c'est un Boche, j'avoue que j'ai de la peine pour lui.

— Oui, c'est terrible, compatit Henderson en repartant vers le bureau.

— C'est fermé, dit la femme. La police militaire pense qu'il pourrait s'agir d'une tentative d'empoisonnement de la part des résistants français. Par conséquent, le major Ghunsonn a ordonné que la porte soit verrouillée et que personne n'approche du bureau.

— Zut ! J'ai des documents à faire signer et à envoyer aujourd'hui même.

Si les documents n'avaient aucune valeur, le juron, lui, était authentique. Henderson devait absolument pénétrer dans le bureau de l'Oberst. Les cristaux toxiques étaient censés lui donner des crampes d'estomac pour le contraindre à regagner son hôtel, mais apparemment, la réaction avait été trop violente, et Ghunsonn suspectait un coup monté.

— Bon, tant pis, soupira-t-il. Ça attendra.

Il s'éloigna dans le couloir lambrissé et entra dans la salle à manger des gradés, au sommet de l'escalier principal. Il avait préparé une excuse au cas où une réunion s'y déroulerait, mais il ne trouva qu'une employée occupée à épousseter les maquettes de bateaux.

— Bonjour, dit-il poliment, mais la vieille femme à l'air morose ne daigna pas répondre.

Après avoir traversé les anciennes cuisines, Henderson risqua un coup d'œil dans le couloir. Il ne savait pas si le major Ghunsonn avait pensé à placer un garde à la porte du bureau de l'Oberst. Dieu soit loué, il s'était contenté de la verrouiller et de faire glisser le bureau de l'Oberleutnant devant.

Henderson s'arrêta, le temps d'évaluer les risques. S'il se faisait prendre, il serait torturé et exécuté. Mais le plan pour allumer les balises ne serait pas compromis et les membres de son équipe avaient les moyens de s'échapper. En revanche, s'il réussissait son coup, il pourrait se retrouver de l'autre côté de la Manche avant que quiconque découvre qu'un espion britannique avait dérobé les trois dossiers contenant les détails de l'invasion.

Après un dernier coup d'œil, il tapota la poche de sa veste pour sentir la présence rassurante de son pistolet. Il sortit la clé et marcha d'un pas décidé vers la porte à double battant du bureau de l'Oberst.

∴

Marc attendait la Mercedes à l'entrée du quai principal. Il fit signe à Schroder de s'arrêter. Il se pencha vers la vitre baissée, à la hauteur de Kuefer.

— Je viens de parler à Louis, dit-il. Ils ont eu une panne de courant dans un des baraquements. Alors, ils ont décidé de travailler dans l'entrepôt, en attendant que le bloc électrogène soit installé.

Kuefer avait l'habitude d'accompagner son déjeuner d'une bouteille de vin. Résultat, il était à moitié endormi à l'arrière du véhicule, et Marc aurait pu lui annoncer que sa mère venait de mourir sans provoquer autre chose qu'un sourire idiot.

— Monte, lui dit Schroder.

Marc espérait que Kuefer ne remarquerait pas le tremblement de ses mains, tandis que la Mercedes parcourait les trois cents derniers mètres sur la chaussée lézardée. Mille choses pouvaient aller de travers : Farès et Keïta pouvaient se dégonfler, Louis ou un des contremaîtres pouvaient les voir entrer dans l'entrepôt et chercher à savoir ce qui se passe. Schroder, qui ne buvait pas autant que son patron, pouvait avoir des soupçons...

— Tu as couru ou quoi ? demanda Kuefer, alors qu'ils descendaient de voiture.

Marc avait la bouche presque trop sèche pour parler, des auréoles de sueur sous les bras et sa chemise collait à son dos.

— J'ai déjeuné en plein soleil, expliqua-t-il d'une voix éraillée, au moment où il posait la main sur la poignée de la porte de l'entrepôt.

— Mais il n'y a personne ici ! dit le Kommodore en s'avançant sous les poutres calcinées du toit.

Schroder lança un regard méfiant à Marc en le suivant à l'intérieur.

— Que t'a dit Louis, exactement ?

Avant que Marc ait le temps de répondre, Keïta passa la corde de piano autour de la gorge du chauffeur et serra de toutes ses forces.

Kuefer n'était pas très athlétique, mais Farès hésita une seconde de trop et l'Allemand en profita pour passer sous la corde et porter la main au pistolet accroché à sa ceinture. Aussitôt, Marc plongea vers l'avant et noua ses bras autour de la taille de Kuefer. Farès lui arracha son arme, tandis qu'il percutait un des fûts de goudron.

— Ne tirez pas, vous allez alerter tout le port ! dit Marc.

Keïta lâcha le chauffeur, qui s'écroula sur le sol avec un bruit sourd. Farès assena un coup de crosse sur le crâne de Kuefer, avant que Keïta ne le mette K-O pour de bon en lui écrasant son énorme poing sur le visage.

Appuyé contre un des fûts, Marc essayait de reprendre son souffle. Il eut un mouvement de recul en voyant la flaque de sang qui s'élargissait autour du Kommodore.

Farès posa sa main sur son épaule.

— Ça va ?

Marc avait la nausée, mais il parvint à hocher la tête.

— Mettez les corps dans les fûts et retournez-les. Je vais chercher les explosifs dans le coffre de la Mercedes.

.:.

13 heures 41. Calais

Henderson demeura dans le bureau de l'Oberst Ohlsen jusqu'à ce qu'il soit certain que tout le personnel administratif était parti déjeuner. Après avoir rapidement refermé la porte à clé, il retraversa les cuisines et la salle à manger, chargé d'un gros carton qui contenait la dernière mouture de la carte d'invasion et trois dossiers importants.

Il regagna son bureau désert, récupéra ses deux stylos à plume dans son tiroir et glissa dans sa poche les cachets de benzédrine sur lesquels il comptait quand il était fatigué ou stressé. Ensuite, il plaça le carton sur un chariot à deux roues et se rendit au rez-de-chaussée en empruntant l'ascenseur.

Les gardes postés à l'entrée du bâtiment ne s'étonnèrent pas de voir l'interprète d'Ohlsen sortir avec des documents. L'un d'eux alla même jusqu'à soulever le chariot pour l'aider à franchir les marches du perron.

Après avoir déposé Marc et Henderson, PT et Paul avaient conduit la camionnette quelques centaines de mètres plus loin, dans une rue paisible derrière une blanchisserie.

— Vous êtes en retard, dit PT à Henderson. Je commençais à me poser des questions.

— Ton vieil ami le major Ghunsonn a fait du zèle. Il a verrouillé la porte du bureau d'Ohlsen. Et ce foutu chariot est incontrôlable sur les pavés.

Pendant qu'Henderson chargeait les documents dans la camionnette, Paul tira deux cartons identiques sur le plancher. Au moment où il en tendait un à l'Anglais, ses doigts glissèrent et le carton heurta le hayon.

— Attention ! s'écria Henderson en sentant son cœur s'emballer. Il y a des explosifs là-dedans.

Honteux, le jeune garçon sauta de la camionnette. Henderson lui donna une tape amicale sur la tête.

— Ne t'en fais pas, va. Reste calme. Bon, maintenant, il faut que j'apporte tout ça au quartier général. Vous avez mangé, les gars ?

Ce fut PT qui répondit :

— Maxine nous avait préparé des sandwiches.

— Bien. Et vous savez où vous devez retrouver Eugène ?

— Trois heures moins le quart au *Café de la pomme*. Ensuite, on va aux écuries et on attend le grand boum.

— Exact. Si je ne suis pas là dix minutes avant l'explosion, commencez sans moi. Si la bombe n'a pas sauté à dix-huit heures et si vous ne m'avez pas vu, retournez à la ferme et aidez Rosie à s'occuper du bateau.

— Pigé. Bonne chance.

Henderson repartit vers le quartier général avec les deux cartons posés sur le chariot. Le même garde l'aida à monter les marches, puis Henderson suivit le long couloir du rez-de-chaussée en direction d'une salle d'archives située juste en dessous des bureaux de plusieurs haut gradés.

Il y avait deux Allemands et une employée dans la salle, mais les cartons et les classeurs alignés sur les étagères qui montaient jusqu'au plafond garantissaient son anonymat. Henderson choisit une rangée de rayonnages qui s'achevait devant une grande fenêtre donnant sur la place, animée à cette heure. Des pigeons voltigeaient entre les passants et venaient picorer les miettes que laissaient tomber de jeunes Françaises qui mangeaient des sandwiches sur les bancs en fer forgé.

Henderson éprouva un sentiment de culpabilité car il savait que la bombe tuerait et blesserait des personnes à l'intérieur du bâtiment et aussi beaucoup d'autres sur la place, atteintes par les éclats de verre et les débris. Ce n'était qu'une bombe parmi le millier qui allait exploser ce jour-là, et sans doute une des moins puissantes, mais on ne pouvait s'empêcher d'avoir un pincement au cœur en songeant que ces jeunes femmes et les soldats qui flirtaient avec elles vivaient peut-être leurs dernières heures.

Après avoir jeté un coup d'œil par-dessus son épaule pour s'assurer que personne ne l'observait, Henderson souleva le couvercle du premier carton et fit passer dans le deuxième une douzaine de bâtons de dynamite. Il sortit ensuite de sa poche un détonateur en cuivre muni d'un retardateur de trois heures, dont il écrasa une extrémité sous son talon, avant de l'enfoncer dans un des bâtons de dynamite.

L'acide ainsi libéré rongerait lentement un morceau de métal, qui déclencherait un ressort. Celui-ci provoquerait une étincelle, qui allumerait une petite charge de poudre, laquelle ferait à son tour sauter les vingt-quatre bâtons de dynamite.

Contrairement à un détonateur à horloge, encombrant et bruyant, le détonateur à acide était silencieux. Mais, alors que l'horloge pouvait être réglée à la minute près, les détonateurs à acide avaient une marge d'erreur de trente pour cent. Autrement dit, la bombe pouvait exploser entre deux et quatre heures.

Henderson remit les couvercles sur les deux cartons et les fit glisser sur l'étagère du haut. Après quoi, il quitta le quartier général de l'armée pour la dernière fois.

•:•

Accroupi sur le sol de l'entrepôt, Marc éprouvait une sensation bizarre. Il songeait que les deux Allemands morts étaient cachés dans les fûts de goudron, juste à côté de lui. Il ouvrit le sac de toile et en sortit un dessin exécuté par Paul afin d'expliquer la suite à Keïta et à Farès.

– Voici le port. Avec les deux grands bassins et le canal juste derrière. Là où le canal rejoint les bassins, on trouve le dépôt de charbon et, surtout, ces deux gros réservoirs destinés aux bateaux qui fonctionnent au gas-oil. Si on réussit à les faire sauter, les flammes illumineront le ciel. Le seul problème, c'est que le carburant se consume vite. C'est pourquoi on a besoin de ça...

Marc sortit du sac un paquet de la taille d'une grenade, qu'il remit à Farès.

– Des bombes au phosphore, expliqua-t-il. Elles explosent sous forme de fragments qui se consument de manière incandescente pendant une demi-heure et enflamment tout ce qu'ils touchent.

Marc sortit ensuite ce qui ressemblait à un bloc de pâte d'amandes.

– Ça, c'est un pain de plastic. Puissant et très malléable. Vous pouvez lui donner n'importe quelle forme et le coller n'importe où. Notre tâche consiste à pénétrer dans le dépôt de charbon et à introduire ces bombes au phosphore dans les citernes. Ce soir, vers vingt heures trente, on y retourne, on colle du plastic sur le côté de chaque réservoir, on allume une mèche à retardement de deux minutes, on détale et on fiche le camp avec la Mercedes de Kuefer.

— Ils s'apercevront de notre disparition bien avant, souligna Keïta. Les Allemands vont nous chercher partout.

Marc secoua la tête.

— Quand Kuefer est de mauvaise humeur, personne n'a envie de l'embêter. Si j'explique qu'il vous a emmenés quelque part pour une mission particulière, ils n'essaieront pas d'en savoir plus.

— Et comment on fera pour sortir du périmètre de sécurité ? demanda Farès.

— Tout le monde connaît la voiture du Kommodore. On ne nous arrête jamais.

Keïta sourit.

— Tu as pensé à tout, on dirait.

Marc secoua la tête.

— Pas moi. Henderson est venu ici un dimanche, il y a quinze jours, pour repérer les lieux. Je ne fais que suivre ses instructions.

— Et en attendant ce soir ? demanda Keïta.

— J'ai l'appareil photo de Kuefer et un mètre pliant de cinquante mètres de long. Vous ferez semblant de prendre des mesures.

Marc passa le Leica autour de son cou, ramassa le sac et parcourut plusieurs centaines de mètres avec les deux ouvriers. À l'intérieur d'un hangar ouvert, une poignée d'hommes réparaient un petit train à vapeur chargé de distribuer le charbon sur les quais ; nul ne fit attention à Marc quand il s'approcha des citernes de gas-oil et commença à prendre des photos, pendant que ses deux complices tenaient chacun un bout du mètre ruban.

Le jeune garçon était en train de gravir l'échelle menant au sommet de la citerne quand il vit Louis, l'ingénieur, se diriger vers eux.

— Où est ton patron ? lança Louis d'un ton furieux. J'ai vu sa voiture, mais ça fait quarante minutes que je poireaute dans le bureau comme un crétin.

— Aucune idée, répondit Marc. Il se passe un truc bizarre. Je l'ai retrouvé à la grille, mais ensuite il est reparti dans une autre voiture avec des types en uniformes noirs.

— Des SS ? demanda l'ingénieur, inquiet. Qu'est-ce qu'ils lui voulaient ?

Marc haussa les épaules et fit mine de perdre patience.

— Qu'est-ce qui vous fait croire que je suis au courant de tout ? Le patron m'a demandé d'aller chercher deux ouvriers et de venir ici pour mesurer ces citernes. Puis d'attendre son retour. Il a dit que ça pouvait prendre plusieurs heures.

— Les Allemands ont installé ces citernes il y a quelques semaines seulement, dit Louis. Je me demande à quoi ils jouent.

Marc montra les deux ouvriers nord-africains.

— Ces gars craignent qu'on s'inquiète de leur absence sur le chantier. Vous pouvez aller prévenir leur contremaître qu'ils travaillent ici, pour Kuefer ?

— D'accord. Mais si Kuefer revient, dis-lui que je veux le voir d'urgence. J'ai trois chantiers immobilisés qui attendent qu'il approuve les modifications. Franchement, je me demande pourquoi il t'a chargé de prendre des photos et des mesures. Les Allemands doivent avoir des milliers de plans quelque part.

— Je vous ai dit tout ce que je sais, répondit Marc. Ça ne me plaît pas non plus. J'ai des vaches à traire, quelle que soit l'heure à laquelle je rentre à la ferme.

— Connards de Boches, grommela Louis en repartant. Ils ne devraient pas employer un gamin de ton âge, de toute façon.

— Beau parleur ! commenta Farès avec un sourire adressé à Marc, au moment où Louis disparaissait derrière le hangar.

Arrivé en haut de l'échelle, Marc souleva une trappe. Les vapeurs de gas-oil lui piquèrent les yeux quand il regarda à l'intérieur. Keïta lui tendit le sac de toile et, quelques secondes plus tard, la première bombe à phosphore tomba dans le réservoir avec un petit *plouf*.

CHAPITRE VINGT-SIX

14 heures 48. La ferme

Deux hommes travaillaient quelque part dans les champs, mais Rosie était pratiquement seule. Elle avait passé la matinée à vérifier que toutes les affaires étaient prêtes. Après avoir préparé le déjeuner d'Eugène et des deux autres prisonniers présents à la ferme, elle avait vidé trois poulets, tués par ce même Eugène avant qu'il ne parte pour Calais à vélo, et elle les avait fait cuire au four avec un morceau de porc.

Un peu avant quinze heures, elle traversa la route puis le champ d'une ferme voisine, envahi par la végétation, pour atteindre finalement une petite cabane à l'extrémité du jardin. Elle vérifia l'indicateur de charge de l'émetteur avant d'actionner l'interrupteur et observa la lueur orangée familière des lampes à travers la plaque perforée.

Chaque opérateur radio avait ses petites habitudes et Rosie prit le temps d'ajuster la hauteur du clavier, utilisé pour la dernière fois par Henderson, ainsi que la résistance des ressorts. L'appareil n'ayant pas encore fini de chauffer, elle tapa J'AI DE LA PEINE POUR LES POULETS, afin de s'assurer que tout fonctionnait, puis elle brancha le clavier de morse et les écouteurs.

À quinze heures précises, après avoir contrôlé une fois encore la fréquence, Rosie commença à envoyer un message codé pour dire que tout allait bien. Habituellement, McAfferty répondait par une courte phrase pour accuser réception. Mais aujourd'hui, sa réponse était plus longue et Rosie s'empressa de noter les lettres sur son calepin. Une fois la transmission terminée, elle entreprit de décoder le message.

DITES À SÉRAPHIN QUE TOUT EST EN ORDRE. 337 OISEAUX PRÊTS À MIGRER. CIEL DÉGAGÉ. VOUS SEREZ RENTRÉS POUR LE PETIT DÉJEUNER. IMPATIENTE DE VOUS VOIR. MCAFFERTY. TERMINÉ.

.:.

16 heures 21. Calais

L'après-midi était chaud et l'atmosphère confinée de la salle de réunion donnait la migraine à Henderson. Il se tenait en bout de table, debout, à côté d'un officier SS assis pour traduire la logorrhée du président de la chambre de commerce de Calais.

— ... par ailleurs, nous estimons qu'il est impossible de travailler dans un environnement où les

Allemands font des affaires en nous collant une arme sur la tempe. L'armée fixe des prix ridiculement bas pour nos marchandises et notre main-d'œuvre, et si nous refusons d'accepter ces conditions, on ferme nos entreprises ou on confisque nos biens. Si ça continue ainsi, toute l'économie française ne sera bientôt plus qu'un champ de ruines.

L'officier SS se leva et dit d'un ton hargneux :

– Le Reich est en guerre et les entreprises françaises doivent servir l'économie de guerre. En outre...

Avant que l'Allemand ne puisse articuler un mot de plus, les vitres tremblèrent et ce fut comme si tout l'air était aspiré hors de la pièce. Une seconde plus tard, les fenêtres furent pulvérisées. Un énorme grondement envahit l'atmosphère, le plancher vibra, des éclats de verre volèrent dans tous les coins, certains allant même se planter dans le mur du fond.

Henderson eut le réflexe de protéger son visage, alors qu'il se trouvait projeté contre la cheminée derrière lui. Des morceaux de plâtre et de brique tombèrent sur la table, puis tout disparut sous la poussière.

Les Français assis autour de la table poussèrent des jurons, mais ils étaient juste égratignés. Dehors, sur la place pavée, des cris retentirent, suivis d'un énorme fracas lorsqu'un conducteur de camion aveuglé percuta un cheval et une charrette venant en sens inverse. Il y avait peu de chance que la réunion reprenne, mais Henderson craignait que l'officier SS ne fasse appel à ses services pour enquêter, c'est pourquoi il se précipita dans le couloir.

Les pièces donnant à l'extérieur avaient subi de plein fouet le souffle de l'explosion qui s'était produite dans l'enceinte du quartier général, de l'autre côté de la place. Les personnes travaillant dans les bureaux situés à l'arrière avaient uniquement entendu la déflagration et ressenti les vibrations. Hébétées, elles regardèrent leurs collègues jaillir dans le couloir, couverts de poussière, toussant et crachant, le corps hérissé d'éclats de verre.

Une sirène se mit à hurler tandis qu'Henderson dévalait un escalier de secours. Quand il émergea sur la place, la poussière s'était suffisamment dissipée pour qu'il découvre une partie des dégâts infligés au quartier général par les bâtons de dynamite. Tout un pan de la façade s'était écroulé et, à l'intérieur, le deuxième et le troisième étage s'étaient effondrés sur le premier, ce qui laissait craindre un nouvel éboulement.

Un filet de sang s'échappait d'une coupure au-dessus de son œil droit, mais il n'avait pas le temps de s'en occuper car il devait rejoindre les garçons aux écuries qui servaient de dépôt de matériel, à cinq minutes de marche.

Les ports du Nord de la France constituant des cibles de choix, les Allemands avaient réparti leurs réserves entre quatorze sites. Le bâtiment des écuries était peu surveillé car il n'abritait généralement que des fournitures de bureau ou quelques caisses de munitions, tout au plus. Toutefois, Henderson avait imité la signature de l'Oberst Ohlsen et profité de sa position au sein de la bureaucratie allemande pour y faire transférer des caisses de détonateurs et un chargement d'explosifs provenant d'un arsenal situé dans un autre quartier de la ville.

En passant devant sa camionnette, l'Anglais adressa un petit signe de tête discret à Paul et PT qui jetaient des coups d'œil furtifs entre les bâches à l'arrière.

Le garde posté à l'entrée des écuries connaissait Henderson. Il brûlait d'envie de savoir ce qui se passait.

— C'était quoi, ce vacarme ? Je n'ai vu aucun bombardier.

— Une sorte d'explosion, une fuite de gaz peut-être. Heureusement, j'assistais à une réunion de l'autre côté de la place, mais il y a beaucoup de blessés et je me suis dépêché de venir chercher de quoi les soigner.

— Excellent réflexe. Vogt est à l'intérieur, il sait où sont les pansements et tout ça.

Les Allemands gardaient leurs chevaux ailleurs mais, malgré tout, une forte odeur de crottin assaillit les narines d'Henderson quand il contourna le bâtiment jusqu'à un petit bureau où il trouva le dénommé Vogt, un ancien combattant de la Première Guerre affublé d'une jambe de bois.

— Les caisses qui sont arrivées de l'arsenal hier, dit Henderson d'un ton pressant. Ohlsen en a besoin.

— Les explosifs ? demanda Vogt. Je les ai fait entreposer tout au fond, loin de moi et de tout le reste. Mais je ne peux remettre des armes qu'à un représentant de l'armée allemande, vous le savez bien.

Henderson savait, en effet, que cela poserait un problème. Il le résolut en sortant son pistolet. Deux petits hoquets du silencieux pour une exécution dans les règles de l'art : une balle dans le cœur, une autre dans la tête. Sur ce, il traversa la cour à grandes enjambées et frappa au portail. Quand un garde vint ouvrir, il lui balança un crochet au visage et le tira à l'intérieur. L'Allemand voulut se saisir de sa mitraillette, mais l'Anglais fut le plus rapide. Il lui tira une balle dans la tête.

Après avoir regardé de tous côtés pour s'assurer que personne n'approchait, il siffla afin d'alerter les passagers de la camionnette. Eugène ayant mis le moteur en marche dès qu'il avait vu disparaître le garde, Henderson dut traîner le corps par les pieds pour que la voiture ne lui roule pas dessus.

Au moment où il refermait le portail, Eugène, PT et Paul sautèrent à terre.

— Paul, viens avec moi. Vous, les gars, allez choisir des véhicules dans le paddock.

Grâce à ses liens avec l'Oberst Ohlsen, Henderson avait pu conserver la Jaguar de Maxine et la vieille camionnette, mais il n'en allait pas de même pour la plupart des Français. L'armée allemande avait réquisitionné des centaines de voitures et de camions, avec parfois une promesse de dédommagement, mais souvent, cela s'apparentait à du vol pur et simple. Deux dizaines de ces véhicules étaient conservées dans un ancien paddock, sur le côté du bâtiment.

Pendant qu'Henderson dépouillait le soldat de sa mitraillette et aidait Paul à stocker une partie des explosifs et des détonateurs à l'arrière de la camionnette, Eugène et PT partirent chercher un camion et une moto.

Tout véhicule sur lequel on avait peint des signes allemands était exclu d'office. Eugène repéra un camion Renault relativement récent et il sauta à bord pour vérifier le niveau d'essence, tandis que PT jetait son dévolu sur une moto pourvue d'une large selle en cuir qui lui semblait robuste.

— Les clés sont dessus, dit Eugène, alors qu'ils chargeaient la moto et des bidons d'essence à l'arrière du camion.

Tandis qu'Henderson, PT et Eugène installaient le reste des explosifs allemands dans le Renault, Paul s'assit à l'avant de la camionnette pour inscrire le numéro d'immatriculation du véhicule sur un jeu de laissez-passer au nom d'Eugène.

— Attends que l'encre soit sèche avant de replier les feuilles, dit-il en tendant les faux papiers à PT.

Après quoi, il l'aida à transférer des bombes au phosphore et du matériel de la camionnette au camion.

Cinq minutes seulement après être entrés dans le bâtiment, Henderson, Eugène et les deux garçons se regroupèrent sur les pavés, entre les deux véhicules.

— Voilà, je crois que c'est bon, dit Henderson. *(Il se tourna vers Eugène.)* Vous avez bien mémorisé votre trajet jusqu'à Dunkerque ?

— Pas de problème. PT et moi, on vous retrouvera au port, près de la ferme.

L'Anglais regarda Paul.

— Va chercher la chaîne et la pancarte, et ouvre-nous la porte.

Henderson s'installa au volant de la camionnette, alors que PT et Eugène montaient dans la cabine du Renault, beaucoup plus impressionnant. Dès que les deux moteurs rugirent, Paul ouvrit le portail et salua PT d'un signe de la main au moment où le camion tournait à droite pour foncer sur les pavés. Henderson partit dans la direction opposée et s'arrêta le long du trottoir.

Paul referma le portail derrière lui, le verrouilla avec la chaîne et un épais cadenas. Il accrocha la pancarte en carton et courut jusqu'à la camionnette. L'écriteau, rédigé en allemand, disait : *Parti déjeuner. De retour dans 30 minutes*.

∴

16 heures 57. Falaises, près de la ferme

Rosie avait tiré ses cheveux en arrière, enfilé sa plus belle robe et même mis un peu de rouge à lèvres. Elle flânait au bord des falaises en contemplant la mer, l'air de rien. La marée était basse et quelques soldats allemands marchaient sur la plage, tout en bas, pour ramasser les vestiges du matériel ayant servi aux manœuvres de la journée.

La falaise de calcaire descendait vers la jetée. C'est ainsi que Rosie se retrouva à proximité d'un poste de garde allemand. Elle observa les quatre péniches et un couple de remorqueurs de taille moyenne, identiques, peints en gris, qui flottaient à quelques encablures du rivage. Puis elle s'avança sur les planches de la jetée.

Un Allemand qui fumait une cigarette s'éloigna de la cabane. Il s'adressa à elle d'un ton ferme, mais sans agressivité :

— Désolé, ma jolie, dit-il dans un français correct qu'il avait certainement appris en draguant les filles des environs. Tu ne peux pas aller plus loin.

Rosie n'avait jamais parlé à ce soldat, mais elle l'avait déjà vu marcher sur la plage.

— Oh, dit-elle et ses lèvres écarlates dessinèrent un grand sourire. Je n'ai pas fait attention. J'ai la tête ailleurs aujourd'hui.

Le soldat inspira une longue bouffée. Il était petit, mais robuste, avec des cheveux noirs qui dépassaient des côtés de son casque. Rosie estima qu'il ne devait pas avoir plus de vingt et un ans.

— Pourquoi tu t'es faite belle ?

Elle haussa les épaules.

— Je ne sais pas. Une envie comme ça. Ici, il n'y a rien à faire, à part travailler à la ferme. Pas d'école, pas d'argent, même pas d'essence pour aller quelque part.

— J'ai une petite sœur de ton âge, dit le soldat en riant. Elle est pareille. Quand elle avait dix ans, elle a voulu faire une fugue. Elle a expliqué à ma mère qu'elle partait à Berlin pour devenir danseuse. Elle a réussi à aller jusqu'à la gare. Mon père l'a ramenée à la maison et lui a filé une correction. Mes frères et moi, on a trouvé ça amusant parce que, d'habitude, on était les seuls à trinquer.

— Je peux avoir une taffe ?

L'Allemand regarda Rosie comme s'il savait qu'il ne devrait pas accepter, mais il lui tendit quand même sa cigarette. Elle tira dessus timidement et fut surprise par la sensation de chaleur dans sa gorge.

— Ça fait plusieurs jours que je n'ai pas vu ton frère artiste, fit remarquer le soldat en reprenant sa cigarette.

— Il a attrapé un sale rhume. Il est allé à Calais voir le médecin, aujourd'hui. Vous restez seul ici toute la nuit ?

Le garde montra la cabane.

— Non, on est trois. L'un de nous est censé faire le guet dehors, mais c'est complètement mort dans ce coin. Alors, on reste à l'intérieur pour jouer aux cartes en écoutant la radio.

— Quel ennui ! dit Rosie dans un soupir mélodramatique.

Le soldat sourit.

— La vie est ennuyeuse, dirait ma sœur. Mais je vais te dire un truc. Je préfère surveiller un port paumé au milieu de nulle part, plutôt que de faire un million d'autres tâches dans l'armée.

— Combien de temps dure votre garde ?

— Ça dépend. Normalement, on fait des roulements de douze heures, mais ils manquent d'effectifs, alors on se tape quatorze ou même seize heures d'affilée.

— À quelle heure vous finissez ?

— Tu es un peu jeune pour un rancard, si c'est là où tu veux en venir. Tu devrais être plus prudente, tu sais. Certains types de mon unité sont de vraies bêtes. Ils te pousseront à boire et après, ils essaieront de te faire un tas de trucs dégoûtants.

Rosie se sentit rougir.

— Je ne pensais pas à ça, hoqueta-t-elle. Je voulais juste... bavarder.

— Je finis à vingt-trois heures.

— Entendu. Quelqu'un vous apporte un repas chaud ou quelque chose ?

— Hélas, non. On vient avec notre gamelle de corned-beef. À force, on en est dégoûtés.

— C'est honteux... Et quel ennui !

Le soldat éclata de rire.

— Peut-être que ma petite sœur et toi, vous avez raison, finalement. Quand on y réfléchit, la vie est ennuyeuse.

— Bon, dit Rosie avec un petit sourire en tendant le pouce par-dessus son épaule. Je ferais bien de rentrer avant que ma mère me passe un savon parce que je ne l'ai pas aidée à préparer le dîner. Ravie de vous avoir rencontré, euh… ?

— Manfried.

— Moi, c'est Rosie. Peut-être qu'on se reverra un de ces jours.

CHAPITRE VINGT-SEPT

17 heures 10. La ferme

Quand Rosie rentra, il régnait dans la cuisine une chaleur étouffante, mais l'odeur du romarin, dont elle avait parsemé le carré de porc qui cuisait lentement dans le four, embaumait la pièce. Le feu semblait avoir baissé. Au moment où elle se saisissait des pinces pour ajouter du charbon dans la cuisinière, elle sursauta en entendant un bruit de pas venant du couloir qui menait aux chambres.

— Daniel ! s'exclama-t-elle, surprise. Qu'est-ce que tu fiches ici ?

— Vos valises et vos sacs sont prêts, dit-il, méfiant. Où vous allez ?

La porte de derrière n'était jamais fermée à clé, il n'était donc pas rare qu'un visiteur pénètre dans la cuisine et appelle pour voir s'il y avait quelqu'un dans la maison. Mais de toute évidence, Daniel avait pris la liberté de faire le tour des chambres.

Rosie était furieuse. Elle devait réfléchir vite.

— On ne va nulle part, répondit-elle, peu convaincante. On a beaucoup de souris et on ne veut pas qu'elles grignotent toutes nos affaires, voilà tout. Qu'est-ce que tu es allé faire par là, d'abord ?

— Je cherchais les garçons. Je me disais qu'ils auraient peut-être envie d'aller s'amuser un peu.

Paul, Marc et PT n'avaient plus le droit de se rendre au village depuis leur arrestation, mais PT continuait à chasser avec Daniel, de temps en temps.

— Marc travaille, dit Rosie en déposant une petite pelletée de charbon dans la cuisinière. Et PT a conduit Paul chez le médecin, en ville.

— Ah oui ? Ton frangin est une vraie femmelette. Moi, je suis jamais malade.

Rosie avait toujours détesté la façon dont Daniel tyrannisait Paul.

— Non, évidemment, rétorqua-t-elle. Aucun microbe qui se respecte n'oserait se frotter à toi.

— Coquine ! ricana l'adolescent en se rapprochant. Tu sais que tu es très jolie avec ce rouge à lèvres ? Ce qu'il te faut, c'est un fiancé costaud, comme moi.

Daniel la mettait mal à l'aise, et il était si près qu'elle sentait son odeur de transpiration et de crasse, plus forte que celle des herbes.

— Rentre chez toi et prends un bain, dit-elle, le nez plissé, en reculant d'un pas. Tu empestes plus qu'un cochon.

Vexé, Daniel l'agrippa par les bras et la coinça contre l'évier.

— Bas les pattes ! rugit-elle, alors que l'adolescent s'appuyait contre elle de tout son poids pour l'embrasser de force.

— Vas-y, repousse-moi ! la nargua-t-il.

Il promena le bout de sa langue sur la bouche pincée de Rosie, comme pour savourer le goût de son rouge à lèvres.

Puis sa main épaisse se referma sur la cuisse de la jeune fille et son pouce s'enfonça dans sa chair. Bien décidée à ne pas lui offrir le plaisir d'une grimace de douleur, elle jeta des regards autour d'elle, à la recherche d'une arme.

— Tu es toute seule, dit Daniel en plaquant son autre main sur les fesses de sa proie. Comment tu vas faire pour me résister, hein ?

À Paris, les camarades de classe de Rosie se moquaient de ses épaules larges et de ses bras peu féminins, mais ils constituaient un avantage certain dans cette situation, alors que Daniel essayait une fois encore de lui voler un infâme baiser.

— Oh ! ce que tu es fort... dit-elle d'une voix docile, avec un grand sourire, comme si elle avait finalement décidé de s'abandonner.

Excité par ces paroles, l'adolescent malaxa sauvagement les fesses de Rosie, mais au moment où il voulut l'embrasser de nouveau, elle lui attrapa l'oreille et tira de toutes ses forces.

— Chienne ! hurla-t-il en titubant.

Elle était beaucoup plus faible que lui et savait qu'elle ne disposait que de quelques secondes pour profiter de son avantage. Alors, elle bondit sur Daniel et lui mordit le nez.

— Heureux maintenant ? cria-t-elle en reculant, tandis que le garçon se tenait le visage à deux mains.

Elle envisagea de se précipiter hors de la maison pour chercher de l'aide auprès des deux prisonniers qui travaillaient à la ferme, mais elle ignorait où ils se trouvaient et elle ne pouvait prendre le risque d'être rattrapée par son agresseur. Aussi, elle se déplaça vers la cuisinière, décrocha la pelle à charbon et piocha dans le foyer quelques braises rougeoyantes.

Entre-temps, Daniel s'était ressaisi. Il se jeta sur Rosie, mais elle pivota au même moment. Une douleur intense irradia dans sa jambe lorsqu'elle se cogna contre la porte de la cuisinière, mais cela ne l'empêcha pas de lancer les charbons ardents vers la poitrine de l'adolescent, dont la chemise s'embrasa immédiatement.

— Je vais te tuer ! éructa-t-il en tapant frénétiquement sur sa chemise enflammée.

À force de reculer, il heurta la table de la cuisine.

Rosie s'empara alors d'une poêle à frire suspendue au-dessus de la cuisinière et, la tenant à deux mains, elle en assena un grand coup dans la rotule de Daniel. Il s'écroula et roula au sol pour éteindre les flammes qui continuaient à dévorer sa chemise. Rosie le chevaucha et l'assomma d'un coup de poêle sur l'arrière du crâne.

— Sale porc !

Elle lâcha son arme improvisée. Daniel était évanoui, mais au lieu d'éprouver du soulagement, Rosie sentit son estomac se soulever. Elle s'appuya contre le placard et se plia en deux, secouée de sanglots. Pendant un instant, elle fut submergée par l'horreur de ce que Daniel avait voulu lui faire subir, mais en contemplant son corps inanimé, elle décida de ne pas laisser ses émotions perturber leur plan minutieux.

∴

17 heures 24. Calais

Pendant qu'Eugène et PT se rendaient à Dunkerque à bord du camion qu'ils venaient de voler, Paul et Henderson prirent la direction d'un petit hôtel de Calais situé à proximité du port. Le quartier général de l'armée détruit par l'explosion se trouvait à moins d'un kilomètre de là ; on entendait encore les sirènes des ambulances et on voyait s'élever dans le ciel un panache de fumée grise.

— Quelle horreur ! dit la vieille femme à la réception. L'homme qui nettoie mes carreaux était par là-bas. Il paraît qu'ils n'arrêtent pas de sortir des corps des décombres. Des Boches principalement, mais aussi beaucoup de Français.

— Pourtant, je n'ai vu aucun bombardier, dit Henderson d'un air innocent, tandis qu'il inscrivait *Charles Boyer* et l'adresse de la ferme dans le registre de l'hôtel.

La vieille femme lui remit une clé en échange de la liasse de billets qu'il lui avait donnée.

— C'est au dernier étage, papa ? demanda Paul avec empressement.

— Il aime regarder le va-et-vient des gros bateaux, expliqua Henderson.

La vieille femme sourit.

— Oui, c'est tout en haut, avec une vue magnifique sur le port. Notre abri antiaérien se trouve juste en face. Évidemment, vu l'endroit où nous sommes situés, les alertes sont fréquentes. Notre restaurant est malheureusement fermé car notre chef est parti dans le Sud, mais il y a quelques cafés sympathiques le long du canal.

— Merci beaucoup, dit Henderson avec un sourire.

Il prit la clé sur le comptoir et entreprit de gravir un escalier étroit, en tenant une lourde valise dans ses bras.

Paul ouvrit la porte et inspira l'odeur de moisi en balayant du regard les deux lits jumeaux rouillés et le lavabo fêlé, sous lequel était posé un pot de chambre. Pendant qu'Henderson refermait la porte et lançait la valise sur le lit le plus proche de la fenêtre, Paul sortit sur le minuscule balcon.

Contrairement aux immenses bassins de Boulogne, le port de Calais était un dédale de bras de mer naturels et de canaux creusés par l'homme, bordés de quais qui essaimaient dans toutes les directions. De ce fait, les péniches destinées à l'invasion étaient éparpillées, ce qui compliquait la tâche de la RAF, mais le point positif, c'était que le port se répandait au cœur de la ville. Les maisons et les commerces qui l'encerclaient empêchaient d'installer un véritable périmètre de sécurité autour des quais.

— Tu comprends pourquoi j'ai choisi cet hôtel ? demanda Henderson en rejoignant Paul sur le balcon. L'entrée principale du port et la mer à moins de cinquante mètres, les quais qui s'étendent de chaque côté et ces vieilles constructions qui s'embraseront comme une poudrière.

— Je me demande si l'hôtel appartient à cette vieille dame, dit Paul avec une pointe de tristesse dans la voix.

Ils retournèrent dans la chambre. Henderson ouvrit la valise, faisant apparaître deux douzaines de bâtons de dynamite et plus de cinquante bombes incendiaires au phosphore, de la taille d'une balle de golf.

— Tu dois apprendre à voir les choses dans leur ensemble, répondit-il en sortant de sa poche de veste une boîte de détonateurs. Tu crois que je suis fier d'avoir posé une bombe qui a sans doute tué cinquante ou soixante personnes au quartier général ? D'autres personnes mourront probablement quand ces maisons prendront feu. Et d'autres mourront lors des bombardements, c'est certain.

Paul hocha la tête en s'asseyant sur le lit. Il jeta un coup d'œil au contenu de la valise.

— Je t'installe tout, reprit Henderson. Tu utiliseras un retardateur de quatre minutes. Dès que tu auras allumé la mèche, tu dévales l'escalier, tu cours dans la rue et tu détaches le vélo. Tu es sûr de connaître l'itinéraire pour retourner à la ferme dans l'obscurité ?

— C'est facile. À gauche au bout de la route, puis l'embranchement qui mène à la côte. Vous attendrez tous au port.

— Excellent.

Paul posa sur Henderson un regard empreint de gravité.

— Vous pensez aux morts, parfois ? Comme mon père ou les gens qui se sont noyés à bord du *Cardiff Bay* ? Moi, tout le temps. J'en fais même des cauchemars.

— Tu ne serais pas humain si tu restais insensible, répondit l'Anglais. La différence entre toi et moi, c'est que j'ai choisi une vie pleine d'aventures, alors que celle-ci t'a été imposée. Ton père était un de mes meilleurs amis. Je sais qu'il serait extrêmement fier de ce que ta sœur et toi faites pour votre pays.

Paul esquissa un sourire quand Henderson sortit de sa poche une tablette de chocolat.

— Voici un dîner nourrissant. Bon, il faut que je retourne à la ferme pour aider Rosie à s'occuper du bateau qui nous ramènera à la maison.

•:•

18 HEURES 28. BOULOGNE

Quand on a peur, la pire chose qui puisse arriver, c'est de vous retrouver seul avec pour unique compagnie les voix dans votre tête. À l'heure du déjeuner, Marc avait pu s'éloigner de Kuefer pour rejoindre Keïta et Farès, mais il lui restait encore six longues heures à attendre entre le moment où il avait déposé les bombes au phosphore dans les citernes de gas-oil et le bombardement aérien.

Les deux prisonniers s'étaient cachés dans les bâtiments calcinés derrière les bassins, mais Marc, lui, devait continuer à paraître déconcerté par la disparition de Kuefer, et cela voulait dire rester près de la Mercedes. Pour tuer le temps et combattre sa nervosité, il était allé voir les cantinières qui lui avaient donné de quoi se remplir le ventre, il avait fait quelques apparitions dans le bureau pour demander si quelqu'un avait vu son patron. Mais il avait passé le plus clair de son temps assis à l'arrière de la voiture, à se ronger les sangs en pensant à tout ce qui pouvait aller de travers.

Les prisonniers employés sur les chantiers navals travaillaient rarement au-delà de dix-neuf heures.

Marc s'était assoupi dans la Mercedes quand on frappa à la vitre. Il sursauta en découvrant un soldat allemand armé d'une mitraillette.

— Où sont passés tes deux sauvages ? demanda celui-ci. Le dernier camion part pour le camp de prisonniers. Kuefer a l'intention de les ramener lui-même ? On va avoir droit à un savon s'il manque deux détenus.

Marc essaya de paraître beaucoup plus détendu qu'il ne l'était en réalité.

— Je ne sais pas. Kuefer est revenu les chercher, puis il est reparti avec les officiers SS.

C'était Henderson qui avait suggéré d'ajouter ces SS fantômes dans l'histoire, et son stratagème avait fonctionné. Les SS étaient une unité d'élite rattachée au parti nazi plus qu'à l'armée. Ils disposaient d'un pouvoir absolu et effrayaient les simples soldats allemands autant que les civils français. Il suffisait de mentionner l'implication des SS pour que nul ne cherche à savoir où se trouvait Kuefer.

— Ah ! bon sang, soupira le soldat. Je parie que ça va me retomber dessus.

— Désolé, dit Marc. Moi, je suis coincé ici, à attendre mon patron, et je ne sais pas à quelle heure je vais rentrer à la ferme.

CHAPITRE VINGT-HUIT

19 HEURES. LA FERME

Henderson descendit de la camionnette au moment où Rosie découpait le carré de porc. Elle savait que tout le monde arriverait et repartirait à tour de rôle, alors plutôt que de préparer un véritable repas, elle avait prévu de découper les poulets et le rôti, et de faire des sandwiches que chacun pourrait manger à sa guise.

– Hmm, ça sent bon ! commenta joyeusement l'Anglais en entrant dans la cuisine.

Il se pencha vers Rosie pour déposer un baiser sur sa joue.

– Non ! s'exclama-t-elle avec un mouvement de recul.

Surpris, il décida malgré tout de ne pas insister, jusqu'à ce qu'il découvre à quel point la jeune fille semblait bouleversée.

– Daniel a essayé de me violer, avoua-t-elle en frissonnant.

— Nom d'un chien ! rugit Henderson en tapant du poing sur la table. Et il a fichu le camp ? Si jamais je mets la main sur ce sale petit…

— Il est ligoté dans votre chambre. Il a vu toutes les valises. Je ne pouvais pas le laisser repartir et je ne savais pas quoi faire d'autre.

D'un pas vif, l'Anglais se rendit dans la chambre qu'il avait partagée avec Maxine. Il eut un choc en voyant dans quel état Rosie avait mis le fils Boyer. Il gisait sur le plancher, conscient, le nez en sang, avec des traces de brûlures sur le torse. Ses chevilles étaient ligotées, ses bras tordus dans le dos et ses poignets attachés.

— Par pitié, supplia-t-il en reculant sur le sol, vers le mur. Il faut me libérer, elle est folle !

Henderson lui décocha un coup de pied dans le ventre, avant de sortir son pistolet pour appuyer le canon sur la tempe du garçon.

— Si je ne te fais pas sauter la cervelle, c'est pour une seule raison. J'estime que ceux qui molestent des jeunes filles sans défense méritent de mourir à petit feu.

Henderson se redressa et lança en direction de la cuisine :

— Rosie, ma jolie, apporte-moi le hachoir !

— Par pitié, gémit Daniel. C'est rien qu'une sale menteuse. Je vous le jure. C'est elle qui m'a fait du gringue.

Henderson lui balança un deuxième coup de pied dans le ventre.

— Je t'interdis de la traiter de menteuse !

Daniel sanglotait lorsque Rosie entra dans la chambre, sans le hachoir. Elle soupçonnait qu'il s'agissait d'une tactique d'intimidation, mais avec Henderson, on ne savait jamais.

— Tu n'as qu'un mot à dire, ma chérie. Si tu veux qu'il meure, je le tue.

Rosie enfouit son visage dans ses mains et secoua la tête.

— Il y a suffisamment de morts partout dans le monde ! Emmenez-le où vous voulez, de manière à ce que je ne le voie plus.

Henderson s'accroupit et se pencha vers Daniel.

— Debout, grogna-t-il. Tu as de la chance que Rosie soit plus charitable que moi.

⁘

19 heures 07. Dunkerque

Marc avait décrit à Eugène et à PT l'état de désolation dans lequel se trouvait la ville, mais rien n'aurait pu les préparer au spectacle des monticules d'immondices et aux hardes de rats qui décampaient entre leurs jambes.

Le complexe portuaire, dix fois plus vaste que celui de Calais, était organisé autour de bassins jumeaux, dont le plus grand mesurait plus de deux kilomètres e large. Le second était plus modeste, mais l'un et l'autre alimentaient un immense réseau de canaux et de docks.

À Boulogne et à Calais, l'objectif était d'allumer des balises qui faciliteraient le bombardement de tout l'arsenal maritime. À Dunkerque, même si plus de cinq cents remorqueurs et péniches avaient été transformés, le fait qu'ils soient répartis sur plus de vingt kilomètres de quais rendait impossible un bombardement ciblé.

Mais Marc avait identifié deux cibles principales sur le canal qui partait du second bassin. La première était l'énorme cale sèche où était effectuée la majeure partie des travaux d'aménagement. La deuxième cible était un canal voisin où les Allemands avaient installé un poste de ravitaillement en carburant et où mouillaient plus de vingt patrouilleurs rapides, soigneusement camouflés au milieu des vestiges de la flotte de chalutiers.

La Royal Navy avait établi un blocus des deux côtés de la Manche afin d'empêcher les Allemands de faire appel à de gros navires. Par conséquent, la défense de la flotte d'invasion reposait sur quelques sous-marins et sur ces patrouilleurs au blindage léger. En cas de bombardement réussi au-dessus de cette zone, un quart de la flotte allemande serait détruit d'un seul coup.

Le point de départ de PT et Eugène était un ensemble de vingt grands baraquements en bois, sur les quais, qui abritaient des ouvriers français et une grande partie des troupes de garnison allemandes.

Même si le programme de transformation des péniches touchait à sa fin, des Français qualifiés, attirés par les salaires élevés, continuaient à venir sur le port pour effectuer des travaux de reconstruction.

— Le bureau de recrutement est fermé jusqu'à demain matin, expliqua un garde allemand quand le camion Renault s'arrêta devant un poste de contrôle.

Il jeta un regard distrait au laissez-passer d'Eugène.

— Vous pouvez coucher dans un des baraquements des Français, si vous trouvez un lit. On vous servira à manger au bar. Qu'est-ce qu'il y a dans ce camion ?

Eugène haussa les épaules.

— Mon petit frère et des outils. Allez voir, si ça vous chante.

En réalité, le camion était rempli d'explosifs, mais d'après Marc, les Allemands ne fouillaient jamais les véhicules qui se rendaient aux baraquements, uniquement ceux qui pénétraient sur les quais.

Eugène franchit le poste de contrôle et parcourut encore deux cents mètres jusqu'au seul endroit animé de la ville.

PT entra le premier. L'endroit exigu était rempli d'Allemands, qui cessèrent tous de parler en voyant les deux adolescents. Dans ce silence inquiétant, l'un d'eux dégaina son arme.

— Les Français, c'est le baraquement huit, à l'autre bout, précisa un homme assis près de la porte.

Ils ressortirent sans demander leur reste et dénichèrent le bar fréquenté par les ouvriers français. Les Allemands veillaient à fournir de la nourriture et de l'alcool à ces précieux travailleurs qui, présentement, se déversaient sur le trottoir, s'asseyaient sur des blocs de gravats et s'alignaient au bord du quai pour uriner dans le canal.

À l'intérieur, les deux seules femmes se tenaient près d'un piano ; la première jouait comme un pied et la deuxième chantait tout aussi mal, mais elle compensait son manque de talent par sa beauté et sa poitrine dénudée. Eugène mit une éternité à atteindre le bar, où il commanda deux bouteilles de bière allemande, puis demanda où il pouvait trouver un certain Wimund.

– Quelque part au fond, répondit le barman qui transpirait à grosses gouttes, pendant qu'Eugène payait.

Marc avait décrit Wimund comme un homme trapu avec des cheveux gris clairsemés, toujours vêtu d'un bleu de travail. Ce signalement correspondait à une trentaine d'ouvriers présents dans ce bar. Après plus d'un quart d'heure passé à se faufiler au milieu des clients pour les interroger, Eugène, commençant à s'inquiéter, envisagea de se replier sur un plan moins efficace.

Ils étaient sur le point de renoncer lorsqu'on tapa sur l'épaule de PT.

– C'est toi le gamin qui me cherche ?

Un grand sourire éclaira le visage d'Eugène.

– Vous connaissez mon petit cousin, Marc ?

À en juger par son regard vitreux, Wimund avait déjà ingurgité une bonne quantité d'alcool.

— J'arrive pas à le remettre, mais des gars, y en a un paquet sur les quais.

— Les gamins de douze ans ne sont pas très nombreux. Un blondinet qui sert d'interprète à Kuefer ?

— Aaah, le gamin ! s'exclama Wimund en hochant la tête. Un chouette petit gars. Il me rancarde quand son patron part sur le chemin de la guerre.

— On arrive de Calais, expliqua Eugène, obligé de hausser la voix à cause du vacarme et de la musique, tandis que PT se rapprochait pour entendre la conversation. On est menuisiers. Marc dit que c'est à vous qu'il faut s'adresser si on veut trouver un bon boulot.

En prononçant ces paroles, Eugène sortit d'un sac de toile une bouteille d'excellent cognac.

— En échange d'une petite récompense, bien sûr, ajouta PT.

Wimund jeta des regards inquiets autour de lui.

— Montrez pas ça devant tout le monde. Votre petit gars Marc m'a rendu quelques services. Demain, faites tamponner vos papiers et prenez le boulot que vous donnent les Allemands. À la fin de la journée, vous viendrez me voir et je vous arrangerai ça, gratos.

Eugène sourit de nouveau.

— C'est vraiment très gentil à vous. Je ne manquerai pas de vous offrir un verre, au moins.

— Et je l'accepterai volontiers.

— Je sors pisser, dit PT. Excusez-moi.

Eugène remercia chaleureusement Wimund.

— Il vaut mieux que j'accompagne mon petit frère, dit-il.

Il fallut encore plusieurs minutes aux deux garçons pour se frayer un chemin au milieu de la chaleur et de la fumée avant de retrouver l'air frais.

— Alors, tu les as ? demanda Eugène.

PT sortit de son pantalon un trousseau de clés, qu'il fit tinter à bout de bras.

— Je ne les voyais pas à travers son bleu de travail, expliqua-t-il. J'ai dû inspecter trois poches ! Mais c'est rassurant de constater que je n'ai pas perdu le savoir-faire que m'a enseigné mon père.

•:•

19 heures 45. La ferme

Henderson chargeait la dernière valise dans la camionnette lorsque Luc Boyer, le père de Daniel, apparut sur le chemin de terre, à vélo. L'Anglais s'empressa de rabaisser la bâche afin que le fermier ne voie pas ce qu'il y avait à l'intérieur.

— Bonsoir ! lança-t-il gaiement, alors que Luc mettait pied à terre. Que puis-je pour vous ?

— Vous n'avez pas vu mon fils ?

— Non, navré. Les garçons ont passé la journée en ville. Marc travaille et PT a emmené Paul chez le médecin à Calais.

Luc passa sa main dans ses cheveux, d'un geste nerveux.

— Ma femme me tarabuste. Daniel est introuvable, et après ce qui s'est passé au village avec les Allemands, elle devient hystérique.

Henderson haussa les épaules.

— Désolé de ne pouvoir vous aider.

— Saloperie de gamin. Mes deux autres fils sont prisonniers, vous le saviez ? De braves gars, intelligents et tout ça. Daniel, lui, nous a toujours donné du fil à retordre. Je crois qu'il n'a pas un mauvais fond, mais il n'est pas assez intelligent pour éviter de se retrouver dans le pétrin.

Henderson ne partageait pas l'opinion de Luc, après ce que Daniel avait essayé de faire subir à Rosie, mais il s'abstint de le faire remarquer.

— J'ai toujours trouvé que c'était un garçon gentil, dit-il. Comment vont Lucien et Hortense, au fait ?

— Pas trop mal. Leur maman leur manque. Hortense en parle sans cesse, ça me brise le cœur. Tiens, où est passée la Jaguar ?

— Maxine l'a prise. Vous savez, j'essaye toujours de vous obtenir un permis pour acheter de l'essence. En attendant, je vous le répète, vous pouvez vous servir de la camionnette si vous en avez besoin.

Luc sourit.

— C'est gentil, merci. Je vais faire un saut en vélo jusqu'au village pour demander si quelqu'un a vu

Daniel. S'il ne réapparaît pas rapidement, je vais être obligé d'alerter la police.

Henderson jeta un coup d'œil à sa montre. Ils ne partaient que dans deux heures et quart et il n'avait aucune envie de voir la police, les gens du coin, et peut-être même les Allemands, organiser des recherches.

– Je sais où est Daniel, avoua-t-il en sortant son pistolet. Je vais vous conduire à l'étable. Les gars qui viennent travailler à la ferme vous libéreront demain matin, quand on sera partis.

.:.

20 HEURES 20. DUNKERQUE

Après avoir envahi trois grands pays européens en seulement deux ans, l'armée allemande avait adopté la tactique des fouilles et des barrages aléatoires. Non par souci d'efficacité, mais parce qu'elle manquait de soldats.

Surveiller des kilomètres de quais dans le port de Dunkerque aurait mobilisé la moitié d'un bataillon. C'est pourquoi, en atteignant les grilles qui entouraient la cale sèche, Eugène et PT constatèrent avec soulagement que le poste de garde était désert.

– Vingt minutes avant l'arrivée des avions, déclara PT en sautant du camion, dans une quasi-obscurité, pour déverrouiller le portail avec les clés de Wimund.

Ils avaient du retard sur leur planning et le fait que PT doive essayer une demi-douzaine de clés avant d'ouvrir le cadenas n'arrangea pas les choses.

Il remonta dans le camion et Eugène longea prudemment le bord de la cale sèche, tous feux éteints. Les portes d'acier chargées de contenir l'eau mesuraient presque un mètre d'épaisseur et, au fond du gouffre noir qui s'ouvrait à leurs pieds, se trouvaient plus de soixante péniches, remorqueurs et patrouilleurs.

Au cours de l'avant-guerre, la Royal Navy avait exploité une flotte dans le port de Dunkerque. Ses officiers avaient donc pu transmettre à Henderson des instructions détaillées. Si on ouvre trop rapidement les écluses d'une cale sèche de cette dimension, le mur d'eau ainsi libéré écrasera les petites embarcations qui se trouvent au fond. Un ingénieur ayant travaillé sur les quais avait même fourni les plans de la salle des commandes. Ils avaient été largués le dimanche précédent, en même temps que Bernard et les explosifs.

PT pénétra dans une cabane en bois pour actionner des leviers hydrauliques contrôlant l'ouverture de deux immenses canaux intérieurs, creusés sur le côté des vannes. Pendant ce temps, Eugène, adossé au camion, observait avec des jumelles la base des patrouilleurs, à une centaine de mètres de là.

Les Allemands avaient tendu des filets et du matériel de pêche sur les ponts de ces embarcations rapides pour les dissimuler aux yeux des pilotes des avions de reconnaissance britanniques. Toutefois, au niveau du sol, le camouflage ne trompait personne.

Si les opérations de transformation des péniches s'interrompaient la nuit, de crainte que les éclairages n'offrent des cibles faciles aux bombardiers, les patrouilleurs allemands opéraient vingt-quatre heures sur vingt-quatre.

Plus de vingt embarcations de ce type étaient alignées sous des toiles goudronnées grises qui, vues du ciel, à deux mille mètres d'altitude, ressemblaient à des dalles de béton. Mais trois vedettes rapides étaient amarrées côte à côte devant le quai. Elles crachaient des nuages de gas-oil, pendant qu'une quatrième était en train de faire le plein, le long d'une jetée. Sur les docks, des membres d'équipage en uniforme de marin sautaient entre les bateaux, tandis que leurs camarades, l'air de s'ennuyer, attendaient en fumant.

À l'intérieur de la salle des commandes, PT s'inquiéta en entendant le grondement de l'eau qui s'engouffrait dans la cale sèche. On l'avait assuré que l'épaisseur des parois du bassin et des portes métalliques étoufferait ce vacarme, mais il était loin d'être convaincu, tandis qu'il fixait à la base des leviers un morceau de plastic, de la taille d'une pièce de monnaie, dans lequel il planta un retardateur à acide de dix minutes.

L'explosion ne serait pas très puissante, mais avec un peu de chance, elle détruirait le mécanisme d'ouverture des vannes et compliquerait sérieusement la tâche des ingénieurs allemands qui tenteraient d'interrompre le déluge.

Eugène était remonté dans le camion, dont le moteur tournait au ralenti, quand PT sortit en courant de la salle des commandes.

— C'est quoi, ce boucan ? demanda Eugène, inquiet. Les patrouilles ne l'ont pas encore remarqué, apparemment, mais ça ne va pas tarder.

— J'ai fait ce qu'on m'a demandé, se défendit PT. Mais pas d'accord pour traverser le pont avec la bombe dans le camion. Tirons-nous d'ici, en espérant que les bombardiers détruiront les patrouilleurs.

Eugène paraissait déterminé. Au lieu de reculer, il enclencha la marche avant.

— Maintenant qu'on est venus jusqu'ici, dit-il, pas question de faire demi-tour.

CHAPITRE VINGT-NEUF

20 heures 28. La ferme

Le soleil avait quasiment disparu et la cour devant la maison était plongée dans le noir. La vieille camionnette avait besoin d'un tour de manivelle pour démarrer. Lorsque le moteur ressuscita en crachotant, Henderson cria à Rosie :

— Dépêche-toi, ma chérie. Heureusement qu'il y a moins de deux kilomètres jusqu'au port. On est presque à sec. J'aurais dû faire le plein en ville ce matin, mais j'avais mille autres trucs en tête.

Rosie avait trait les vaches pour la dernière fois. Elle jetait maintenant de la nourriture dans le poulailler et ressentit un pincement de tristesse quand Lottie la chèvre la suivit dans le pré, puis dans la cuisine, espérant avoir droit à une poignée d'épluchures.

— Ouste ! lui ordonna Rosie.

Elle se souvint alors qu'il restait des légumes dans

les cageots et, pour la première fois, Lottie ne fut pas renvoyée dans la cour.

Pendant que la chèvre plongeait la tête dans les carottes, Rosie prit un panier rempli à ras bord de sandwiches et un bidon en fer contenant du lait frais.

– Désolée pour l'attente, dit-elle en s'asseyant à côté d'Henderson dans la camionnette, le panier sur les genoux. Je voulais être sûre que les animaux ne manqueraient de rien jusqu'à l'arrivée des prisonniers demain.

Elle déposa le bidon par terre et le coinça entre ses chevilles.

– C'est bon ? demanda l'Anglais. Tu n'as rien oublié ?

– Il nous reste du temps, répondit Rosie. S'il manque un truc important, on peut toujours revenir le chercher à pied, vite fait.

Henderson démarra et quitta la ferme pour la deuxième fois aujourd'hui.

– J'ai préparé suffisamment de sandwiches, à votre avis ? demanda Rosie. Comme il nous restait des œufs, j'en ai fait cuire quelques-uns, pour manger sur le bateau. Les autres, je les ai laissés aux prisonniers.

Henderson ne put s'empêcher de rire en s'engageant sur la route.

– Je pense que tu as de quoi nourrir la moitié de Paris !

•:•

Marc éprouva un sentiment de soulagement en descendant de la Mercedes. Après six heures d'attente, il appréciait de pouvoir enfin agir. Il jeta des regards autour de lui pour vérifier qu'il n'y avait pas d'Allemands dans les parages, puis balança le sac de toile sur son épaule et prit la direction des citernes de carburant, au petit trot.

Son pouls s'accéléra quand il entendit un grondement sourd dans le ciel, masqué jusqu'à présent par l'habitacle insonorisé de la berline. Il ne s'agissait pas d'un chasseur allemand solitaire ; ça ressemblait à une armada de bombardiers. En avance sur l'horaire.

— Tu les entends ? demanda Keïta en surgissant de derrière une des citernes.

Marc sursauta.

— Il faut se grouiller, dit-il. Si on est encore là dans cinq minutes, on va se retrouver sous une pluie de bombes.

Il ôta le sac de son épaule et distribua six pains de plastic de la taille d'une plaquette de beurre.

— Deux par citerne. À partir du moment où vous dégoupillez les détonateurs, on a deux minutes.

Pendant que Keïta et Farès collaient les blocs de plastic sur les citernes, Marc parcourut au pas de course les deux cents mètres qui le séparaient de la Mercedes. Les deux adultes, plus rapides, le dépassèrent et arrivèrent avant lui. Sans perdre une seconde, il s'assit au volant et mit le contact.

Plus de soixante bombardiers passèrent au-dessus de leurs têtes dans un rugissement. Une sirène d'alerte antiaérienne se déclencha au moment où Marc appuyait sur l'accélérateur. Maxine lui avait donné un cours de conduite accéléré avec la Jaguar, mais la berline allemande lui paraissait immense par comparaison, et malgré le manteau en cuir de Schroder roulé sous ses fesses, Marc avait du mal à voir au-delà du tableau de bord.

À la grille, le garde avait pour ordre d'arrêter quiconque entrait ou sortait, mais après avoir parcouru des milliers de kilomètres avec Schroder, Marc savait que les grosses Mercedes conduites par des officiers allemands étaient rarement contrôlées.

En effet, la barrière se souleva afin de le laisser passer, mais Marc pila net en s'apercevant qu'il roulait trop vite pour négocier le virage presque à angle droit. À cet instant, son regard croisa celui du soldat, interloqué de voir un si jeune garçon au volant. Heureusement, avant qu'il ne puisse réagir, la première des citernes explosa et l'Allemand plongea à terre.

— Ça, c'est pour Houari ! s'écria Keïta en frappant rageusement sur le toit capitonné de la grosse voiture qui quittait le port sur les chapeaux de roues.

Une tour de flammes de trente mètres de haut s'éleva dans l'obscurité, mais le véritable spectacle eut lieu quelques secondes plus tard. L'explosion du carburant avait projeté deux douzaines de bombes au phosphore au cœur des quais. Elles se consumèrent en dégageant une lueur bleue intense qui illumina tout le port, pendant que des fragments incandescents traversaient le toit en tôle du dépôt de charbon tout proche.

.:.

20 HEURES 33. CALAIS

Paul se tenait devant le lit en fer rouillé. Il goba le dernier carré de chocolat belge, puis vérifia encore une fois qu'il avait la clé du cadenas du vélo dans sa poche, avant d'enflammer la mèche de trois minutes enroulée à l'intérieur du couvercle de la valise.

— Hé, fais attention ! s'écria un homme que Paul faillit percuter en sortant de la chambre.

— Des avions arrivent ! lança-t-il par-dessus son épaule en dévalant l'escalier. Ne restez pas ici !

Mais l'homme dut le prendre pour un jeune fou et, quand Paul déboucha dans la rue, il éprouva un sentiment de culpabilité. Il avait laissé dans la chambre deux douzaines de bâtons de dynamite et vingt bombes au phosphore qui provoqueraient une explosion deux fois plus puissante que celle qui avait ravagé le quartier général.

Cet homme mourrait, comme la charmante vieille dame de la réception ainsi que tous ceux et celles qui auraient la malchance de se trouver dans l'hôtel ou les habitations voisines.

Le vélo était un horrible engin qu'Henderson avait acheté dans une brocante, avec des pneus pleins et un cadre voilé qui avait été redressé à coups de marteau. Malgré cela, il avait attiré l'attention de deux gamins du quartier.

Paul n'avait vraiment pas besoin de ça à cet instant. Ils le jaugèrent lorsqu'il approcha, essoufflé.

— T'as pas le droit de te garer là, dit le plus costaud des deux. C'est notre territoire. Faut payer une taxe pour laisser son vélo ici.

Paul sentait son cœur cogner dans sa poitrine. Tout allait sauter dans moins d'une minute et ce vélo était pour lui la seule façon de regagner la ferme. Le plus costaud avait sans doute deux ans de moins que lui, mais il était presque aussi grand.

— Je vais aller chercher mon père, dit Paul en montrant l'hôtel.

Les deux gamins sourirent.

— Vas-y, minus.

— Tu peux pas te défendre tout seul ? demanda le plus jeune. Quelle mauviette !

Paul comprit que sa menace était vaine : les gamins n'avaient pas peur, car ils disparaîtraient dans une ruelle dès qu'ils verraient apparaître un adulte.

Bien que remis de son vilain rhume, Paul avait encore les bronches encombrées, et le fait de courir dans l'escalier avait décroché des glaires. Il inspira à fond et se racla la gorge pour faire remonter dans sa bouche un énorme glaviot. Cette masse chaude et visqueuse lui donnait des haut-le-cœur et il s'apprêtait à l'expulser dans le caniveau quand il eut une meilleure idée. Il cracha dans sa paume.

— Je vais vous frotter ça dans les cheveux, dit-il en tendant la main vers les deux gamins.

— Beurk, des microbes ! s'écria le petit.

Ils battirent en retraite et Paul en profita pour introduire la clé dans le cadenas.

Il agita la main pour se débarrasser de la morve, pendant qu'il chevauchait la bicyclette et se mettait à pédaler dans la ruelle. Il venait de tourner au coin lorsque l'explosion se produisit. L'énorme déflagration secoua le sol et lui arracha le guidon des mains.

Il essaya de redresser le vélo, mais en relevant la tête, il découvrit qu'il fonçait droit sur une voiture venant en sens inverse.

.:.

20 heures 33. Dunkerque

Le lieutenant Bauer avait dix-sept ans, et il venait de passer trois heures à effectuer des réparations dans la fournaise de la salle des machines d'un torpilleur. Celui-ci avait été victime d'une avarie en mer. Un bloc de six cylindres s'était grippé et le *Kapitan* menaçait de punir Bauer car c'était lui qui avait effectué les ultimes vérifications avant qu'ils ne quittent le port.

Apparemment, il n'avait pas détecté une baisse importante de la pression d'huile.

Ce blâme pouvait détruire une carrière qui venait à peine de commencer, voilà pourquoi le jeune Bauer broyait du noir alors qu'il flânait derrière le bâtiment à l'intérieur duquel plusieurs officiers devaient être en train de le maudire.

Il s'assit sur un bollard et sortit une cigarette d'un étui en métal. Alors qu'il soulevait le capuchon de son briquet, il aperçut du coin de l'œil un camion qui franchissait le pont. Il songea qu'il n'avait jamais vu de véhicules pénétrer sur les quais après la tombée de la nuit, mais il chassa cette pensée en se disant que ce n'étaient pas ses oignons.

En tirant la première bouffée de sa cigarette, il remarqua que le courant était étonnamment fort dans le canal qui passait devant lui. Puis il vit le camion s'arrêter au sommet d'une petite pente qui descendait vers le bâtiment situé dans son dos. Sa curiosité s'éveilla quand deux hommes en descendirent pour décharger une moto qui se trouvait à l'arrière.

Il se leva et fit le tour du bâtiment à toutes jambes.

— Hé, les gars ! cria-t-il en entrant. Je crois qu'il se passe un truc sur le pont !

Mais après la panne de moteur du torpilleur, il était en disgrâce et ne réussit qu'à s'attirer le mépris de ses compagnons.

— Qu'est-ce que tu as encore fait, abruti ? demanda un marin.

— Un camion a franchi le pont et s'est arrêté net, expliqua Bauer d'un ton pressant. Ensuite, deux types ont déchargé une moto. Je sais pas ce qui se passe, mais j'aime pas ça.

Ses compagnons ne savaient pas quoi penser, mais cinq secondes plus tard, un autre homme fit son apparition et annonça :

— L'eau s'engouffre dans la cale sèche ! Quelqu'un a ouvert les vannes !

Pas besoin d'être un génie pour rassembler les deux informations et comprendre que le port était la cible d'une opération de sabotage. Un officier corpulent se leva d'un bond et aboya des ordres.

— Toi, toi, toi... Prenez des armes ! Et allez voir ce qui se passe ! Exécution !

À moins de cent mètres de là, Eugène fit démarrer la moto d'un coup de kick. De son côté, PT ôta le frein à main du camion et sauta de la cabine.

— Trois minutes ! cria-t-il.

Eugène lui lança un casque.

Pendant que le moteur de la moto ronronnait, PT et Eugène vinrent s'adosser au hayon du camion et poussèrent de toutes leurs forces. La pente était douce mais, sans frein à main, le véhicule commença à rouler lentement en direction du quai au moment même où ils apercevaient des faisceaux de lampes électriques et entendaient des cris en allemand, bientôt suivis de silhouettes jaillissant de l'arrière du bâtiment pour se précipiter vers eux.

— Merde ! pesta Eugène en chevauchant la moto. Monte vite !

Deux coups de feu claquèrent tandis que PT sautait en selle et nouait ses bras autour de la taille d'Eugène. D'autres détonations retentirent alors que la moto franchissait le pont dans un grondement de tonnerre et zigzaguait pour longer la cale sèche.

Les vannes étaient totalement ouvertes maintenant et la cataracte avait projeté les petites embarcations contre les parois, tels des canards en plastique ballottés dans une baignoire. Les officiers de marine étant à pied, ils n'avaient aucune chance de rattraper la moto, mais une balle atteignit le camion qui continuait à rouler en direction des patrouilleurs.

À la seconde même où le projectile entra en contact avec la dynamite, une zone de cinquante mètres autour du véhicule se transforma en une gigantesque boule de feu, pulvérisant plusieurs marins et le bâtiment, alors que des hommes plus éloignés plongeaient dans l'eau sous les flammes.

Les explosions de Calais et de Boulogne étaient des balises, l'objectif était d'allumer des feux afin d'éclairer la route pour les bombardiers. Les trois cents bâtons de dynamite étalés sur le plancher du camion aideraient eux aussi les pilotes britanniques à repérer leurs cibles, mais leur but premier était de détruire un maximum de patrouilleurs allemands.

— Bon sang ! s'écria PT. Où sont passées les deux minutes ?

Malgré les deux cents mètres qui les séparaient de l'explosion, il sentit la chaleur de la boule de feu dans son dos, alors qu'il regardait les flammes se refléter sur le casque d'Eugène.

Mais le feu était le cadet de leurs soucis. La déflagration prématurée avait provoqué une énorme onde de choc dans le réseau de canaux. Une vague de plus de trois mètres de haut s'éleva au-dessus du mur de la cale sèche. Quand elle retomba, deux petites péniches basculèrent de l'autre côté et les embarcations qui se trouvaient encore à l'intérieur se fracassèrent contre les parois dans un vacarme assourdissant.

PT se retourna une seconde avant que les trombes d'eau ne s'abattent sur la moto. Aucun pilote n'aurait pu garder le contrôle de l'engin au moment où les flots soulevèrent les roues du sol et projetèrent les deux adolescents, qui se débattaient furieusement et vainement, vers une cabane en tôle.

PT eut le réflexe de protéger sa tête lorsque son dos heurta le mur métallique. Sous le choc, un gros mât transperça la paroi à moins de vingt centimètres de son crâne.

— Eugène ! cria-t-il en se servant du mât pour se redresser, tandis que l'eau refluait à l'intérieur de la cale sèche.

Eugène avait failli être entraîné dans le gouffre lui aussi, mais il avait réussi à s'accrocher à un bollard, tout près du bord. PT se précipita vers lui, craignant qu'il n'ait été assommé, mais il n'était qu'essoufflé, et il était déjà debout quand une deuxième vague, plus petite, enveloppa leurs chevilles.

— Ça va, toi ? demanda Eugène en retirant son casque trempé.

— Ça va, répondit PT en regardant derrière lui pour voir si quelqu'un s'était lancé à leur poursuite. Mais la moto est foutue. Comment on va faire pour retourner à la ferme ?

CHAPITRE TRENTE

20 HEURES 42. LE PORT

Henderson gara la camionnette à cinquante mètres de la jetée du petit port, puis il termina à pied, avec Rosie, en suivant la route côtière au crépuscule.

— Rappelle-moi ce que t'a dit Manfried, demanda-t-il, tandis que des explosions et des éclairs faisaient trembler le ciel au-dessus de Calais, derrière eux.

— Il y a trois gardes, expliqua Rosie. Deux dans la cabane et un qui patrouille. Mais généralement, ils jouent tous aux cartes à l'intérieur car il ne se passe jamais rien. La relève a lieu à vingt-trois heures et ils viennent avec leurs gamelles. Personne ne leur apporte à manger.

— Parfait, commenta Henderson.

Il s'arrêta derrière un rocher blanc, éjecta le chargeur de son pistolet muni d'un silencieux et rajouta quatre balles pour remplacer celles tirées un peu plus tôt, dans les écuries de Calais.

— C'est un chic type, dit Rosie, alors que l'Anglais se remettait en marche. Je parle de Manfried.

— Il mourra vite, sans même s'en rendre compte.

— Il n'y a pas d'autre moyen ? On ne pourrait pas les ligoter ou quelque chose comme ça ?

— On ne change pas un plan en cours de route.

Rosie détestait cette froideur calculatrice avec laquelle Henderson envisageait la mort d'un être humain.

— Manfried n'a que dix-huit ans et il a l'air très gentil, insista-t-elle d'un air suppliant, mais elle ne parvint qu'à énerver l'Anglais.

— C'est la guerre, ma jolie, répondit-il d'un ton condescendant. Je n'ai qu'un pistolet et ils sont trois, avec des mitraillettes. Que faisait ce Manfried durant les combats, à ton avis ? Crois-tu qu'aucun de ces soldats n'a tué de Français ou incendié des villages ?

Rosie se dit, à contrecœur, qu'Henderson avait sans doute raison. Ils s'arrêtèrent derrière une petite crête qui surplombait le bassin. Un rayon de lumière s'échappant du poste de garde éclairait deux cannes à pêche rudimentaires que les soldats avaient fixées sur la jetée.

— Deux remorqueurs, fit remarquer Rosie, le doigt tendu vers l'extrémité du bassin.

— C'est l'idéal, chuchota Henderson. Conçus pour tracter de lourdes charges, les remorqueurs sont des bateaux rapides quand ils n'ont rien derrière. La traversée jusqu'en Angleterre devrait prendre trois heures. Avec une péniche ou une barge à moteur, il faudrait compter le double, au moins.

— Super, dit Rosie, mais Henderson sentait bien qu'elle pensait encore à Manfried quand il sortit de sa poche un revolver calibre 38.

— Tu n'es pas obligée de participer, Rosie, mais je vais devoir éliminer trois hommes et j'avoue que je serais plus tranquille si quelqu'un couvrait mes arrières.

D'un air solennel, la jeune fille prit l'arme sans silencieux. Et si, par malheur, elle était amenée à tuer Manfried ? pensa-t-elle.

— C'est un revolver double action, sans cran de sûreté, l'avertit Henderson. Tu n'es pas forcée d'armer le chien pour tirer, mais la détente est plus souple.

Rosie hocha la tête, alors que l'Anglais escaladait déjà la crête. Il resta plié en deux pour traverser les hautes herbes sèches en direction de la cabane en tôle ondulée. Arrivé derrière, il avisa un câble qui menait à une antenne radio installée sur le toit. Il était impératif que les gardes ne puissent pas donner l'alerte, c'est pourquoi il le sectionna à l'aide d'une pince coupante.

Au moment où il risquait un coup d'œil au coin de la cabane, la porte s'ouvrit à la volée et un Allemand en sortit.

— Quatre as, sale tricheur ! lança-t-il d'un ton amer.

Il marcha jusqu'au bord de la jetée et ouvrit sa braguette pour se soulager dans l'eau.

— Mauvais joueur ! lui répondit Manfried de l'intérieur.

Le troisième soldat éclata de rire.

Rosie sursauta quand une violente détonation, accompagnée d'un bref éclat de lumière, ébranla la nuit.

— Oh, c'était une grosse, celle-là, commenta l'Allemand en train d'uriner. On aurait dit un dépôt de munitions ou un truc dans le genre. C'est vraiment la plaie, ces énormes bombardiers britanniques. Quand on les voit arriver, on peut réciter ses prières.

Henderson l'avait en ligne de mire, mais la balle le ferait basculer dans la mer et ses camarades, alertés par le *plouf*, se précipiteraient dehors. Il attendit donc, crispé, que le soldat ait fini de se soulager et se dirige vers les cannes à pêche dans l'espoir de trouver du poisson.

— Encore une de tes idées stupides, Manfried ! cria-t-il. Corned-beef pour tout le monde, comme tous les soirs !

Comme l'Allemand dégingandé rebroussait chemin sur la jetée pour regagner le poste de garde, Henderson lui tira dessus, de biais. Sa cible se trouvait à moins de trois mètres, et malgré cela, il la loupa. L'Allemand se mit à brailler.

Henderson tira de nouveau, deux fois, atteignant le soldat dans le dos et à la hanche. Manfried et le troisième homme jaillirent, au moment où l'Anglais se réfugiait derrière la cabane.

— Il est par là, murmura l'Allemand blessé à ses deux camarades qui armaient leurs mitraillettes.

Manfried pivota. À tout hasard, il vida la moitié de son chargeur en arrosant les herbes hautes et le sable, tandis qu'Henderson rejoignait Rosie derrière la crête.

— Je n'arrive pas à croire que je l'ai loupé ! pesta-t-il. Fais le tour de l'autre côté et tire sur tout ce qui bouge.

Il entendit un soldat qui contournait la cabane à pas feutrés.

— Je vois rien ! cria Manfried. Demande des renforts.

Pendant que le jeune Allemand s'enfonçait au milieu des graminées, Henderson tira deux autres balles silencieuses. La première atteignit le soldat dans le ventre, la deuxième lui traversa le crâne.

— Manfried ? cria son compagnon de l'intérieur de la cabane.

Ne voulant pas se retrouver pris au piège, il s'empressa de sortir.

Rosie songea que s'il avait un peu de jugeote, il filerait dans la direction opposée à celle où Manfried avait été abattu. Cela signifiait qu'elle seule désormais pouvait l'arrêter.

Jaillissant de derrière la cabane, elle tira sur l'ombre en mouvement. Le premier tir passa à côté, mais le second atteignit l'homme en pleine course. Déséquilibré, il alla percuter un poteau en bois au bord de la jetée. Horrifiée et tremblante, elle avança de deux pas, arme au poing.

Les yeux du soldat la suppliaient ; il leva ses mains devant son visage. Rosie savait qu'elle devait presser la détente, mais l'Allemand était encore un adolescent, et il paraissait si affolé qu'elle avait plus envie de le serrer dans ses bras que de le tuer.

Deux petits bruits sourds jaillirent d'un canon muni d'un silencieux, dans son dos. Rosie frissonna en voyant le soldat basculer dans l'eau. Alors qu'elle s'éloignait, en état de choc, Henderson courut jusqu'au bord de la jetée pour tirer une troisième balle dans le corps qui flottait.

— Je n'ai pas pu, dit-elle d'une voix étranglée en se tournant vers l'Anglais qui abaissait son arme.

Après s'être assuré d'un rapide coup d'œil que l'Allemand était bien mort, Henderson revint vers Rosie et esquissa un sourire en posant la main sur son poignet.

— Ne t'excuse pas, dit-il. Tu as été formidable.

∴

20 heures 44. Dunkerque

Sur les trois cent trente-sept bombardiers qui survolèrent les côtes du Nord de la France cette nuit-là, quatre-vingt-huit avaient Dunkerque pour cible. Chaque appareil transportait entre trois tonnes et demie et cinq tonnes de bombes. Les oreilles d'Eugène se mirent à bourdonner dès que la première bombe explosa. Vingt autres lui succédèrent en quelques secondes. Les deux bombardiers suivants effectuèrent leur passage, puis d'autres, toujours par paire.

Certains larguaient des engins incendiaires qui produisaient des flammes lors de l'impact. De tous côtés, tout n'était plus que fournaise, tandis que les deux adolescents, trempés jusqu'aux os, cherchaient une échappatoire.

Les bombes manquaient de précision. Heureusement, Eugène et PT découvrirent un trou dans le grillage et ils purent quitter le chantier naval, mais la menace persistait dans les rues grêlées par les tirs d'artillerie, là où s'étaient déroulés les combats les plus violents lors de l'ultime phase de l'évacuation britannique.

Ils se plaquèrent contre un mur.

— Et maintenant ? cria PT.

— Si on essayait d'atteindre la caserne ? suggéra Eugène. Pour voler une voiture ou une autre moto. Ce n'est qu'à deux bornes.

— Oui, mais dans quelle direction ?

Une colossale déflagration retentit à moins de cinq cents mètres de là et un Halifax en flammes passa en trombe au-dessus d'eux, tandis qu'il pleuvait des briques.

— On est arrivés en enfer ! s'exclama Eugène. On est déjà morts, mais on s'en est pas aperçus.

Le Halifax perdait de l'altitude et son aile droite en feu commençait à se détacher.

— Ça t'apprendra à me bombarder, salopard ! brailla PT en boxant dans le vide.

— Ils sont de notre côté, dit Eugène en se décollant du mur pour se remettre en marche. Viens, on ne peut pas rester ici.

PT emboîta le pas à son compagnon.

— S'ils me bombardent, c'est eux les saletés d'ennemis ! rétorqua-t-il.

Les explosions et la fumée les avaient désorientés, et dans les rues couvertes de gravats, impossible d'évaluer les distances. L'aile enflammée du bombardier finit par se détacher et l'appareil devenu instable bascula cul par-dessus tête pour aller s'écraser contre les ruines du plus grand cinéma de la ville, quelques centaines de mètres devant eux.

Juste avant le carrefour suivant, la chaussée s'était effondrée, mettant au jour des caves d'immeuble et des bouteilles de vin brisées. Après avoir fait un détour pour contourner le cratère, PT et Eugène atteignirent une des routes, peu nombreuses, que les Allemands avaient déblayées pour permettre aux véhicules d'accéder aux quais. Une voiture noire fonçait vers eux, au moment où le sol tremblait de nouveau.

La gorge asséchée par la poussière et la chaleur, PT luttait contre une quinte de toux quand la voiture ralentit et s'arrêta à une cinquantaine de mètres de l'avion qui s'était écrasé. Deux Allemands en descendirent et braquèrent des lampes au milieu des débris encore fumants de l'appareil.

— Des SS, murmura Eugène. Ils cherchent sûrement les aviateurs.

— Rendez-vous ! criaient-ils en avançant prudemment sur des empilements de briques brisées.

Un simple coup d'œil suffisait pour comprendre que personne n'avait pu survivre à un tel accident, et après avoir promené les faisceaux de leurs torches un peu partout, les deux hommes en uniforme noir regagnèrent leur voiture.

— Excusez-moi ! s'écria Eugène en trottinant vers eux.

Bien que stupéfié par le culot de son compagnon, PT comprit que ces Allemands étaient leur seule chance de quitter rapidement la zone des bombardements.

— On travaille sur les docks, expliqua Eugène. Vous pouvez nous emmener loin d'ici ? On n'en peut plus.

Les SS ne comprenaient pas très bien le français, mais leurs visages indiquaient clairement qu'ils n'étaient pas d'humeur à prendre des passagers.

— Marche donc, sale fainéant de Français ! brailla un des deux officiers en montrant la chaussée dégagée.

Du fait de leur jeune âge et de leurs tenues modestes, les SS les prenaient sans doute pour de vulgaires ouvriers ou des habitants du coin assez fous pour continuer à vivre dans le centre-ville dévasté. En tout cas, ils ne les considéraient pas comme une menace et paraissaient davantage préoccupés par la poussière qui maculait leur uniforme.

— Tue-les, souffla Eugène à PT en sortant son arme.

PT l'imita, mais au moment où il pressait la détente, il se souvint que leurs deux pistolets avaient pris l'eau. Un frisson glacé le parcourut : l'arme allait s'enrayer ou lui exploser dans la main. Mais non.

Tireur d'élite dans l'armée avant d'être fait prisonnier, Eugène avait déjà abattu les deux Allemands d'une balle en plein cœur lorsque celle tirée par PT frôla les deux corps qui s'écroulaient, et ricocha sur les pavés.

— Ça leur apprendra à être si prétentieux, conclut Eugène avec un grand sourire. Saloperies de fascistes.

∴

21 heures 23. Le port

Après avoir poussé les trois Allemands morts dans la mer, Henderson approcha la camionnette du bord de la jetée et traîna trois sacs de charbon jusqu'à un remorqueur baptisé *Madeleine IV*. Sur ce, il sauta à bord ; comme il descendait dans la cale pour alimenter la chaudière, il éprouva un sentiment de nostalgie en repensant à ses années passées dans la marine.

Rosie s'était assise sur un tabouret à l'entrée de la jetée, une mitraillette allemande posée sur les genoux. Elle s'en saisit en voyant une silhouette se déplacer sur les falaises.

— C'est moi ! lança Paul en dévalant difficilement la pente rocailleuse, un bras à demi levé. Shampoing ! ajouta-t-il car il venait de se souvenir du mot de passe.

— Mon Dieu ! s'écria sa sœur en découvrant les égratignures sur son bras et son visage. Dans quel état tu t'es mis ! Qu'est-ce qui s'est passé ?

— Je ne m'en souviens pas très bien. Une explosion m'a fait tomber de vélo. Ensuite, je me suis retrouvé assis sur la chaussée, au milieu d'un tas de gens. J'ai une grosse bosse derrière la tête et le vélo a été écrabouillé par une voiture.

— Écrabouillé ? Mais comment tu as fait pour arriver jusqu'ici, si vite ?

— Grâce à l'officier allemand qui m'a renversé. J'étais désorienté, je lui ai dit que je ne pouvais plus rentrer chez moi, alors il m'a fait monter dans sa voiture et m'a conduit à la ferme. Il m'a déposé à l'entrée du chemin. J'ai fait semblant de continuer vers la ferme puis, dès qu'il a disparu, j'ai rebroussé chemin et je suis venu ici.

Rosie sourit en pointant sa lampe sur le visage de son frère. Elle lui palpa l'arrière du crâne.

— Tu peux t'estimer heureux. Tu as un sacré œuf de poule sur la tête. Pour les égratignures, pas de quoi en faire un plat.

— La roue avant du vélo a été déchiquetée, précisa Paul. La femme qui m'a relevé m'a dit que la voiture avait frôlé ma jambe.

— Et maintenant, c'est un voyage en bateau qui nous attend, soupira Rosie.

Les images du naufrage du *Cardiff Bay* étaient encore vivaces dans leurs esprits.

— Ne nous porte pas la poisse, dit Paul. De toute façon, on ne peut pas couler deux fois de suite. Question de probabilité.

— Henderson veut que ceux qui arrivent en premier commencent à transporter tout ce qui est dans la camionnette à bord du remorqueur. Mais si tu te sens patraque, assieds-toi. J'ai préparé des sandwiches.

Paul secoua la tête.

— J'ai un peu mal au cœur. Mais ça ne m'empêche pas de porter des trucs légers.

La camionnette était garée à moins de dix mètres de là. Henderson avait baissé le hayon arrière pour décharger les sacs de charbon. En jetant un regard à l'intérieur, Paul aperçut sa valise, avec celles des autres et les documents dérobés au quartier général. Mais il s'aperçut très vite qu'il manquait quelque chose.

— Rosie, où sont mes conserves ?

Sa sœur ne put s'empêcher de rire.

— Paul, j'ai emporté tes affaires, ton matériel de dessin et tout l'argent que tu as gagné, mais on ne va pas trimballer des dizaines de conserves jusqu'en Angleterre. Je les ai laissées sur le comptoir de la cuisine, avec un mot pour les prisonniers disant qu'ils pouvaient les garder.

— Nom de Dieu ! s'écria Paul. Tu as dit que tu les prendrais !

— Ne sois pas idiot ! Pourquoi pas Lottie et les poules, pendant qu'on y est ?

— Je retourne à la ferme.

— Comment tu vas les porter ? Je te rappelle que tu as reçu un coup sur la tête, tu devrais te reposer.

Paul foudroya sa sœur du regard.

— Je suis arrivé en avance. J'ai grandement le temps de retourner à la ferme et de revenir avant que Marc et PT ne soient là.

— Henderson ne sera pas content si tu ne suis pas son plan.

Paul était déterminé.

— Je ne pourrai pas récupérer toutes les conserves de fruits, mais j'emporterai au moins les deux grosses boîtes de confiture de fraise et la sauce au chocolat noir.

— Tu n'es qu'un imbécile ! pesta Rosie, tandis que son frère attaquait l'ascension de la falaise.

Elle ne lui courut pas après, car Henderson lui avait confié la mitraillette avec mission de surveiller le quai.

CHAPITRE TRENTE ET UN

21 heures 27. Le port

Rosie était toujours en colère contre son jeune frère, quand elle vit la grosse Mercedes s'engager sur la route qui descendait vers le port. Elle aurait parié qu'il s'agissait de la voiture qui avait déposé Marc à la ferme plusieurs fois. Malgré tout, elle se retira au milieu des herbes hautes, à côté du poste de garde, prête à faire usage de la mitraillette, jusqu'à ce qu'elle voie les deux Africains sortir du véhicule.

– Keïta et Farès, annonça Marc, tandis que Rosie leur serrait la main. Les gars, je vous présente ma sœur Rosie.

– Un joli nom, commenta Keïta.

La jeune fille était impressionnée par son physique et cette main qui enveloppait la moitié de son bras.

– Je crois qu'on peut arrêter de faire semblant d'être frère et sœur, dit-elle. Tout s'est bien passé ?

– Pas trop mal, répondit Marc. On a franchi le

contrôle de Boulogne sans être arrêtés et le barrage sur la route côtière n'était pas surveillé. À mon avis, ils ont fichu le camp quand le bombardement a commencé. Le seul problème, c'était la chaussée défoncée près de Marquise. J'ai dû faire demi-tour et traverser ce village pourri. Il y avait un tas de petites routes sinueuses, il faisait noir comme dans un four. Bref, j'ai mis une éternité à retrouver la route.

— Tu as réussi, c'est ce qui compte, dit Rosie. Henderson va installer une bombe à retardement pour faire sauter le port après notre départ. Pendant que tu commences à brancher les explosifs, Keïta et Farès peuvent transporter tout ce qui reste dans la camionnette.

.:.

21 heures 32. La ferme

Paul avait effectué des centaines de fois le trajet entre la plage et la ferme, et il était capable de s'orienter même dans l'obscurité. Ses égratignures l'élançaient et la douleur cognait sous son crâne, mais il était entièrement concentré sur sa colère. Il en voulait à Rosie de ne pas avoir emporté ses conserves ; elle savait pourtant combien d'Allemands il avait dû dessiner pour les obtenir. Il avait un peu peur également. Il se disait qu'Henderson était capable de lui flanquer une raclée mémorable pour s'être écarté du plan, mais du moment qu'il revenait avant que tous les autres ne soient là, tout irait bien.

En émergeant du petit bois, quelle ne fut pas sa stupeur de découvrir les phares aveuglants d'une voiture officielle garée devant la maison. Viviane Boyer se tenait juste à côté, en compagnie d'un policier qui lui ressemblait comme deux gouttes d'eau. Paul se souvint alors d'une des fanfaronnades de Daniel : son oncle était policier et c'était grâce à lui qu'il avait été relâché à plusieurs reprises suite à des cambriolages.

— Ils ont fait leurs valises et fichu le camp, expliquait Viviane, les larmes aux yeux, en se dirigeant vers le côté de la maison. Personne n'a vu mon Daniel depuis le déjeuner, alors j'ai envoyé Luc demander s'il n'était pas ici. J'ai attendu une heure, puis je suis venue à mon tour et j'ai trouvé la ferme déserte. Mais au moment où j'allais repartir, j'ai aperçu le vélo de Luc, abandonné dans l'allée.

Ayant passé la journée à Calais, Paul ne savait bien évidemment pas que Luc et son fils étaient ligotés dans l'étable. Le policier adopta un ton légèrement hautain, tandis que le garçon se réfugiait dans les buissons pour tendre l'oreille.

— Quand ces gens sont arrivés, je me suis méfié. Cette histoire me semblait louche. J'ai croisé cette Maxine au village. Pour moi, elle n'avait rien d'une femme de fermier, avec ses vêtements chics et sa Jaguar.

— Oui, c'est vrai, dit Viviane. Mais ils se comportaient comme des gens bien. Et quand le dénommé Charles nous a appelés, un beau jour, pour proposer de ramener Lucien et Hortense à la maison, est-ce qu'on avait le choix ?

L'officier de police se pencha à l'intérieur de son véhicule pour prendre une lampe.

— Je vais aller jeter un rapide coup d'œil. Si je ne trouve rien, on retournera au village et on organisera une battue.

— Ils ne sont pas partis depuis longtemps, en tout cas, fit remarquer Viviane. Les poules avaient encore à manger et les vaches ont été traites. J'ai trouvé un mot sur le comptoir, adressé aux gars qui travaillent à la ferme. Ils peuvent prendre toutes les conserves et ce qu'ils trouveront dans l'étable.

— Tu es allée voir ? demanda le représentant de l'ordre.

— Pour quoi faire ? C'est sûrement du beurre ou du fromage.

— On ne sait jamais. Allons-y.

Paul ignorait ce qui était arrivé à Daniel et à son père, mais il comprit une chose : une battue risquait de leur compliquer la tâche. Il devait prévenir Henderson. En même temps, il était tout près de ses précieuses conserves. Alors, pendant que Viviane et son frère parcouraient la centaine de mètres qui les séparaient de l'étable, il jaillit des buissons et, plié en deux, traversa le pré pour s'engouffrer dans la cuisine.

Il faisait nuit noire et Paul fit un bond lorsque Lottie poussa un bêlement et percuta la table avant de se précipiter dehors.

— Saleté de chèvre, marmonna le garçon.

À tâtons, il inspecta le dessus du plan de travail jusqu'à ce qu'il trouve une des grosses boîtes de confiture et reconnaisse la forme bombée du gros pot de sauce au chocolat. Une conserve sous chaque bras, il ressortit en courant et fonça vers les buissons, au moment où Viviane poussait un hurlement.

— Daniel, mon pauvre bébé ! Oh, mon Dieu, ce sont des traces de morsures sur ton nez ?

Intrigué, Paul décida d'attendre. Inutile d'aller prévenir Henderson sans savoir ce qui était arrivé à Daniel au juste.

— Ils vont faire sauter le port et filer à bord d'un remorqueur ! s'écria rageusement Luc Boyer en émergeant de l'étable d'un pas titubant, luisant de bouse de vache. Je ne sais pas pourquoi ils font ça, mais pendant que Charles me traînait jusqu'ici de force, la gamine, Rosie, lui a demandé combien d'explosifs il leur fallait pour faire sauter le port.

— Il n'a pas sauté, dit sa femme. On l'aurait entendu du village.

Paul ne comprenait toujours pas ce qui était arrivé à Luc et à son fils, mais de toute évidence, Henderson et Rosie le savaient et sa priorité, désormais, était de les prévenir le plus vite possible.

— Je vais retourner au village pour alerter les soldats qui sont au café, déclara le policier. Personne n'a le droit de traiter de cette façon les membres de ma famille !

∴

21 HEURES 46. LE VILLAGE

Eugène savait qu'il fallait environ une heure pour parcourir les quarante kilomètres entre Dunkerque et la ferme, située à proximité de Calais. En théorie, cela leur laissait une marge de vingt minutes, malgré la perte de temps due à l'accident de moto. Mais des centaines d'avions pilonnaient la côte et le risque de tomber sur des routes barrées ou des chaussées impraticables était réel, c'est pourquoi il roulait aussi vite que le permettaient l'obscurité, les nuages de fumée âcre et la faible lumière des phares, masqués conformément aux règles du black-out.

Le moment le plus éprouvant pour les nerfs avait eu lieu à un barrage surprise où ils avaient présenté le laissez-passer qu'Henderson leur avait remis pour le camion. Fort heureusement, le soldat chargé de contrôler leurs papiers, sans doute fatigué ou indifférent, n'avait pas remarqué que les plaques d'immatriculation ne correspondaient pas.

PT jeta un coup d'œil à sa montre lorsqu'ils pénétrèrent dans le village et passèrent à toute vitesse devant la maison des Boyer.

— Dix heures moins vingt. On est largement dans les temps.

Alors qu'ils traversaient la place, PT remarqua une voiture officielle garée au milieu et un policier qui gesticulait furieusement.

— Tiens, on dirait Luc Boyer et Daniel à côté de lui, commenta PT en voyant des soldats allemands quitter la terrasse du café précipitamment pour sauter dans deux *Kübelwagens*.

— C'est qui, ce Luc Boyer ? demanda Eugène.

— Un gros fermier des environs. Ralentis, je veux voir ce qui se passe.

— Je me concentre sur la route. La seule chose qui me préoccupe pour l'instant, c'est d'éviter de finir dans un fossé ou de passer à travers le pare-brise.

L'inquiétude de PT s'accrut lorsque, en regardant par-dessus son épaule, il aperçut les phares des deux *Kübelwagens* à moins de cent mètres derrière eux.

∴

21 HEURES 51. LE PORT

Dès son retour, Paul s'était empressé d'annoncer que la police avait découvert Daniel et son père dans l'étable. Le dernier des trois cent trente-sept bombardiers avait lâché sa cargaison vingt minutes plus tôt et, debout à l'arrière du remorqueur, Henderson voyait des flammes s'élever dans le port de Calais et sur la côte dans les deux directions.

— Des phares ! cria Marc.

Rosie se trouvait dans la timonerie. Henderson s'empara d'une mitraillette.

— Eugène et PT ne sont toujours pas arrivés, s'inquiéta-t-elle.

— On va attendre encore neuf minutes, si on peut. Tiens-toi prête à prendre la barre. Paul, reste accroupi sur le pont, mais prépare-toi à larguer les amarres et à allumer les explosifs dès que je t'en donne l'ordre.

Une seule route menait au port. Keïta et Farès étaient tapis dans les herbes hautes, en embuscade. Marc, lui, était couché au sommet de la falaise, à une cinquantaine de mètres, et observait les environs avec une paire de jumelles.

— Trois voitures pleines d'Allemands ! lança-t-il.

Henderson devait faire un choix : larguer les amarres ou tenir bon jusqu'à ce qu'Eugène et PT arrivent. Il se disait que le policier avait juste eu le temps de foncer au village pour rameuter les habitués du bar. Ceux-ci étaient de jeunes soldats, peu armés et sans doute ivres. Alors, il estimait avoir des chances.

∴

— Hé, ils nous tirent dessus ! s'exclama Eugène en faisant une embardée sur le côté, alors que les balles s'écrasaient contre la calandre de la voiture des SS. Ils s'attendent à nous voir arriver à moto. Montre-toi !

— C'est nous ! brailla PT. Shampoing ! Shampoing ! Les Allemands sont à nos trousses !

Une pluie de projectiles le frôla et Eugène n'eut d'autre choix que de quitter l'étroite route du port. Les deux *Kübelwagens* lancés à leur poursuite s'étaient arrêtés dès les premiers coups de feu ; des soldats avaient sauté des voitures pour courir vers le rivage ou prendre position derrière leurs véhicules.

D'autres balles vinrent frapper la carrosserie de la voiture qui escalada une dune, à travers les graminées, avant de déboucher sur une plage. La marée était haute et la voiture s'immobilisa rapidement, roues avant dans la mer, radiateur fumant.

— Shampoing ! hurla Eugène.

Les mains en l'air, il sauta dans l'eau et fonça vers la jetée. PT l'imita, mais il baissa vite les mains car les Allemands qui les poursuivaient avaient ouvert le feu.

Henderson ordonna à Keïta de rester en position, tandis qu'il revenait vers la jetée pour voir ce qui se passait sur la plage.

— Paul, largue les amarres ! aboya-t-il.

L'Anglais découvrit alors avec stupéfaction des Allemands en train de canarder deux silhouettes sombres qui couraient sur la grève. Pendant ce temps, Marc dévalait la falaise. Il avait une meilleure vue d'ensemble qu'Henderson.

— C'est PT et Eugène ! cria-t-il en arrivant à proximité de l'Anglais. Arrêtez de tirer, nom d'un chien !

— Merde, merde, merde ! rugit Henderson, avant de se tourner vers Keïta et Farès. Montez sur le bateau ! Toi aussi, Marc. Je vous couvre.

Mais le garçon vit que PT et Eugène avaient du mal à escalader les rochers glissants au pied de la jetée. Un bras passé autour d'un des poteaux, il tendit la main à PT pour le tirer, mais à l'instant même où celui-ci posait le pied sur les planches, il reçut une balle dans le bras.

— Les salopards ! grogna-t-il, alors que Marc rassemblait toutes ses forces pour ne pas lâcher son ami.

Tandis qu'Eugène parvenait à se hisser sur la jetée, Keïta et Farès fonçaient vers le *Madeleine IV*. Henderson sortit de sa poche deux grenades, en espérant qu'elles suffiraient à tenir en respect les Allemands. Après les avoir dégoupillées, il en expédia une au loin, en direction de la route, et s'appliqua pour lancer la seconde à l'intérieur de la Peugeot dont les portières étaient restées ouvertes.

Lorsque les grenades retombèrent, les premiers Allemands n'étaient plus qu'à dix mètres d'Henderson. Celui-ci redescendit la jetée en zigzaguant et en tirant ses dernières rafales de mitraillette. Keïta le couvrait de l'arrière du remorqueur, au moment où la première grenade pulvérisa les vitres de la Peugeot.

— La mèche, Paul ! Largue les amarres ! Rosie, démarre ! brailla Henderson.

Le port, le deuxième remorqueur et les péniches avaient été bardés d'explosifs reliés à une mèche à retardement de deux minutes. PT souffrait le martyre et Marc dut le coucher sur le pont. De son côté, Paul prit un briquet pour allumer la mèche, tandis que sa sœur mettait les gaz et que le remorqueur commença à longer la jetée.

Rosie avait obéi à l'ordre d'Henderson, mais l'inquiétude la rongeait. Elle n'avait jamais piloté de bateau, et surtout, elle craignait d'abandonner l'Anglais sur la jetée.

— Dégagez ! cria celui-ci en se débarrassant de sa mitraillette vide pour sauter d'un bond athlétique à l'arrière du remorqueur.

PT était allongé sur le pont. Henderson, qui ne l'avait pas vu, trébucha sur ses jambes et s'affala de tout son long, pendant que le garçon hurlait de douleur. Rosie accéléra alors que trois Allemands couraient sur la jetée en mitraillant l'arrière du remorqueur.

Ils étaient trop loin pour tirer avec précision. Néanmoins, quelques balles perdues arrachèrent des éclats de bois à la timonerie, tout près de Rosie. Elle entendit un bruit métallique et sentit un liquide couler sur ses jambes, tandis que le remorqueur dépassait l'extrémité de la jetée.

— Venez m'aider ! gémit-elle. Je suis touchée.

Pendant ce temps, sur la jetée, le policier qui avait rejoint les Allemands tentait de leur expliquer que le port était certainement piégé, mais aucun d'eux ne parlait assez bien le français et de toute façon, occupés à mitrailler désespérément la poupe du *Madeleine IV* qui disparaissait, ils ne l'entendaient pas.

Henderson, encore un peu sonné après sa rencontre brutale avec le pont, gravit les trois marches de bois qui menaient à la timonerie.

— Oh, mon Dieu, ! s'écria Rosie. Prenez la barre ! Je suis blessée.

La mer était calme et le remorqueur avançait en ligne droite. L'Anglais put donc se concentrer sur la jeune fille.

— Calme-toi. Où as-tu été touchée ?

— Je ne sais pas ! C'est comme ça que mon père est mort ! La blessure était sous sa chemise et quand on s'en est aperçu, c'était trop tard.

— C'est douloureux ? Dis-moi où ça te fait mal. Eugène, viens prendre la barre une minute !

— Je ne sais pas ! brailla Rosie. J'ai du sang partout !

Henderson palpa la jambe de la jeune fille et constata immédiatement que le liquide était trop épais pour être du sang. Il porta ses doigts à ses lèvres.

— Hmm, délicieux.

— Hein ? Vous êtes devenu fou ?

— Je crois que ça appartient à ton frère, dit Henderson en regardant par terre autour de lui. *(Il finit par apercevoir la boîte de conserve en forme de tonneau.)* C'est de la sauce au chocolat noir !

— Oh, Paul ! Je vais lui tordre son sale petit cou de poulet !

Soudain, à trois cents mètres de là, la jetée explosa.

— Accrochez-vous ! lança Henderson, alors qu'une énorme vague provoquée par l'explosion se précipitait vers le remorqueur.

CHAPITRE TRENTE-DEUX

10 SEPTEMBRE, 1 HEURE 54.
SANDGATE, PRÈS DE FOLKESTONE, GRANDE-BRETAGNE

La balle avait déchiré le biceps droit de PT, mais un bandage serré avait permis d'arrêter l'hémorragie et il buvait au goulot de petites gorgées de rhum provenant de l'armoire à pharmacie du remorqueur, afin d'endormir la douleur. Remis du choc, il partagea même quelques plaisanteries avec ses camarades dans la cabine surpeuplée du remorqueur.

La traversée aurait pu virer au cauchemar, mais il n'y avait pas la moindre trace de bâtiments ennemis et la mer était d'huile. Toutefois, Henderson savait que les sous-marins allemands utilisaient des hydrophones – appareils capables de détecter la moindre embarcation en surface –, c'est pourquoi, afin de limiter le bruit du moteur du *Madeleine IV*, il ne dépassait pas les sept nœuds.

À dix kilomètres des côtes anglaises, ils tombèrent

sur une vedette de secours qui cherchait vainement depuis plusieurs heures d'éventuels pilotes de bombardier tombés à la mer. Tous les bateaux britanniques avaient reçu pour consigne de guetter un petit remorqueur gris ; c'est ainsi que la dernière partie de leur voyage s'effectua sous la protection d'un navire de guerre deux fois plus grand que leur embarcation et doté de canons de 45 rassurants.

Quand ils accostèrent dans un petit port de pêche, Rosie et Henderson éprouvèrent un pincement au cœur en retrouvant leur terre natale. Paul, lui, n'avait que de vagues souvenirs de l'Angleterre, alors que Marc, Keïta, Farès et Eugène redoutaient l'accueil qui leur serait réservé dans ce pays étranger dont ils ne comprenaient pas la langue.

La lune n'était pas pleine, mais son éclat suffisait à faire apparaître les interminables rouleaux de fil barbelé et les pièges antichars disposés sur la plage, ainsi que les silhouettes des maisons mitoyennes au-delà du quai.

Dès que le remorqueur fut amarré, le capitaine de la vedette de secours leur adressa un salut militaire, du pont de son bateau, et s'empressa de repartir vers sa base de Folkestone, à quelques kilomètres de là.

Deux vieux soldats de la garde royale les aidèrent à fixer une passerelle. Henderson, le premier à débarquer, fut heureux de voir Miss McAfferty marcher vers lui, aussi vite que le lui permettaient ses pieds enflés.

— L'uniforme vous va à ravir ! commenta-t-il. Vite, un appareil photo !

Quel bonheur de pouvoir parler sa langue maternelle avec son propre accent, pensa-t-il.

— Je crois, ajouta-t-il, que je vais devoir vous appeler *sir*, à en juger par tous ces galons.

— Joli travail ! s'exclama McAfferty en lui tendant la main.

Ignorant ce geste, Henderson l'embrassa sur les deux joues, avant de la serrer dans ses bras.

— Où est le garçon blessé ? demanda-t-elle. La vedette nous a envoyé un message radio. Une ambulance l'attend.

Pendant que l'on aidait PT à débarquer, deux hommes en blouses blanches arrivèrent avec une civière, mais il réussit à marcher jusqu'à l'ambulance, soutenu par Eugène.

— Il y a des sandwiches et du thé chaud sous le kiosque à musique, là-bas, annonça McAfferty en désignant une construction hexagonale dans une cour, derrière le quai. Je suis sûre que vous mourez tous d'envie de boire une bonne tasse de thé.

Keïta et Farès semblaient déconcertés par la réaction des deux hommes de la garde royale qui les regardaient de la tête aux pieds.

— Il te faut une chemise, mon gars. Tu vas te geler les nichons en hiver !

— Vous avez des nouvelles de Maxine et de Bernard ? demanda Henderson.

— Bernard nous a transmis un court message il y a une heure environ, dit McAfferty. Leurs deux balises se sont allumées, à la grande satisfaction du commandant des forces de bombardement. Ils vont se retrouver ce matin et prendre le premier train pour Paris. Et toi, tu dois être Rosie ! s'exclama-t-elle gaiement, pendant qu'Henderson échangeait une poignée de main avec les vieux soldats de la garde royale. On se rencontre enfin, après tous ces messages en morse !

Rosie avait imaginé une femme séduisante, dans le genre de Maxine. C'est pourquoi, elle fut à la fois stupéfaite et émue aux larmes quand l'Écossaise la plaqua contre son imposante poitrine.

— Tout va bien, ma jolie ?

— Je suis contente de vous connaître enfin… en chair et en os, répondit Rosie avec un grand sourire. Tout va très bien, je vous remercie. Quel soulagement de revenir au pays. Je ne pourrais pas être plus heureuse.

Paul qui se tenait juste derrière, glissa à l'oreille de Marc :

— À condition de ne pas lui parler de ma sauce au chocolat.

Le raid aérien du 9 septembre sur les ports du Nord de la France est le plus gros bombardement que le monde ait connu jusqu'alors. La mise à feu réussie des bombes au phosphore, à Dieppe, Boulogne, Calais, Dunkerque et au Havre, a permis aux trois cent trente-sept bombardiers d'attaquer de nuit, avec une précision équivalente à celle d'un raid en plein jour, qui aurait été beaucoup plus dangereux.

On estime que ce bombardement a détruit plus d'un quart des péniches, presque la moitié des remorqueurs et plus de cinquante pour cent des patrouilleurs de la flotte allemande. L'importance des dégâts, ajoutée aux échecs répétés de la Luftwaffe pour prendre le contrôle des airs au-dessus de la Manche, oblige Hitler à adopter une nouvelle stratégie.

Le 11 septembre, la marine allemande et la Luftwaffe proposent conjointement de vaincre la Grande-Bretagne en affamant et en terrorisant sa population. Au lieu de chercher coûte que coûte à détruire la RAF, l'aviation allemande se concentrera désormais sur la destruction des villes. Quant à la marine, elle utilisera ses sous-marins pour s'attaquer aux navires marchands britanniques qui transportent les vivres et les armes.

Le 16 septembre, Hitler renonce officiellement à envahir la Grande-Bretagne.

TOP SECRET

1er octobre 1940

Cher Charles,

Suite à votre mémorandum concernant le recours à des agents mineurs dans la France occupée et à nos discussions de la semaine dernière à Londres, nous avons décidé – un peu à contrecœur, je l'avoue – d'accepter votre proposition de former une unité d'espionnage composée uniquement de garçons âgés de onze à dix-sept ans.

L'idée d'utiliser ces jeunes gens pour ce qui pourrait s'apparenter à de l'exploitation me dérange. Mais nous vivons une époque troublée, c'est pourquoi le Premier Ministre et moi-même nous sommes laissé convaincre par votre argument selon lequel ces jeunes gens pourraient nous apporter un avantage significatif dans le combat qui nous attend.

Les fonds et le matériel nécessaires au fonctionnement de votre unité vous seront remis par l'intermédiaire de votre commandant, Eileen McAfferty. Ce nouveau groupe s'appellera : Espionage Research Unit B[11].

Je vous prie d'agréer mes sentiments les meilleurs.

Eric Mews

Eric Mews

Vice-Ministre du département de l'Économie de guerre

11. *Espionage Research Unit B – ou ERUB* : Unité B d'espionnage et de recherche (NdT).

I DO NOT EXIST

Pour raison d'État, ces agents n'existent pas.